一九四五年

代價高昂的勝利

一九四五年

一九四五年一月一日
國民政府主席蔣中正於元旦校閱部隊。

> 一九四四年，駐印軍反攻緬甸，打通滇緬公路。
> 一九四五年，滇西國軍亦開始反攻。
> 滇西地形險惡，日軍頑強抵抗，國軍以重大犧牲克服，
> 其英勇史蹟，永留青史。

——郝柏村

一九四五年三月九日
國民政府主席蔣中正接見東南亞盟軍總司令蒙巴頓將軍（左），並贈授特種大綬雲麾勳章，以酬其打通中印公路功績。

一九四五年三月二十四日
國民政府主席蔣中正與陸軍總部及遠征軍高級將領合照。

（照片及圖說來源：國史館）

一九四五年八月二十四日
國民政府主席蔣中正於《聯合國憲章》簽署典禮簽字。

> 簽署聯合國憲章，為世界史的大事。
> 中華民國正式成為世界五強之一。
> 蔣公為中華民族尊嚴所作貢獻之歷史地位，
> 在聯合國憲章中永不會磨滅。
>
> ——郝柏村

一九四五年九月三日
國民政府主席蔣中正於慶祝世界勝利日酒會中，與美國駐華大使赫爾利（右）舉杯慶祝聯合國日。

一九四五年十二月十六日
國民政府主席蔣中正（紅圈圈起者）於學生大會會場上訓話完畢，離去時，學生爭相向前致意。

（照片及圖說來源：國史館）

一九四五年

一九四五年九月十八日
中國共產黨中央委員會主席毛澤東（左）於第四屆國民參政會茶會。席謂：「今後當團結在國民政府主席蔣中正領導之下，徹底實行三民主義，以建設現代化之新中國。」

毛澤東到重慶，可能是與蔣公生平第一次的見面。
這兩位決定中國歷史的政治領袖，
在四十三天的談判中未能建立任何互信，
實是中華民族的悲劇。

——郝柏村

一九四五年十月十日
行政院長宋子文（右）與中國共產黨中央委員會主席毛澤東（左），於協商會議結束後，雙方代表簽字握手，賀雙十會談成功留影。翌日，毛澤東返回延安。

一九四五年十二月二十三日
外交部長王世杰（中），為美國駐華特使馬歇爾（右）引見中國共產黨代表董必武（左），雙方握手合影。

（照片及圖說來源：國史館）

二戰勝利，馬歇爾策畫之功無出其右。
蔣公以元首之尊，親迎於南京明故宮機場，
開啟了今後一年間，蔣馬粗估有百次以上的交談。

——郝柏村

一九四五年十二月二十一日
國民政府主席蔣中正於美國駐華大使赫爾利辭職後，與美國總統杜魯門特派為駐華特使的馬歇爾將軍（中），由北平抵南京時，握手留影。

（照片及圖說來源：國史館）

一九四六年

民主世界的失敗

一九四六年一月十日
中國共產黨代表周恩來於政治協商會議開幕式上致詞。

> 頒發停戰令的同時，召開各黨派的政治協商會議。
> 所謂各黨派協商，其實是以中共態度為主。
> 周恩來在黃埔時期曾任軍校政治教官，蔣公總以部下視之。
> 但周是共黨的代表，來回延安，
> 請示結果可決定政治協商會議的成敗。

——郝柏村

政治協商會議後，
國軍在馬歇爾的協調下，進行第二期整編，縮減兵力三分之一。
編餘軍官二十萬人，先後設置了三十五個軍官總隊收容。
其後剿共失利，社會經濟崩潰，
無所事事的編餘軍官，成為社會動亂現象之一。

——郝柏村

一九四六年二月十六日
國民政府主席蔣中正主持軍事復員會議。

（照片及圖說來源：國史館）

一九四六年四月二十六日
陸軍軍官學校中正堂之正面攝影。

一九四六年五月五日
國民政府主席蔣中正伉儷於還都慶祝大會會場留影。

國軍進駐長春後，已至最大極限。
蔣公親赴瀋陽，及前派夫人先飛長春，為收復東北之重要象徵。
但林彪經蘇俄繳獲關東軍六十萬人以上之精良裝備，並收編偽滿軍，
經九個月的整編訓練，較國軍運往東北者已居優勢。

——郝柏村

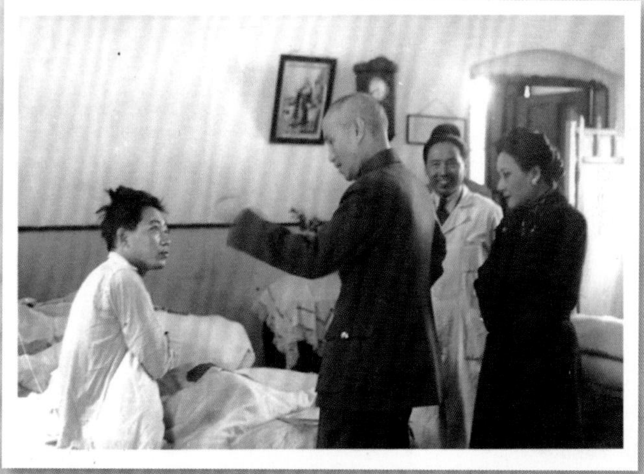

一九四六年五月二十七日
國民政府主席蔣中正伉儷親臨慰問住院傷患。

（照片及圖說來源：國史館）

一九四六年十二月三十一日
國民政府主席蔣中正簽署頒布中華民國憲法命令。

一九四六年十二月三十一日
中華民國五院院長副署中華民國憲法草案。

一九四六年，
馬歇爾失敗了，
蔣公失敗了，
美國也失敗了，
是民主世界失敗的一年。
但蔣公在本年所主導制定的中華民國憲法，
迄今仍是中華民國在台澎金馬立足、生存、發展、繁榮，
以及兩岸和平發展的基石。
這是蔣公在失敗的一年，留給歷史最大的成功。
中華民國憲法是進步的、真正的五權制衡的民主憲法，
是蔣公革命一生，
對國父遺教三民主義的民主政治的歷史貢獻，不容歪曲。

——郝柏村

（照片及圖說來源：國史館）

馬歇爾於一九四七年一月離華返美，
乃接任國務卿要職，並非如昔七上廬山之傳聞。
馬歇爾離華內心對蔣公觀感為何，
在以後美國外交之政策上，顯然對我不利。
尤其借款不成對我財政經濟影響甚大，導致最後軍事失敗。

——郝柏村

一九四六年七月十九日
美國總統特使馬歇爾夫婦於七月十八日初上廬山，十九日參加禮拜，離開官邸，與國民政府主席蔣中正伉儷合影。

（照片及圖說來源：國史館）

一九四七年

全面内戰的變局

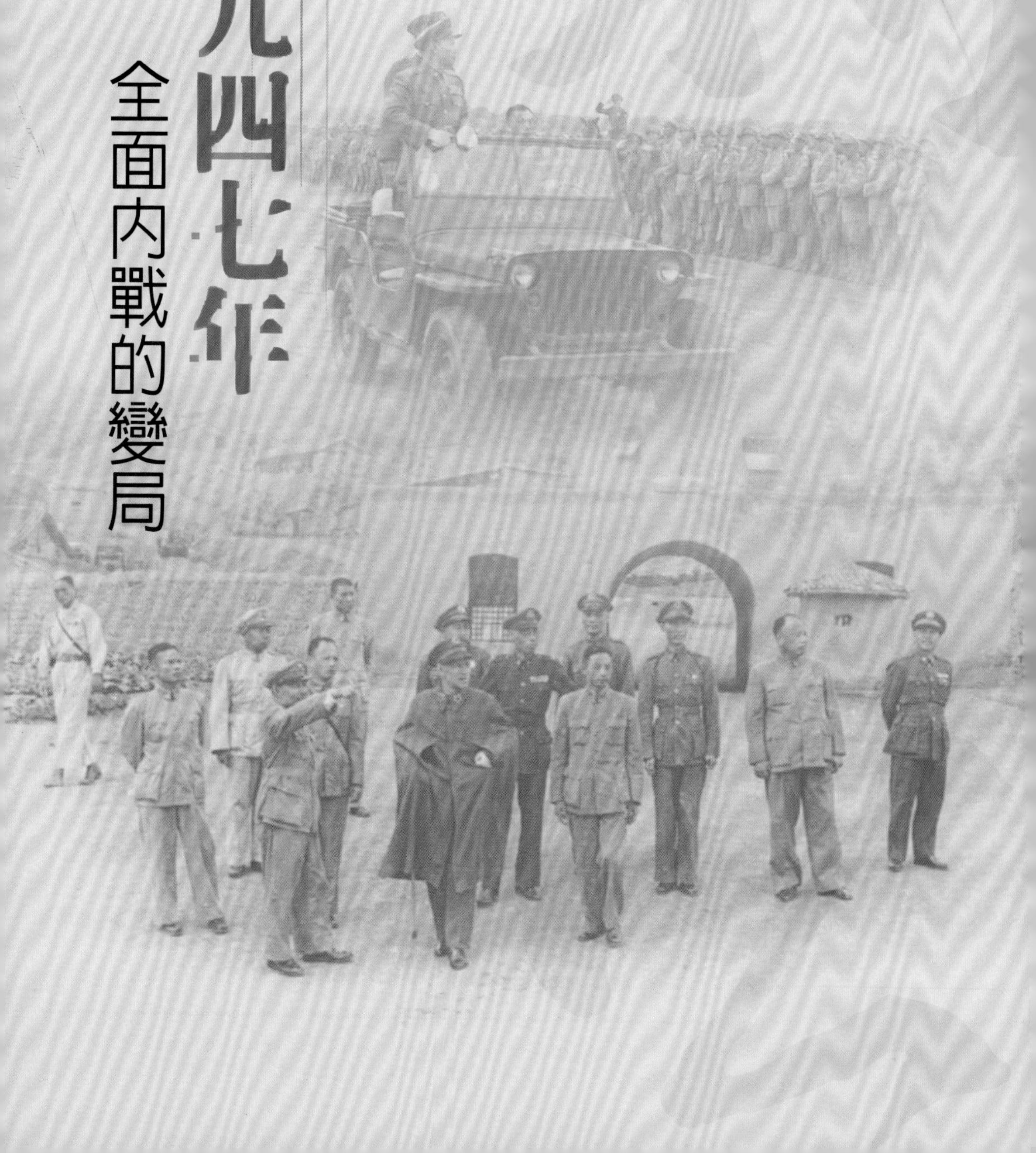

一九四七年一月八日
美國總統特使馬歇爾（左）返美，任美國國務卿，國民政府主席蔣中正親送道別。

馬歇爾離華後即調任國務卿，可見受杜魯門的倚重。
蔣馬一年相處情如冰炭，馬歇爾對華態度不言可喻。
馬歇爾為二次大戰軍事戰略重要決策者，其先歐後亞固無論矣。
而為減少美軍對日作戰傷亡，竟出賣中華民國，與蘇簽雅爾達密約。
他危害中華民國的責任，不低於羅斯福。

——郝柏村

一九四六年底，和談調解破裂，
馬歇爾離華，國共衝突從邊談邊打階段，進入只打不談階段。
蔣馬的破裂，其嚴重性更甚於蔣毛的破裂。
一九四七年春開始全面進剿，大勢上已無速戰速決的可能。

——郝柏村

一九四七年二月一日
國民政府主席蔣中正伉儷，於停戰和談破裂，軍事調處結束後，招待立法委員時，發表談話。

（照片及圖說來源：國史館）

一九四七年八月二十二日
國民政府主席蔣中正設茶會，款待美國總統特別代表魏德邁將軍（左）。

馬歇爾離華後，國軍全面進剿，
惜連受挫折，美援條件更苛更嚴。
魏德邁奉派來華，與蔣公幾可以「決裂」二字視之。
其後中美關係的裂痕更深，蔣公已有拒絕美援的心態。

——郝柏村

一九四七年八月七日
國民政府主席蔣中正巡視延安墩兒山。

一九四七年十月七日
國民政府主席蔣中正檢閱青年軍二〇八師軍容。

（照片及圖說來源：國史館）

一九四七年十月二十八日
美國第七艦隊司令柯克上將（右一），於青島恭送國民政府主席蔣中正。

美國對西太平洋港口甚重視，
一九四五年即在青島登陸，協助國軍接收。
艦隊司令為柯克上將。
蔣公於一九四七年十月九日赴青島，
十九日訪問柯克家庭，日記中記錄「與子女皆相知已久也」。

——郝柏村

蔣公親自主導東北戰場遼西瀋錦會戰，
事無巨細常作詳盡指示或手令的領導風格，
未必適合第一線情況，
致東北精銳主力全軍覆沒，
乃一九四八年全面軍事崩潰的開始。

——郝柏村

一九四七年十一月二十七日
國民政府主席蔣中正於北平行轅主持軍事會議。

(照片及圖說來源：國史館)

行憲第一屆國大代表選舉，是一九四七年的重大政治任務。
由於剿共軍事不利，有人主張暫停選舉，
但蔣公堅持，這是很重大而正確的政治決定。
如未依憲法組織政府，一九四九年中央政府遷台，
則有統治的正當性問題，
所謂台灣地位未定論，更無法澄清。

——郝柏村

一九四七年十一月二十三日
國民政府主席蔣中正親臨投票，選舉國民大會代表。

（照片及圖說來源：國史館）

一九四八年

國民黨節節敗退

一九四八年三月十日
國民政府主席蔣中正與戰車第一團團長蔣緯國（右）合影。

一九四八年三月十日
國民政府主席蔣中正視察戰車登陸演習。

（照片及圖說來源：國史館）

一九四八年開始，國共不但兵力平衡，
戰略態勢已由外線轉為內戰。
此際從東北、華中、華北、西北各戰場，
共軍全面居於戰略主動地位，並發動攻勢，企圖速決。

——郝柏村

一九四八年三月二十九日
國民大會主席吳敬恆率全體代表宣誓。

國大開幕後，鬧劇不一而足，
故「國大代」稱為大陸失敗三大亂源之一。
此次國大雖在紛亂中召開，但中華民國憲法在大陸開始實施，
並於五月二十日起組成行憲政府，結束國民黨的訓政時期，
奠定了中華民國政府遷台後的正當性和合法性。

——郝柏村

一九四八年五月二十日
總統蔣中正向全國廣播宣誓就職總統。

（照片及圖說來源：國史館）

一九四八年六月二十五日
總統蔣中正蒞臨西安主持軍事會議。

一九四八年七月十一日
總統蔣中正視察兵工生產情形。

馬步芳、馬繼援父子雖反共，
但基本上是投機軍閥，根本無能力抵抗共軍。
一九四九年蘭州撤守後，
馬步芳帶其全家到重慶，請求處分，
並將其全家送至台灣，以示精誠。

——郝柏村

一九四八年六月二十五日
總統蔣中正與青海省政府主席馬步芳父子合影。

（照片及圖說來源：國史館）

國民大會所提修正五五憲草之憲法草案，
大都採納張君勱意見，
即實質內閣制而非總統制的憲法，
而為現行台灣八次修憲前之憲法。
一九四八年是剿共戰爭中，政治、經濟、軍事全面崩潰的一年，
但中華民國憲法正式實施，
並於五月二十日起組成行憲政府，
為大失敗中唯一的成果。

——郝柏村

一九四八年八月十六日
總統蔣中正於廬山接見民主社會黨張君勱（左），
並會談。

（照片及圖說來源：國史館）

一九四九年

大陸的全面赤化

一九四八年十月六日
總統蔣中正登重慶號軍艦，至葫蘆島巡視。

蔣公一九四八年親自穿梭北平、瀋陽，
再至葫蘆島，策定瀋錦會戰，所乘座艦重慶號，
乃六千餘噸輕巡洋艦，為我海軍最大戰艦。
但瀋錦會戰完全失敗，亦是三年來進軍東北的悲慘結局。

——郝柏村

重慶號原為英國輕巡洋艦M.S. AURORA號，
二次大戰期間戰功卓著，
於一九四八年移贈中國，改為重慶號。
一九四九年二月二十五日由吳淞口北駛叛逃，
三月十九日，空軍以八架B－二十四轟炸該艦，
沉於葫蘆島港。

——郝柏村

一九四八年十月五日
重慶號軍艦全貌。

（照片及圖說來源：國史館）

一九四九年四月二十七日
中國國民黨總裁蔣中正巡視太康軍艦各處。

蔣公四月二十五日離開溪口，
搭太康艦赴象山，此後再未回故鄉。
太字號為二千噸級巡邏艦，僅備有四吋砲。
太康艦長為黎玉璽，鎮江海軍電雷學校畢業，
是中央嫡系海軍幹部。

——郝柏村

一九四九年七月二十三日
湯恩伯於華聯輪上，向中國國民黨總裁蔣中正報告當前局勢。

一九四九年八月二十五日
中國國民黨總裁蔣中正，聽取四川省政府主席王陵基（左）報告。

（照片及圖說來源：國史館）

一九四九年七月十一日
中國國民黨總裁蔣中正與菲律賓總統季里諾（右），於碧瑤會議談話留影。

一九四九年八月六日
中國國民黨總裁蔣中正抵達鎮海，受到韓國大統領李承晚（左三）親自相迎。

蔣公對嫡系幹部的要求，以忠誠為重，
對非嫡系則以感召為主。
一九四九年大勢已去時，仍不放棄對盧漢的感召，
九月二十二日並冒險於盧寓午餐。

——郝柏村

一九四九年九月六日
中國國民黨總裁蔣中正，聽取雲南省政府主席盧漢報告雲南省情況。

（照片及圖說來源：國史館）

重慶山洞林園為抗戰時期蔣公之官邸，
亦為離開大陸前的總裁辦公室。
十一月二十九日夜，總裁辦公室撤離山洞，
日記「園後機槍聲大作……而山洞園前汽車擁塞，
道不通行……乃於午夜赴機場，道中為車所塞者，
數次不能前進，乃即下車步行，及車趕來，再乘車前進。」
我亦隨顧總長由林園撤離，為親歷這場悲傷情景者。

——郝柏村

一九四九年七月十六日
中國國民黨總裁蔣中正巡視林園官邸各處。

（照片及圖說來源：國史館）

社會人文321

郝柏村解讀蔣公日記

一九四五～一九四九

郝柏村 著

出版者的話

本書出版的一些波折

——從「摘註」到「解讀」蔣介石日記

◎編輯策畫小組

當美國史丹佛大學胡佛研究院於二○○六年開放《蔣介石日記》後，立刻引起全球重視，尤其華人世界的學者與讀者，都設法要先睹為快。二年前當「天下文化」知道可能有機會出版《蔣介石日記》時，我們立即成立了編輯策畫小組——成員包括高希均、王力行與吳佩穎。

在長達五十七年（一九一五～一九七二）的蔣介石總統日記中，台灣讀者最關心的，當然是那生死存亡的關鍵五年（一九四五～一九四九）。經此五年，對岸大陸建立了中華人民共和國，視中華民國已經消失，但中華民國在台灣經歷了風雨飄搖，又繼續存在發展，且創造了世人稱讚的「台灣奇蹟」。因此對這五年的探究，誠如胡佛教授所言：「**當然是歷史上的重中之重，而能夠開啓這一歷史之門的鑰匙則是《蔣介石日記》。**」日記是逐日所記，最能反映蔣總統對各種人物、事件、政策及情勢變化的評估與決斷。

極爲難得的是，郝柏村先生以四年有餘的時間，逐日摘記有關軍事與外交的部分，並加以註釋，寫成《蔣公日記：一九四五～一九四九》（共五冊，一年一冊），計六十餘萬字，析論蔣總統「從巔峰到谷底的五年」，這實在是中華民國從大陸到台灣過程中，最重要的一段歷史。

郝先生不僅是大轉折的親歷者，並且擔任過蔣總統侍衛長六年（一九六五～一九七一），後更出任參謀總長、國防部長及行政院長，爲陳誠先生之後，第二位「出將入相」者。這些經歷使他的摘註，增添了廣度、深度及歷史現場感。

郝先生摘註的《蔣公日記：一九四五～一九四九》，其日記原文摘錄，是經過蔣方智怡女士同意的。萬萬沒有想到，當這套書將於二〇一〇年十二月上旬出版時，突然在報上讀到蔣友梅（蔣經國孫女）委託律師指出：蔣公日記的「著作財產權」，爲蔣家「全體繼承人公同共有」，未經所有繼承人同意下，切勿出版或發行侵害著作權。稍後我們也收到律師轉來的信件，提出同樣的說法。

面對出版前夕的這一意外，郝先生有一段沉重的表述：

我少年從軍，十九歲自陸軍官校畢業，便投入對日抗戰。這一生經歷的戰役事蹟，在歲月流轉裡，戰場的血淚與呼嘯聲已成歷史，凍結於史學研究者的文字之間。然而，在我腦海裡，這一切絕不僅是研究文字，而是鮮明的昨日記憶，我的親歷，讓我看見了現代人回顧這段歷史的謬誤與問題，這也是我爲何以四年有餘的日子，每日四小時以上，親手筆錄《蔣公日記一九四五～一九四九》五冊共六十餘萬言的初衷。這是中華民國歷史上的大事，也是全中華民族所關心的事，卻因家屬之一對著作權的爭議，使這套摘註本也難以發表，我深感遺憾。

在蔣氏家屬對《蔣公日記》著作財產權的爭議尚未解決前，郝先生與「天下文化」共同決定：本書暫時不包括日記的原文，但郝先生所撰述的其他文字，則一次予以發表。同時要說明的是：這本書的出版，未有、也不需要任何人的資助，我們也從未有此念頭。

一旦著作權爭議解決，「天下文化」將立刻出版包括蔣總統日記的原文，來彌補本書的缺憾，以及郝先生內心深處的失望。

自辛亥革命以來，中華民國歷經的苦難已過，然而歷史殷鑑不遠，我們在中華民國建國百年之際的台灣，縱使出版《蔣公日記：一九四五～一九四九》面臨諸多困難，但是身爲出版人的使命感，將盡一切努力，促其早日問世。

——二〇一一年六月二日

目錄

第二部 民主世界的失敗：一九四六年

第三部 全面內戰的變局：一九四七年

第四部 國民黨節節敗退：一九四八年

第五部　大陸的全面赤化：一九四九年

總序

從巔峰到谷底的五年——一九四五年至一九四九年

在我成長的少年時代，一九一九到一九三八年，中國和德國同受不平等條約的壓迫。中國自蔣公領導北伐成功，定都南京，即致力於國家統一和民族復興。此時德國則受第一次大戰凡爾賽和約的限制，諸如軍隊不能超過十萬，不得駐軍於萊茵河西岸。

德國自希特勒專政後，力圖衝破凡爾賽和約。由於日耳曼民族天生的優越感及復仇心，全國團結在希特勒的領導下，勵精圖治，不出十年，進兵萊茵河西岸，併呑捷克，恢復一次大戰前的強權地位。當時我們這一代的年輕人，鑑於日本的侵略，熱血沸騰，非常羨慕德國，崇拜希特勒。此際的中國，不僅外患嚴峻，而且內部分裂割據，所以渴望有一個強有力的領袖，以統一全國，抵禦外侮。擁護領袖，服從領袖，是當時年輕人的共同思想，蔣公就是我們渴望的民族領袖。爲此，我於一九三五年考入中央（黃埔）軍校。

由於中德命運相同，因此蔣公與希特勒雖未見過面，但兩人關係很好，我在南京軍校時，即受德國顧問的教育。德國一次大戰時的名將法爾肯．豪森，是中國的軍事總顧問，軍校的教導總隊（相當一個師），完全是德式裝備與訓練，總隊長是黃埔一期的桂永清。空軍用德式容克飛機，陸軍新的機械化十五公分口徑重砲，是德國克魯伯砲，當時砲兵團長是彭孟緝。

北伐後，擁護領袖，服從領袖，效法德國，復興中華民族，雖爲多數國人的心聲，但當時蔣公的領袖地位，無論在國民黨或全國，可說尚未穩固。即以國民黨內部而言，從中原大戰、閩變以還，一九三六年的兩廣事變即爲一例，假抗日之名，行反蔣之實。他如四川、雲南及西北軍頭，亦表面服從中央，而實際割據自雄。益以中共不放棄武裝鬥爭，蔣公乃以安內攘外爲基本國策，但終發生西安事變，亦藉抗日以停止剿共。

一九三六年，兩廣事變順利平定，西安事變和平解決，剿共停止，日本軍閥眼看蔣公的領導地位鞏固，迫不及待，六個月後即發動全面侵華戰事。

蔣公曾以和平未絕望時，絕不放棄和平，犧牲未至最後關頭，絕不輕言犧牲，以爭取時間，準備抗戰，但終不能如願，而於蘆溝橋事變後，宣布犧牲已到最後關頭。中共乃於一九三七年九月二十二日，發表「共赴國難宣言」，當時我們年輕人深爲感動。

中共在宣言中提出四項承諾：一、孫中山先生的三民主義，爲中國今日之必需，本黨願爲其徹底的實現而奮鬥，二、取消一切推翻國民黨政權的暴動政策及赤化運動，停止以暴力沒收土地的政策。三、取消現在的蘇維埃政府，實行民權政治，以期全國政權之統一。四、取消紅軍名義及番號，改編爲國民革命軍，受國民政府軍事委員會之統轄，並待命出動，擔任抗日前線之職責。

中共發表宣言後，表面上國共兩黨合作抗日，實際上未數月即爆發軍事衝突，但是不能明說軍事對抗，更不能說國共內戰，而曰摩擦，用以淡化。

在廣大敵後地區的摩擦中，國民黨幾乎全面失敗，國軍的游擊部隊、民兵以及正規軍，多被共軍擊潰。例如：

一、一九三七年冬，第八路軍即擅自行動，越出防區，進入太行山區，成立晉察冀和晉冀豫軍區，亦即控制山西、察哈爾、河北、河南四省的邊區。

二、一九四〇年初，擊敗在河北的正規六十九軍和新八師，迫使冀察戰區總司令兼河北省主席鹿鍾麟退出，察哈爾與河北兩省的敵後地區，完全由中共控制。

三、一九四〇年八月，攻占山東省政府所在地的魯村，省主席沈鴻烈被迫撤離，中共控制了山東省的敵後地區。

四、一九四〇年八月，新四軍不遵命北撤至黃河北岸，第三戰區司令長官顧祝同予以圍剿，此即皖南新四軍事件，共軍軍長葉挺被俘，是國共戰爭中唯一被俘的共軍高級將領。抗戰勝利後，葉挺獲釋，在飛赴延安途中因空難死亡。皖南事件堪稱國共摩擦中，中共唯一的敗績。

五、一九四一年十月，攻擊蘇北的八十九軍，軍長李守維陣亡，迫使江蘇省主席韓德勤撤離，中共控制了蘇北。

蔣公一生反共，尤以抗戰勝利後，恨共、剿共的意志堅定，其不妥協的態度，無人可以置喙。但在抗戰開始前，蔣公雖以安內攘外為國策，但身為一位堅強的中華民族主義者，毅然將民族利益置於反共之上。

一九三五年十月，日本外相廣田弘毅發表了所謂廣田三原則：一、中日親善，中國應取消一切抗日行為。二、經濟合作，「工業日本，農業中國」。三、中日滿共同防共，日軍得駐屯中國境內。

我還記得國民政府為了敷衍廣田三原則，曾頒敦睦邦交令，以呼應其中第一條，其他則斷然拒絕，尤其絕不為反共而承認偽滿。但是，日本仍製造了殷汝耕的冀東防共政權，其後汪偽政權，亦在國旗上註明「和平反共建國」字樣，蔣公則不接受反共的誘餌，堅持抗戰到底。

一九四五年，八年對日抗戰勝利，那時我在重慶陸軍大學二十期，受最高軍事學府的戰略戰術教育，尚未畢業，一個二十六歲的青年軍官，親歷抗戰勝利舉國狂歡的歲月。一九四九年，則為大陸戡亂全面失敗的一年，我是參謀總長顧祝同上將的上校隨從參謀，又回到重慶，於當年十二月十日，隨同總裁蔣公飛離成都，那時我三十歲。

一九四五年到一九四九年，是中華民國歷史上翻天覆地巨變的五年，其間我親見親聞親歷這一巨變。當然，此時我還年輕，雖近權力核心，但不夠資格參與決策。

大陸變色，無論外交與軍事，都從東北開始失敗。我在一九四六年冬天至一九四七年夏天，駐於鄭州與徐州，一九四七年夏秋至一九四八年夏天，駐於東北一年，所以關內和關外的主戰場，我都親歷過。直到一九四九年夏初赴重慶，最後到成都，隨蔣公同日離開大陸，都有大陸失敗過程中切身的感受。

來到台灣後，常在我心頭縈迴的幾個問題是：一、抗戰末期，我們為什麼接受雅爾達密約？二、馬歇爾調停為什麼失敗？三、為什麼堅持動員戡亂？四、為什麼在軍事戰略上，始終犯同樣的錯誤而不知調整？現在，從日記中得到正確的答案。

六十年過去了，當時負責的人都作古了，抗戰勝利後國共內戰的真相，就勝利一方的共產黨而言，早有成果的檢討，但由於政治的立場鮮明，是否完全可信，仍值得商榷。其對於八年抗戰歷史眞相的隱瞞和歪曲，就是一個顯例。

至於國民黨方面，老一代的當事人並未完全說出眞相，年輕一代更是無從查起。六十年前的事，對現在六十歲以下的人而言，亦如我對於英法聯軍或八國聯軍攻入北京的歷史，同樣認爲是很久遠的事。

歷史的脈絡和因果關係必然存在，不會因時間久遠而失去傳承或改變痕跡。無疑的，蔣公的親筆日記，是追尋這段期間眞相最重要的依據，而且是最正確的眞相。

談起蔣公日記，我有親切的感受。從一九六五年至一九七一年，我擔任蔣公的侍衛長，在六年近兩千個日子裡朝夕隨侍。每逢新年，我收到和蔣公一樣的日記本，因此也養成寫日記的習慣。每年歲末，蔣公即親自把當年的日記用牛皮紙封好，命我交付經國先生。當然，我從未看過內容。

一九八八年，經國先生逝世，蔣公日記由孝勇保管。孝勇後來不幸患了絕症，但在有生之年，已對日記妥爲安排，囑其夫人方智怡女士處理，其間部分內容，則由秦孝儀先生整理，適度公開。我本來未涉及此事，但基於專業，對大陸軍事失敗的過程，甚有研究的意願，故有本書之誕生。

軍事失敗只是一個國家或政權失敗的結局，導致軍事失敗的前因，諸如政治、外交、社會、經濟、心理等因素非常複雜，大陸的失敗自不例外。由於我的專業，僅就日記中軍事與外交部分，加以整理探討。

從抗戰勝利到大陸失敗，這五年中的史實，大半是我親見親聞親歷的，因此讀蔣公日記，恍如回到抗戰與內戰的歲月，我的感受應和年輕的歷史學者不同。這五年的歷史，是決定台海局勢的根本，兩岸關係的發展，和問題的徹底解決，還是離不開這個根本。臍帶可以切斷，但血緣不可能中斷。

由於我曾隨侍蔣公，所以再讀他的日記，更能感受其獨到之處，包括天生的領袖氣質與使命感，剛毅的性格，強烈的情緒，從大事到小事都有指示的領導風格，面臨壓力而忍耐的痛苦等。日記每天以雪恥自惕，可見他幾乎無日不生活在恥辱中。當全民為抗戰勝利狂歡時，他的內心卻只有憂慮，生活在患難中，而堅忍不拔。

日記自為其思考與感受的紀錄，故亦常發現前後想法是矛盾的。有時想法是正確的，但又未及實現。日記可證，蔣公是虔誠的基督徒。

我所閱讀的部分，將極端的稱呼改為中性。日記中有些人名字號，年輕一代不易查考，對我而言，不少是親見者。尤其對於作戰過程的日記，我稍作原委的補充，使讀者易於了解，其餘註釋既憑記憶，亦查證檔案。偶有感評，完全是「事後的先見之明」，但仍基於專業，自信是客觀的，卻無意說服堅持己見的人，只盼還原歷史的眞相而已。

第一部

代價高昂的勝利：一九四五年

抗戰勝利後，如何處理中共，是蔣公日記中每日不可或缺的思考，
但不外和與戰。以八年抗戰經濟凋敝，民不聊生，
渴望和平休養生息，自以和為上策。
國民黨和的策略，必須檢討中共的發展過程，和自己的弱點所在，
從而面對現實，運用優勢（即軍事與外交地位），掌握主動，
提出完整的談判計畫，透過幕僚層級的會前協商，
如協商不成，則寧可不請毛來渝。
毛既來渝，政府只有照著毛的條件討價還價，
最後發表的雙十會談紀要，只是掩飾談判失敗的虛文。

【一月憂慮】邊疆動亂添煩愁

【二月密約】美英俄出賣中國

【三月困境】中南半島角力戰

【四月風雲】兩強之間難為弱

【五月豐收】六全大會開新局

【六月協定】中俄協定難互助

【七月暗流】外蒙獨立淪附庸

【八月凱歌】日本無條件投降

【九月變局】受降之際動亂起

【十月和談】蔣毛重慶高峰會

【十一月交鋒】國共間沉默內戰

【十二月紛亂】馬歇爾來華調停

解讀一九四五

一、一九四五年幾件大事，決定了中國今後不幸的歷史。從蔣公日記中，可以看出他個人聲望到達巔峰，但面對國際和國內的挑戰，也是最痛苦的一年。

二、第一件大事是，羅、邱、史的雅爾達密約出賣了中國。從日記上看，蔣公接受雅爾達密約，並未獲得羅斯福個人或美國政府任何保證。如果史大林違約，美國將如何支持中國對抗蘇俄？或許羅斯福個人內心想到，苟蘇俄違約，他有反制的策略。但從日記中，蔣公似未得到任何保證。何況中蘇條約簽訂前，羅就猝逝了，遺下了不少無解的問題。

三、蔣公接受密約，原期主要的目標是：

1. 寧可放棄外蒙，但獲完全接收東北，及平定新疆的叛亂。

2. 蘇俄不支持中共，易於解決中共問題，確保國家軍政軍令統一。

3. 爭取二十年和平建設的時間。

然而這些目標完全落空了，歷史已證明，接受雅爾達密約、簽訂中蘇友好條約，是戰略錯誤。

四、蔣公曾有不惜暫時放棄東北、外蒙、新疆，任由蘇俄強占，只求保住十八省從事建設的退一步想法。果如此，則蘇俄必被全中國人認為是一如日本的侵略者，中共與蘇俄勾結，亦如汪精衛的漢奸行爲。蔣公站在民族主義的制高點，可號召全民反蘇反共。縱經八年苦戰，民生凋敝，但在民族大義下，中共立於不利地位，且美國亦不能坐視蘇俄控制全中國，國民政府應可在美國支持下，先以二十年時間建設黃河以南的中國。戰略上，有時退一步可進兩步，惜未採取。

五、中印公路於三月間打通，正期美援裝備武器源源運到，整建反攻兵力。兩個月後，德國投降，美國正可以全力援華；但僅三個月後，日本在受原子彈攻擊後立即投降，勝利來得比預期太早，國軍顯得措手不及。一方面裝備尚未及接收，而主力部隊仍在滇黔，來不及向江南推進，對華北及東北尤鞭長莫及，展開了國共雙方對淪陷區的爭奪。國軍在受降上竟全功，並在美軍有限支持下，不但底定了江南，並掌控了平津走廊及膠濟走廊，成果堪稱滿意，雖接收東北受阻，但基本上已立於全面優勢地位。

六、中共在敵後地區的發展，已顯示國民黨在淪陷區與中共的鬥爭是全面失敗的。這表示，國民黨體質上在農村基層社會鬥不過中共，乃使中共得以坐大。抗戰勝利，全民渴望和平建國，蔣公似仍以中共「共赴國難宣言」的承諾爲懷，力圖中共就範。殊不知此一時也，彼一時也，此時中共實力已非八年前困處延安可比。爲求和平建國，必須透過談判解決問題，但顯然國民黨及政府對於如何談判，可謂準備不夠。

蔣毛在重慶見面，這是國內政局的高峰會議。按所謂高峰會議，只能成功，不能失敗，故會前必須透過幕僚，已解決了歧見，完成協議的版本。而高峰會議只是形式上的簽訂而已，否則，寧可不舉行高峰會。故國共兩黨在基本問題上，未經談判代表取得共識前，蔣公即電邀毛澤東來渝，似爲失策。而毛初猶豫，後斷然來，乃受命於史大林，益知毛來渝，必先獲史大林的保證，即談判失敗後，史會全力支持中共。毛澤東抵渝後，實際仍由周恩來負責談判，國民黨竟未提出談判方案，先立於被動地位，任由中共提出問題，取得談判主動權。蔣毛雖見面十一次，根本都是應酬話，未及談判實質。而國民黨方面代表，亦非周恩來的對手，而毛在重慶四十三天，可說洞察了國民黨的弱點與病象，一面拉攏第三者，一面高呼蔣主席萬歲，麻醉了國民黨及全國人民，最後以有名無實的雙十會談紀要，結束了失敗的高峰會。而毛澤東在重慶的收穫是豐富的，他了解國民黨的散漫、無鬥志，與人民沉溺於抗戰勝利的歡欣驕狂，增強他堅持武裝鬥爭到底，實現他槍桿子出政權的理念。

附錄：重慶會談中共所提十一點方案

（一）確定和平建國方針，以和平、團結、民主為統一的基礎，實行三民主義（以一九二四年國民黨第一次代表大會宣言為標準）。
（二）擁護蔣主席的領導地位。
（三）承認各黨派合法平等地位，並長期合作，和平建國。
（四）承認解放區政權及抗日部隊。
（五）嚴懲漢奸。
（六）解散偽軍。
（七）受降地區解放區軍隊，參加受降工作。
（八）停止一切武裝衝突，令各部隊暫留原地待命。
（九）政治民主化的必要步驟：
1. 開黨派會議。由國民黨政府召集，討論和平建國民主實施綱領，和各黨派參加政府問題，重選國民大會和復員善後問題。
2. 確定省縣自治，實施普選。
3. 解放區的解決辦法：山西、山東、河北、熱河、察哈爾五省主席及委員，由中共推薦；綏遠、河南、安徽、江蘇、湖北、廣東六省由中共推薦副主席；北平、天津、青島、上海四直轄市，由中共推薦副市長；參加東北行政組織。
4. 實施善後緊急救濟。
（十）關於軍隊國家化的必要辦法：
1. 公平合理的整編全國軍隊，分期實施。
2. 中共部隊改編爲十六個軍，四十八個師。
3. 中共軍隊集中於淮河流域（蘇北、皖北）及隴海路以北地區。
4. 中共參加軍事委員會及所屬各部工作。
5. 設北平行營及北平政治委員會，由中共推薦人員分任。
（十一）各黨派合作的必要辦法：
1. 釋放政治犯，保障各項自由。
2. 取消一切不合理的禁令。
3. 取締特務機關（中統、軍統）。
這是很高的談判價碼，但核心問題在：
（一）承認共軍整編的數量與駐地。
（二）承認中共新建立的地方政權，及五個省主席等。

（三）在國民大會召開前，即組成聯合政府，參與軍委會及行政院。

（四）重選國民大會代表，延期召開國民大會。

由於二次大戰後，東歐各國在蘇俄支持下，均先成立聯合政府，而透過聯合政府奪取政權成功，蔣公深具戒心，故在國大問題上，除堅持原選代表有效，而另行增額至其他黨派，在國大制憲前，參政僅限於國防最高委員會，或國民政府委員會的政治政策會議協商層次，拒絕參加行政院。

毛澤東以當時國民黨不能接受的高價碼，導致重慶高峰談判實質失敗，而利其以和逼戰的戰略，而蔣公以後則行以戰逼和的策略，雙方都擺出談和的姿態而實際備戰。

七、毛澤東回延安後，一面敞開談判之門，實際雙方爆發爭奪華北淪陷區的軍事衝突。關外在蘇俄支持掩護下，林彪接收消化蘇俄轉交的關東軍武器，一面阻滯國軍進軍東北。在關內則破壞平漢路與津浦路等鐵路交通，國軍在晉東南及平漢路攻勢並未取得效果；共軍雖在晉綏包圍大同、包頭及歸綏，亦未得逞。國軍除底定江南，並控制隴海路、徐州、鄭州戰略要點，並在美軍協助下，領有膠濟走廊及平津走廊，而察省張家口則是互爭的主要目標。

此際，蔣公不能放棄政治解決的希望，而毛澤東則需要時間消化所獲日軍及偽軍的武器，整備戰力，故亦擺出政治談判未決裂的姿態，而導致了馬歇爾的來華調停。

八、關於處理偽軍的問題：

抗戰勝利後，如果沒有中共問題，政府對於日軍的處理是繳械遣返，對於偽軍的處理當然是繳械遣散，其首腦則按情節以漢奸罪論處。但由於中共問題，對岡村寧次則嚴令必須向國軍投降繳械，在國軍未到達前須嚴拒中共受降，並抵抗中共的攻擊，這方面，政府是成功的。

就僞軍而言，應分關內汪僞軍與關外僞滿軍二部分。基本上，僞軍是沒有靈魂的武力，就汪僞軍而言，其成分大部分爲原國軍所謂雜牌軍，及地方武力及失意將領所構成，其特質爲：

（一）軍事以保持實力，擁兵自重爲主，亦自然反共。

（二）兵源以出同一地區，爲生活而當兵。

（三）官兵間亦有若干黑道幫派義氣。

（四）無明確敵我意識，更無政治理想。

（五）軍頭可多方拉關係，諸如和日軍、國府、中共，同時保持曖昧，而士無鬥志，誰強靠誰，見風轉舵。

國府對僞軍，多經由戴笠授意，保持聯絡。日本投降後，何應欽上將主持受降接收，故主張收編僞軍。陳誠上將時任軍政部長，反對收編僞軍，因爲國軍亦在裁編中。蔣公日記並無明確記載，但曾有一段改正何應欽對僞軍處理的記載。事實上，汪僞軍的處理是透過戴笠在進行，而何上將在執行受降中，嚴令僞軍不得向中共投降，並分別委以暫編的番號，就地抵制共軍擴展，協助各受降區接收京滬及中原與華北重要城市，汪僞軍是有助力的。截至一九四五年底，汪僞軍大部實際上投靠國軍，一部分投靠共軍。但隨後，由於國軍進剿情勢不順，乃反覆於國共之間，最後則投共或被共殲滅。

就僞滿軍隊而言，在本質上與汪僞軍不同：

（一）僞滿軍完全由日軍組訓，其訓練與裝備較汪僞軍爲優，係關東軍的輔佐部隊。

（二）由於日滿的堅定反共，故其本質爲反共部隊。

（三）由於僞滿軍完全由日顧問控制，加以國共雙方對僞滿的情報布建均難展開，故在日投降前，國共雙方對僞滿軍均無任何聯絡。

（四）蘇俄深知僞滿軍的反共本質，故在關東軍投降時，同時亦收編僞滿軍武器。

（五）由於關東軍有約六十萬人，站在日軍立場，不可能容許僞滿軍兵力與其相當，故其兵力（現無正式檔案可據），我判斷依其十一個軍區，及獨立旅十五個旅，其正規軍總兵力應爲十五萬到二十萬。

陳誠上將不主張收編僞滿軍，被認爲是失去東北，使整個大陸變色的主因。客觀而言，此說並不正確。失去大陸的原因，就軍事而言，軍事戰略的錯誤是主因，陳上將應負重要責任。就收編僞滿軍而言，縱陳上將主張收編，亦難收效，與汪僞軍不同：

汪僞軍	僞滿軍
1. 與戴笠多有聯絡，可以一紙命令予以收編。	1. 與國府無任何聯絡管道。
2. 於岡村寧次投降後，仍保持其現狀。	2. 在馬林諾夫斯基受降關東軍時，同時收繳僞滿軍武器，僞滿軍雖維持完整現狀，而馬林諾夫斯基助共，既阻滯國軍進軍東北，故絕不容許僞滿軍被國軍收編。

所以我的結論是，抗戰勝利，國軍（包括共軍）裁編是大原則，何況國軍自一九四五年

底即裁減了三十四個軍、一百十七個師、二十一個旅、八十三個團。（《陳誠先生回憶錄》）故面對中共問題，收編僞軍只是階段性的策略，就關內而言，實際予以暫時收編，有助於何應欽所主持的受降與接收，是成功的。

關於僞軍的問題，劉照明先生所著《僞軍—強權競逐下的卒子》值得參考。

九、一九四五年底共軍的總兵力：

根據黃友嵐著《中國人民解放軍戰爭史》，抗戰勝利時，共軍總兵力是一百二十七萬人，其中，野戰軍六十一萬人，地方民兵六十六萬人，控制區域爲二百三十萬平方公里，人口爲一億三千六百萬，其主要的戰鬥序列是：

（一）陝甘寧晉綏聯防軍司令員賀龍，下轄五個旅。

（二）晉綏軍區司令員賀龍，政委李井泉，野戰軍下轄四個獨立旅。

（三）晉冀魯豫軍區司令員劉伯承，政委鄧小平，野戰軍五個縱隊（相當於軍）、十五個旅。

（四）新四軍兼山東軍區司令員陳毅，政委饒漱石，山東野戰軍兩個縱隊、兩個師及若干旅；及華中野戰軍司令員粟裕，政委譚震林，轄兩師、四個旅。

（五）中原軍區司令員李先念，政委鄭位三，野戰軍兩個縱隊。

（六）晉察冀軍區司令員兼政委聶榮臻，野戰軍司令員蕭克，政委羅瑞卿，轄四個縱隊和九個旅。

（七）東北民主聯軍司令員林彪，無固定兵力，仍在接受蘇俄提供繳械武器，整備戰力中。

十、一九四五年國軍總兵力，依《陳誠先生回憶錄》，一九四四年統計全國兵力爲一百二十個軍、三百五十四個師、三十一個旅、一百十二個團、十五個營。一九四五年底完成第一期整編後，爲八十九個軍、兩個騎兵軍、二百五十三個步兵師，計裁減三十四個軍、一百十七個師、二十一個旅、八十二個團、十個營。編餘軍官一九二七五六人，連同無職軍官共二七四八一八人，組成三十五個軍官總隊收容。當時主要對共軍作戰序列：

（一）北平行營主任李宗仁，下轄第十一戰區孫連仲（平漢線）、第十二戰區傅作義（平綏線）。

（二）第二戰區閻錫山（晉南晉北）。

（三）鄭州綏靖公署劉峙，下轄第一戰區胡宗南、第四綏靖區劉汝明、第五綏靖區孫震（晉豫冀魯黃河以北地區）。

（四）徐州綏靖公署薛岳，下轄第一綏靖區李默庵（南通）、第三綏靖區王耀武（濟南）、第四綏靖區馮治安、第八綏靖區夏威（皖北）。

據中共資料，當時國軍統治區七百三十餘萬方公里，人口三億四千萬，土地面積占全國百分之七十一至七十六。綜合言之，國軍仍居絕對優勢。

十一、重慶談判與受降期間戰鬥序列：

甲、中國戰區受降範圍應爲中華民國（東北除外，歸蘇俄受降）、台灣及越南北緯十六度以北。

乙、何應欽代表中國戰區最高統帥在南京受降，其分區受降規定：

1. 第一方面軍：盧漢，北緯十六度以北越南地區。

2. 第二方面軍：張發奎，廣州、香港、雷州半島、海南島。

3. 第三方面軍：湯恩伯，京滬地區。
4. 第四方面軍：王耀武，長沙、衡陽地區。
5. 第一戰區：胡宗南，洛陽地區。
6. 第二戰區：閻錫山，山西省。
7. 第三戰區：：顧祝同，杭州、廈門地區。
8. 第五戰區：劉峙，鄭州、開封、新鄉、襄樊地區。
9. 第六戰區：孫蔚如，武漢、沙市、宜昌地區。
10. 第七戰區：余漢謀，曲江、潮州地區。
11. 第九戰區：薛岳，南昌、九江地區。
12. 第十戰區：李品仙，徐州、安慶地區。
13. 第十一戰區：孫連仲，平津、石家莊地區。
14. 第十一戰區副長官：李延年，青島、濟南、德州。
15. 第十二戰區：傅作義，熱、察、綏地區。
16. 台灣省行政長官：陳儀，台灣地區。

丙、中共要求參與受降被拒絕，岡村寧次遵我統帥部命令，拒絕向共軍投降。

丁、受降繳械於一九四六年二月全部完成。

一九四五年當年時勢

【一月憂慮】邊疆動亂添煩愁

軍事：日軍攻克粵漢南段。

國軍克服緬北南坎要鎮，打通中印新公路。

內政：伊犁、伊寧事變，官員殉職。

周恩來到重慶，要求召開國是會議，改組聯合政府。

外交：魏德邁要求全權管理美援軍械物資。

·解讀《蔣公日記》一九四五年一月十四日·大事表

一九四四年二次大戰，盟軍在歐洲及太平洋戰區發動攻擊，勝利在望。唯中國戰區的日軍，發動其迴光返照的攻勢，企圖打通從朝鮮半島到中南半島的陸上交通線，一度攻陷貴州獨山，重慶震動，但其最終敗勢已成。在先歐後亞的盟國大戰略下，必須於歐洲戰場取得完全勝利後，才能在中國戰區發起全面攻勢，故國軍以中國戰區陸軍總司令何應欽所轄之四個方面軍三十六個師，在美械支援下，期於一九四五年六月以前完成反攻準備。然而未料及德國於五月八日投降，更未料及八月六日美軍在日本投下原子彈，導致八月十日投降。

但蔣公除完成反攻準備，並計及戰後國家建設的大政方針。

・解讀《蔣公日記》一九四五年一月・大事預定

蔣公為何於日記中特別提出新六軍待遇？其實是整個駐印軍於滇緬公路（史迪威公路）打通後，回到國內的待遇問題。因駐印軍在印度期間，食物及薪餉全由美國供給，軍服是美製，食品如牛肉罐頭，薪餉發印度幣盧比，一切待遇均較國內部隊優越。但回國以後，一切補給與薪餉如均照其他部隊，則相距甚遠。但國內國軍亦不容有兩種待遇，故蔣公所特別考慮新六軍待遇，並不宜與國內其他部隊差別，僅係當時的思考而已。

・解讀《蔣公日記》一九四五年一月四日・大事預定

陸軍大學第十九期畢業典禮，蔣公親自主持，並由廖耀湘軍長報告反攻緬甸作戰經過。當時我是陸軍大學二十期的學員，親聽了蔣公的訓話和廖軍長的報告。

戰時行政會議是抗戰末期，為因應結束一黨專政，在頒布憲法前，應各黨派要求擴大政府，尤其共黨，要求組織聯合政府。蔣公擬以戰時行政會議容納各黨派，以取代聯合政府，但終未成功。

・解讀《蔣公日記》一九四五年一月六日

七七抗戰初起，英美等皆袖手，我國獨力抵抗日軍侵略。唯史大林深知，我國抗日乃消除東方日本對其威脅之唯一途徑，故抗戰開始後，蘇俄為提供我國武器的唯一國家。我於一九三八年軍校畢業後，初任新編砲二十團的排長，駐地在湖南祁陽。武器是俄援七十六點二公分口徑加農砲，和十一點五公分口徑榴彈砲。當時新成立的砲兵團都是俄國砲，約有一百五十門；另外，俄也援助空軍飛機。一九三九年，我參加抗日戰爭皖南的攻勢時，在發起攻擊前，就有俄國的砲兵顧問在軍中協助。

但自希特勒攻蘇俄後，史大林無暇東顧，並在德蘇戰爭爆發前，簽訂日蘇中立條約。待二次大戰全面爆發，德軍在史達林格勒及列寧格勒會戰後，俄軍在美援下反攻。蘇俄乃策動新疆伊犁事變，企圖以東土耳其斯坦僞組織侵略新疆。當時我在重慶陸軍大學受訓，關於新疆變亂的消息完全封鎖，社會不知此事。此際蔣公日記載，外蒙全部亦將歸於祖國之版圖，可見當時尙未聞史大林要求外蒙獨立之訊息也；或已知訊息，仍堅持不允許外蒙獨立也。

‧解讀《蔣公日記》一九四五年一月十三日

抗戰末期，國軍兵源補充困難，雲南徵兵工作，龍雲陽奉陰違，執行不力；亦即龍雲身負抗戰後方人口物資充裕之雲南省，卻不服從中央。龍雲既不就範，如何處置，煞費苦心，爲該年鞏固抗戰基地的重大事件。

二次大戰期間，美國會通過租借法案，以武器物資援助盟國。我國爲受援國之一，但由於先歐後亞，我對外港口及陸上交通完全被日軍封閉，援華物資僅賴滇、印空運。時歐洲戰場勝利在望，史迪威公路打通，軍援武器和物資將大量來華。但美援物資之管理，尤其分配權，中美之間仍有歧見，亦爲撤換史迪威之主要原因。魏德邁繼任後，不堅持史迪威的政策，故蔣公推論，美國已覺悟俄國之難制，而重視我之地位。

．解讀《蔣公日記》一九四五年一月十五日

蔣公於日記所指「核心組織」，我判斷乃鑑於黨政散漫、腐化，期設立核心組織以健全黨的建設。惜未見其何人負責，具體作為如何，僅止於念念不忘的構想。

抗戰快勝利了，如何掌握北方及東北？面對中共的發展威脅，策反偽組織的軍政人員及部隊，自應及早布建與連繫。戴笠負主持大任。

梅樂斯與戴笠合作良好，中美情報合作所的美方人員，直至六〇、七〇年代仍來台聯誼。

．解讀《蔣公日記》一九四五年一月十七日

抗戰末期為整備反攻軍力，除川黔滇農村為主之徵兵外，鑑於其員額及素質難以適應美械裝備的要求，故發動「十萬青年十萬軍」的知識青年從軍運動。一時全國高中以上大專院校，掀起從軍運動，編成青年軍九個師，準備接受美援裝備。本日所記於入營前，紛擾和違紀現象，蔣公深知。但經入營訓練後，青年軍的紀律與士氣，可算當時國軍的模範部隊。

抗戰前，蔣公為統一各地方部隊軍官的精神思想，曾舉辦廬山軍官訓練團及峨嵋軍官訓練團，是抗戰前重要的軍人精神動員準備。抗戰末期，蔣公深感國軍高級將領戰略戰術素養不足，故於陸軍大學設立將官班，施以三到四個月的戰略戰術教育。蓋當時國軍高級將領徒有作戰經驗，而缺乏軍事深造教育。凡中將級將領，編為甲級將領班；少將級軍官，編為乙級將官班。每班開學及結業，蔣公均親臨主持、召見、會餐。當時我是陸大正則班（就是正期班的意思，受訓三年）二十期的學員，故均在場聽訓。

·解讀《蔣公日記》一九四五年一月十八日

一九四五年陳誠已調任軍政部長，負國軍整編全責。何應欽則任中國戰區陸軍總司令，準備總反攻事宜。兵源能否徵集順利，攸關整軍反攻至巨。徐思平爲當時兵役部長。

·解讀《蔣公日記》一九四五年一月二十日

魏德邁繼史迪威接任中國戰區參謀長後，對美援軍械物資之處理，除美政府宣布，美援武器不分配給政黨外（蓋史迪威曾力主共軍亦應獲美援武器），縱係分配與國軍，魏仍要求分配之全權，蔣公當然不能同意。

·解讀《蔣公日記》一九四五年一月·上星期反省錄（一月二十日之後）

日軍已於去年（一九四四年），打通經湘桂到中南半島的陸上交通線，爲何今年始又對粵漢路段進攻呢？蓋自美軍從太平洋反攻，於中途島及珊瑚海兩次俱屬海軍決戰勝利。取得太平洋制海權後，一面發動逐島進攻，一面在中國大陸建立空軍基地，空襲日本本土。除在四川成都建雙流機場，爲B—二十九轟炸機的基地，並以浙東衢縣機場，爲美軍空軍在亞洲大陸的前進基地。日軍爲反制，乃於一九四五年對第三戰區發動浙贛戰役，占領了衢縣機場。國軍爲謀補救，另外在贛南建機場。日軍在粵漢路南段所發動的攻勢，其目的在奪取贛南的遂川機場與贛州機場，以解除其本土的空襲威脅。

抗戰初期，京滬淪陷後，香港與廣州是獲得外援的唯一通路。但一九三八年十月日軍攻陷廣州後，國軍僅賴由緬甸仰光至昆明的通路，所以一時川滇黔桂西南公路網爲交通大動脈。珍珠港事變爆發前，英相邱吉爾不但不予中國支援，反爲討好日本，竟關閉緬甸公路，使我對外交通完全阻絕，亦為二次大戰前，邱吉爾最可恥的事。珍珠港事變後，二次大戰全面爆發，中美英為同盟，中國戰區則以打通中印公路為首要戰略目標，中華民國駐印軍在印度整訓之目的亦在此。蔣公於中印公路即將通車，乃深感三年來國際交通線斷絕之痛苦，非常人所能感及也。

·解讀《蔣公日記》一九四五年一月二十二日

此際德國尚未投降，但蔣公預料為期不遠，而一旦歐洲戰場底定，亞洲即應對日發動全面反攻，故蔣公重視今後四個月內的軍隊整補。

·解讀《蔣公日記》一九四五年一月二十四日

抗戰開始未久，國共即發生軍事摩擦（實際為衝突），而以一九四〇年第三戰區皖南事變最為顯著。中共在八年抗戰期間發展壯大，已成為抗戰勝利後的核心問題。

·解讀《蔣公日記》一九四五年一月二十八日

蔣公對中共的合作可能性自始即無信任，故預料縱參加政務會議，亦必退出，何況自始即拒絕參加。

·解讀《蔣公日記》一九四五年一月二十九日

國民黨此時執政逾二十五年，在大陸各省，尤以後方各省，日軍從未侵入。國父遺訓地方自治、清查戶口都未做好，執政基層空虛可知矣。

抗戰末期，史迪威公路打通，美援武器裝備可源源而入。準備反攻之主力軍，即何應欽總司令之四個方面軍，計十二個軍、三十六個師的整備計畫已開始。另外抗戰期間所擴充的部隊，凡無戰績且多虛報員額者則裁撤。

抗戰期間稅收不足，政府支用浩繁。主持財政者總力抗通貨膨脹，而蔣公則以為整軍而通貨膨脹在所不惜。軍敗國危，外匯及財政尚有何用？其實國家財政崩潰必導致軍事敗潰，軍事勝利必須以穩定之財政支援為前提。大陸戡亂失敗，實乃先財政崩潰而導致最後軍事失敗也。故軍事不能挽救財政，唯有經濟發展，增加生產，增加稅收，財政才能收支平衡。舉債建軍，最後必導致軍事失敗。

此外，蔣公提派美將領為共軍總司令，實乃戲弄毛澤東，後者當然不會上當。

【二月密約】美英俄出賣中國

軍事：國軍收復滇西龍陵、騰衝。

日軍攻陷贛州南雄。

內政：伊犁突圍軍民幾乎全軍覆沒。

外交：蘇俄延展宋子文訪期。

羅邱史十一日簽訂雅爾達密約。

・解讀《蔣公日記》一九四五年二月一日

一九四五年二月，實為決定中華民國抗戰勝利後禍福關鍵所繫。從二月一日日記中，蔣公對於英美要求蘇聯參加對日作戰，及其應付出之代價，實已預知。在雅爾達密約前，本擬派外交部長宋子文訪蘇，而擬預告蘇俄之考案。

抗戰勝利前，已準備接收台灣之幹部。

・解讀《蔣公日記》一九四五年二月五日

衛立煌此際為遠征軍司令長官，配合駐印軍的反攻，滇西國軍亦開始反攻。地形險惡，日軍頑強抵抗，但國軍以重大犧牲，克服龍陵、騰衝，其英勇史蹟永留青史。

・解讀《蔣公日記》一九四五年二月七日

蘇俄似擬於雅爾達會議前與中方交換意見，而邀宋子文訪蘇。現在延展宋子文訪蘇，顯見英美蘇不願於會前聽取中國意見，實為中國外交失敗之開始。

・解讀《蔣公日記》一九四五年二月八日

衛俊如即衛立煌。所謂宋希濂作戰成績最壞，當係衛的報告。宋為蔣公信任，難免對衛驕橫。

・解讀《蔣公日記》一九四五年二月・上星期反省錄（二月十日之後）

雅爾達會議已在進行，宋子文未能事先訪蘇，交換意見，故蔣公對羅斯福起疑心。歐洲及太平洋戰場，節節勝利；唯中國戰場，仍在敗退中，無形中抬高蘇俄參加對日作戰的必要性，於中國極不利也。

・解讀《蔣公日記》一九四五年二月十三日

周恩來在黃埔時期曾任軍校政治教官。抗戰開始後，任軍委會政治部副部長。蔣公總以部下視之，但其實周是共黨的代表。就談判而言，將對方視為部下，其效果將適得其反。此際共黨已坐大，故欲於抗戰勝利後，要分享中央及地方政權。

・解讀《蔣公日記》一九四五年二月十四日

一九四五年二月十一日，雅爾達密約具體內容：

蘇美英三大國領袖，同意在德國投降及歐洲戰爭結束後的兩個月或三個月內，蘇聯將參加同盟國方面對日本作戰，其條件為：

一、外蒙古（蒙古人民共和國）的現狀，予以維持。

二、由日本一九〇四年背信棄義進攻所破壞的俄國以前權益，須予以恢復。即：

（一）庫頁島南部及鄰近一切島嶼，須交還蘇聯。

（二）大連商港國際化，蘇聯在該港的優越權益須予保證。蘇聯之租用旅順港為海軍基地，也須予恢復。

（三）對擔任通往大連之出路的中東鐵路和南滿鐵路，應設立一蘇中合辦的公司，以共同經營之。經諒解，蘇聯的優越權益須予保證，而中國須保持在滿洲的全部主權。

三、千島群島須交予蘇聯。

經諒解，有關外蒙古及上述港口鐵路的協定，尚須徵得蔣介石委員長的同意。根據史大林元帥的提議，美國總統將採取步驟，以取得該項同意。三大國首腦同意蘇聯的這些要求，須在日本被擊潰後，毫無問題地予以實現。蘇聯方面表示，準備和中國國民政府簽訂一項蘇中友好同盟協定，俾以其武力幫助中國，達成自日本枷鎖下解放中國之目的。

雅爾達密約有關中國權益的條件，事前完全未取得中國的同意。但蔣公對其內容亦有所預知，原擬於會前派宋子文赴蘇聯磋商，但爲史大林所推遲。

美國爲何熱切要求蘇聯於歐洲戰場勝利後參加對日作戰？我認定其原因如左：

一、美在太平洋戰場採取逐島的陸上作戰後，日軍陸軍的頑強抵抗，使美軍蒙受慘重傷亡。

二、一九四四年日軍在中國戰場採取攻勢，國軍節節敗退，日軍一度攻抵貴州獨山，重慶震動，使美國懷疑國軍今後在大陸戰場採取攻勢的戰力。

三、日本在打通朝鮮半島到中南半島的陸上交通線後，揚言一億玉碎，抵抗至最後一兵一卒。美國深感最後擊敗日本的大陸戰場的地面作戰，仍以美國陸軍爲主，預判傷亡必極爲慘重，當超過歐洲戰場，難爲美國民意所支持。

四、羅斯福尚未知核子武器使用的效果。

羅斯福承諾，說服蔣委員長接受雅爾達協定。蔣公既事先已概知美國擬出賣中國權益，換取蘇聯參加對日作戰，以減少美軍的傷亡。蔣公事後接受了密約規定，我不知羅斯福憑什麼說服了蔣公，似未發現羅斯福對蔣公提什麼特別保證的交換條件。

我綜合檢討，當然這是事後諸葛，在二次大戰期間，史大林運用矛盾定律，先使敵人打敵人，坐觀虎鬥，然後收漁利。實例如左：

一、一九三七年，中日戰爭爆發，蘇聯是唯一提供中國軍援武器的國家。

二、一九三九年，歐洲戰爭爆發前，德外長里賓特洛普與蘇聯外長莫洛托夫簽定德蘇互不侵犯條約，使希特勒無後顧之憂，於一九四〇年橫掃歐陸。

三、一九四一年六月二十二日，德國攻蘇前，蘇外長莫洛托夫與日外相松崗洋右在莫斯科擁抱，簽定日蘇中立條約，使日本無後顧之憂，偷襲珍珠港，發動太平洋戰爭。

二次大戰期間，德蘇條約和日蘇條約都被撕毀，是史大林促使敵人打敵人的高招。

美國是反對共產主義的，希特勒是反對共產主義的，蔣委員長是反對共產主義的。史大林的傑出戰略，竟能使反共的國家互打。

雅爾達密約後兩個月，羅斯福猝逝。如果羅斯福在說服蔣委員長時，有心對史大林如不履行和蔣委員長所簽友好同盟條約，另有反制的策略，則依羅斯福的雄才大略，應有所思考。但羅猝逝，一切化為無解。

但就蔣公日記，並無羅的特別保證。

・解讀《蔣公日記》一九四五年二月・上星期反省錄（二月十七日之後）

此際美國認為蔣委員長是不民主的，並認為國民政府必須與中共和解合作，才能走向民主政治。

當日，蔣公仍認為旅順、大連及東三省鐵路問題為傳聞中事，而此際雅爾達密約已簽定，蔣公事後被迫接受。

・解讀《蔣公日記》一九四五年二月十九日

新生活運動，乃一九三四年二月十九日在南昌發起的社會改革運動，以禮義廉恥實踐於衣食住行。當時風行一時，但社會改革須植基於國民基礎教育，當時教育尚未普及，文盲百分之八十以上，故不易立竿見影。

・解讀《蔣公日記》一九四五年二月二十八日

稚老名吳敬恆，字稚暉，爲國父同時之革命同志。生性詼諧，對世事觀察敏銳，但一生不做官。蔣公視爲前輩，執禮甚恭，每遇煩悶，即邀稚老請益。稚老語多中肯，爲蔣公折服，亦可謂能規勸蔣公的唯一長者。

稚老言，在此十年內（亦即從一九四五年至一九五五年），共產主義必一度猖狂，果然言中。二次大戰後，從全球唯一的蘇俄，曾擴大到整個東歐、中國大陸、朝鮮半島、中南半島，到中美洲古巴及南美洲的智利。

・解讀《蔣公日記》一九四五年二月・反省錄

一九四五年二月二十五日，正式核定反攻軍戰鬥序列。

中國戰區陸軍總司令何應欽（軍委會參謀總長兼任）下轄：

第一方面軍　司令官盧漢

第六十軍安恩溥

第二路軍張沖（轄二十、第二十一、二十二三個師）

第二十五軍趙公武（二、二十五、一九五三個師）中央軍

第二方面軍　司令官張發奎

第四十六軍黎行恕（轄一八八、一七五、N十九三個師）

第六十四軍張弛（轄一三一、一五六、一五九三個師）原廣東軍

第六十二軍黃濤（轄一五一、九十五、一五七、一五八四個師）原廣東軍

第三方面軍　湯恩伯

第二十七集團軍李玉堂
第二十軍楊幹才（轄一三三、一三四兩個師）原川軍
第二十六軍丁治磐（四十一、四十四、一四九三個師）中央軍
第九十四軍牟庭芳（一二一、四十三、五三個師）中央軍
第十三軍石覺（轄四、八十九、五十四三個師）中央軍
第七十一軍陳明仁（轄八十七、九十一、八十八三個師）中央軍
第二十九軍孫元良（轄一六九、T十六二個師）中央軍
直屬部隊，砲兵第一旅一部一〇五榴砲，砲兵五十一團（戰防砲）

第四方面軍　王耀武
第七十三軍韓浚（轄十五、七十七、一九三三個師）中央軍
第七十四軍施中誠（轄五十一、五十七、五十八三個師）中央軍
第一〇〇軍李天霞（轄十九、六十三兩個師）中央軍
第十八軍胡璉（轄十一、十八、一一八三個師）中央軍
第五軍邱清泉（轄四十五、九十六、二〇〇三個師）中央軍
直屬部隊，四十八、T十九二個師

昆明防守司令部
總司令部直轄部隊
第五十四軍闕漢騫（轄三十六、八、一九八三個師）中央軍
新六軍廖耀湘（轄十四、N二二、二〇七三個師）中央軍
第五十三軍周福成（轄一一六、一三〇、榮二三個師）原東北軍

以上第二軍、第五軍、新六軍、第八軍、第十三軍、第十八軍、第五十三軍、第五十四軍、第七十一軍、第七十三軍、第七十四軍、第九十四軍，共十二個軍，三十六個師，已完成美械裝備。

抗戰末期反攻前夕，為精實戰力，一面充實美械裝備，一面裁撤績效不佳或空缺虛浮的部隊。但當時基於政治考慮，安撫原地方割據軍頭，反而不能裁編，故忍痛裁撤中央軍的八個軍，而希望地方軍頭感悟。

【三月困境】中南半島角力戰

軍事：滇緬印公路打通，駐印軍勝利歸國。

越南王保大降日，日軍發動「一億玉碎」。

內政：蔣公飛赴昆明巡視，龍雲託病不見面。

收攬地方部隊，裁軍先裁中央軍。

外交：蔣公同意共黨派員參加舊金山會議。

・解讀《蔣公日記》一九四五年三月・大事預定表

新疆之西疆要鎮與機場，已爲俄匪完全占據，實乃蘇俄乘我抗戰之危，而侵略新疆。但政府恐影響抗戰後方民心士氣，形成反俄風潮，故消息一直封鎖。我在陸軍大學時，完全不知新疆變亂，重慶的《新華日報》，更隻字未提。當時，重慶的《新華日報》，在各學校完全是免費贈送，不看也照送。鑑於新疆情勢及雅爾達密約後，中俄微妙關係的特殊情形，故令報章不可反俄，當時乃戰時政府，對新聞管制是很嚴格的、有效的，當然不能以現代概念，看七十年前的局勢。

·解讀《蔣公日記》一九四五年三月三日

何應欽陸軍總部成立，衛立煌被任爲副總司令，其遠征軍長官部撤銷，衛則希望將原長官部改爲副總司令部。蔣公不以爲然，不合理也。

·解讀《蔣公日記》一九四五年三月·上星期反省錄（三月三日之後）

硫磺島美軍犧牲大，益增美國迫切希望中國接受雅爾達密約，使蘇俄早日對日作戰之心態。

·解讀《蔣公日記》一九四五年三月·本週預定工作項目

蔣公對裁撤的中央部隊，非常有歉意，故書勉。因如裁地方部隊，會抗命、造亂子；而中央被裁部隊，絕對服從也。亦可見軍事制度未健全，實乃與地方割據勢力之妥協也。

·解讀《蔣公日記》一九四五年三月四日

雲南省政，由龍雲主持已久，對中央命令陽奉陰違，使抗戰大後方政令不能統一。但他握有部分兵權，故思如何處理，爲今後數月對俄對共外，另一重要課題。

·解讀《蔣公日記》一九四五年三月九日

二次大戰期間，英國不顧同盟義務，犧牲盟友以自利，不勝枚舉。珍珠港事變前，關閉緬滇公路以媚日。日軍南進後，中國遠征軍入緬，爲救英軍，損失重大。而今英欲以駐印軍之新一軍，協助恢復其殖民地爲首要任務，可謂自私極矣！蔣公自斷然拒絕。

·解讀《蔣公日記》一九四五年三月·本星期預定工作課目（三月十日之後）

調查統計局，爲國民黨的情報組織。如未得蔣公同意，在青年遠征軍設立組織，是很嚴重的。當然，如果在青遠軍吸收黨員，應由組織部門或青年團去主導，此可能爲當時青年團與黨部互有競爭也。

·解讀《蔣公日記》一九四五年三月十二日

此際孫夫人宋慶齡支援中共態度明顯，無法挽回。一九四九年以後，孫夫人投共，曾爲榮譽主席。

·解讀《蔣公日記》一九四五年三月·上星期反省錄（三月十七日之後）

此際，蔣公仍堅拒派中共黨員任舊金山會議代表，縱孫夫人說情、俄國壓力亦不顧。蔣公與孫夫人間歧見已無法消解。

·解讀《蔣公日記》一九四五年三月十八日

此際，蔣公希望美國共同進軍東北，以免俄獨占東北。因國軍鞭長莫及，不可能在反攻中進軍東北。

・解讀《蔣公日記》一九四五年三月二十四日

派中共人員參加舊金山會議，甚勉強，亦可見國際壓力之影響。其實如主動派其一人參加，反更見對中共寬容善意，有利國際形象也。

蔣公於日記中感覺美軍人眞誠。全世界軍人都概如此，非外交官、政客可比也。

・解讀《蔣公日記》一九四五年三月二十六日

美軍在琉球登陸，實爲二次大戰日本投降前之最後一擊。其指揮官即爲蔣公要求撤換的史迪威，爲馬歇爾所重用。蔣公內心，並不願見史迪威在亞洲戰場服務。

美在琉球登陸，乃放棄了在台灣登陸，使台灣免於地面戰場之禍，是台灣人之幸。

・解讀《蔣公日記》一九四五年三月二十七日

日軍對第五戰區的攻勢，可能爲掩護其收縮戰線的佯動。在面臨美軍已在琉球登陸之情勢下，國軍在雲南已完成反攻準備。此際，第五戰區、豫、鄂、陝邊區，已無重大影響，故作戰指導以避免損失爲主，非決戰之地也。

・解讀《蔣公日記》一九四五年三月二十八日

空軍劉司令，名國運，航校一期，湖南衡陽人，來台曾任中將參謀次長，即前行政院長劉兆玄的父親。

雲南爲八年抗戰的重要後方基地，龍雲眼看抗戰勝利在望，他希望抗戰勝利後，仍爲割據雲南的軍閥，當然不能容忍。

「九一八」事變至西安事變五年期間，日本侵略中國，於一九三五年，日本外相廣田弘義發表對中國關係三原則。當時我雖年輕，都知所謂廣田三原則。其內容：一、中日親善，中國應取消一切抗日行為。二、經濟合作，「工業日本」、「農業中國」。三、中日滿共同防共，日軍得駐屯中國境內。

我記得國民政府為緩和日本侵略，爭取抗日準備時間，曾呼應廣田三原則，發布睦鄰令。

蔣公雖反共，但堅拒承認滿洲國與日本合作反共。蔣公一直以民族大義置於其反共主張之上，但日本曾引誘漢奸殷汝耕成立冀東防共自治區，汪精衛偽南京政府雖仍僭用青天白日滿地紅國旗，但附上「和平反共建國」六個字，可知日本向以共同反共為侵略中國，豢養漢奸的誘餌。

然全面抗戰爆發後，日本並未以共軍為主要殲滅對象，而全力進攻國軍，使國軍陷於苦戰，犧牲慘重，但在淪陷區則任令共軍發展壯大。蔣公所感，日共相依，共謀國軍，固屬成見，但日軍全面侵華，顯然非為防共。

易言之，如蔣公為個人權位私利，接受廣田三原則，勾結日軍，剿滅共軍，則不會有西安事變。蔣公可保有淮河以南大半壁江山，則二次大戰如何爆發，如何發展，中國必然以日本附屬介入大戰，豈有今日之國際地位？故蔣公堅持民族大義，內戰雖敗，他仍是中華民族人格尊嚴的代表。

同意共黨派員參加舊金山會議，是正確的。

【四月風雲】兩強之間難爲弱

軍事：日軍猶在中國戰區相持，未被擊退。
經濟：國內物價狂漲，美援失信延誤。
外交：蘇俄刻意示好，經國先生折衝中俄外交。
羅斯福總統猝逝，美俄中三角關係生變。
蘇俄暗中攔阻，蔣公打消赴美計畫。
國際和平會議在舊金山開幕。

・解讀《蔣公日記》一九四五年四月一日

召開國民大會，制定憲法，結束訓政，爲對付各黨派要求組織聯合政府之基本策略，國民黨當時由陳果夫及陳立夫所主持。

國父建國方略區分軍政時期、訓政時期、憲政時期，此爲國父在書室內的構想，並無實踐的依據可憑。國父革命一生，幾乎未能掌握實際政權。蔣公繼承國父方略，北伐成功，實施訓政。但自北伐開始，中經國民黨內部的鬥爭，包括一九三〇年中原討閻、馮之內戰，一九三三年閩變，五次圍剿江西共軍，一九三六年兩廣事變，以及九一八事變後，一九三一年淞滬局部戰爭，一九三三年長城各口中日局部戰爭，以迄抗戰勝利，根本未結束軍政時期。訓政時期約法制定後，可謂軍政與訓政同時並行，而實際則軍事第一，訓政徒有虛名。按國父構想，訓政時期，完成地方自治，訓練人民行使選舉、罷免、創制、複決四權。但以中國之廣土眾民，經濟落後，教育未普及，文盲占大多數人口，實非積三十年以上之和平安定，與發展經濟、普及教育，不可能做到。故當抗戰勝利在望時，各黨派——尤其中共，軍事力量已經坐大，根本不能容忍國民黨再假訓政之名，長期獨攬政權。而國民黨由於士大夫及官僚習氣，在淪陷區與中共的鬥爭完全失敗，所有蘇北、山東、河北、河南、皖北、山西等淪陷區，除交通線外，均已由共黨成立地方政府，不理中央政令。故於抗戰末期，一面對美國宣傳國民黨及國民政府腐敗、不民主，一面拉攏其他派閥政客，在制定憲法前組織聯合政府，以分享部分中央政權，及割據以華北為主的地方政權。而蘇俄既得歐洲戰場，先期攻占柏林，聲勢已與英美相當，乃暗中助中共，策動疆獨，故此際蔣公內外處境皆極為艱困。

・解讀《蔣公日記》一九四五年四月四日

蔣公一生未能訪美，實為憾事。如蔣公能親身訪美，與美總統直接交談，觀察美國社會，使美領導人與人民不受誣蔣宣傳影響，定有助益，亦使蔣公對美益加信賴，可能歷史發展又非若現在局勢。

·解讀《蔣公日記》一九四五年四月六日

俄於德國攻蘇前完成日蘇中立條約，使俄國免受日德夾擊，同時慫恿日本南進，免後顧之憂，爲蘇俄外交之極大成功。讓「敵人先打敵人」。今歐洲戰場即將勝利結束，可轉兵東向，乃宣布廢除俄日中立條約，乃準備對日參戰的第一步，自亦爲雅爾達密約的成果。國際外交全在利益，沒有信義這回事，是自然道理。

·解讀《蔣公日記》一九四五年四月十三日

羅斯福總統於雅爾達後、德投降前猝逝，對戰局無影響，但對戰後外交影響則甚大，尤以美俄中三角關係爲然。

·解讀《蔣公日記》一九四五年四月十四日

黃朝琴在勝利前，已決定派回台灣工作。如即派黃接收台灣，並任爲行政長官，或不致有「二二八」事變也。

考慮接收失地，未重用事先培養之當地幹部，實乃失策。東北亦然，容後敘。

·解讀《蔣公日記》一九四五年四月十五日

陳誠上將接替何應欽上將爲軍政部長後，即策畫撤銷軍事委員會，成立國防部，以符合未來憲政體制。陳上將此際顯爲蔣公接班人的象徵，負建軍整軍全責，而一般年輕將校（當時我們一代的軍官），對陳上將亦深向心欽敬。原任軍政部長何應欽，原爲蔣公第一助手，交卸軍政部長後，仍以軍委會（即最高統帥部）參謀總長身分，兼任中國戰區陸軍總司令，以所轄四個方面軍準備反攻。

・解讀《蔣公日記》一九四五年四月二十二日

日本明知戰爭必敗，故揚言一億玉碎。但如於德國投降前即主動求和，縱係無條件投降，亦可免除兩顆原子彈的災難。同時，蘇俄沒有發言權，或可保庫頁島南部，更沒有所謂北方四島問題。當權者明察情勢才是大智慧，歷史上並不多見。

・解讀《蔣公日記》一九四五年四月二十三日

國民黨辦青年團，原爲培養黨的新血輪，其後竟成黨團對立互爭，反成黨的分裂源流，可悲！

日記中健生是白崇禧，時任軍委會副參謀總長兼軍訓部部長（軍訓部抗戰前稱訓練總監）。所稱軍事機構改革方案，即撤銷軍委會，改爲國防部。

・解讀《蔣公日記》一九四五年四月・上星期反省錄（四月二十八日之後）

美第五軍團克拉克上將所統率盟軍，在義大利安西奧登陸，攻占羅馬後，墨索里尼北逃米蘭，爲人民捕獲處死。蘇軍已攻占柏林，歐洲戰場已近尾聲。

日本仍在中國戰場對湘西、鄂北、豫西發動有限目標之攻勢，其目的不外：一、積極的，是掩護已打通的大陸交通線。二、消極的，則爲放棄華南、華中，集結兵力於沿海及華北之準備，並遲滯我反攻。雖無重大戰略效果，但使美國對國軍戰力仍表輕視，實對我不利。

舊金山會議乃為制定聯合國憲章，中美英俄四強為發起國。如我代表團內無中共代表，俄可能不派代表，抵制舊金山會議。當時有此疑慮，而俄國於我代表團內容納中共代表後，乃發布其代表，可為明證。

美正式認定中共為武裝政黨，故不接濟其武器，為我外交重大勝利。

抗戰末期，我法幣通貨膨脹，美答應運黃金援我，政府乃訂黃金儲蓄辦法。我記得凡存儲五萬法幣，可換取黃金一兩，以收縮通貨，我也存了一兩黃金。其後，或由於美黃金未及時運到，或存儲法幣已超過美承諾之黃金數量，當時行政院長宋子文乃決定減半發給黃金。當時我在重慶陸軍大學二十期受訓，經濟學教授段麟皎，即痛斥政府失信於民，將導致失去政權，果不幸而言中。

【五月豐收】六全大會開新局

內政：召開國民黨第六次全國代表大會。

青年團力爭中委候選人名額。

蔣公當選國民黨總裁。

行政院改組，宋子文接任行政院長。

外交：哈雷大使要求速與共黨妥協。

魏德邁要求我軍併編軍隊至八十個師。

・解讀《蔣公日記》一九四五年五月三日

一九二八年，北伐軍進抵濟南，日軍阻撓，並槍殺我外交特派員蔡公時，世稱「五三」慘案。蔣公不得已，繞道繼續北伐。蔣公於日記中有所感，認為「五三」慘案即為抗戰之日也。

此外，從日記中可以看出，蔣公在大陸，一直沒有經濟建設的主要助手。

・解讀《蔣公日記》一九四五年五月五日

蔣公在日記中認史大林為其知己，不知其原因或依據所在，但亦足以證明史大林之厲害，以蔣公之警覺，誤認史大林為其知己，種下今後對俄外交全面失敗之因也。

國民黨六全大會開幕，為抗戰勝利前，決定勝利後大政方針的重要會議。蔣公與孫夫人宋慶齡歧見雖深，指派孫夫人為六全大會主席團之主席，亦所以謀黨內團結之誠意與苦心。

雅爾達密約後，美國渴望國共避免內戰，但只對國府施壓，徒增蔣公反感。

魏德邁依美軍觀點，要求國軍整編為八十個師。在國共未商軍政軍令統一前，共軍就自稱有一百萬以上武裝力量，蔣公自難認可，但已隨美援武器之到達，逐次裁減國軍。而由於顧忌地方軍頭之反彈，而先裁撤中央系統的軍隊六個軍，至少十八個師，唯距保留八十個師目標尚遠。但如美援武器能完成八十個師的精英裝備，就軍事觀點而言，應可接受。

・解讀《蔣公日記》一九四五年五月十五日

國民黨臨時全代會於一九三八年在武漢召開，推舉蔣公為總裁。總理逝世十三年後，才確定蔣公在黨內的領袖，而以汪精衛為副總裁，此或為汪反蔣投日的原因。汪叛逃後，副總裁懸缺，六全大會既無法提定繼任人選，故修改黨章，取消副總裁。而國民黨黨章明定蔣先生為總裁，仍應由每屆全代會推舉產生，亦見其民主風範。國民黨來台後，改造後又增設副總裁一職，並以陳誠先生為副總裁，但陳先生逝世後，並未遞補。蔣公一九七五年逝世後，修改黨章為主席，並推舉蔣經國先生為主席，但並未設副主席。

·解讀《蔣公日記》一九四五年五月十八日

盛世才統治新疆，早期投靠蘇俄，施政殘暴，樹敵甚多，毛澤東之弟毛澤民即為其槍決。但盛在新疆鑑於蘇俄侵略野心，轉而投靠中央，保有新疆主權，故蔣公深諒其過去失政，並予以保護，直至來台初期，尚派一排人為盛個人保鏢。

·解讀《蔣公日記》一九四五年五月十九日

國民黨在抗戰期間成立青年團，而團的發展形成與黨對抗。黨中央由陳果夫、陳立夫兄弟所掌控，青年團則由陳誠等主導，在六全大會形成權力鬥爭。以蔣公威望之隆，領導意志之強烈，猶不能消弭內爭也。

·解讀《蔣公日記》一九四五年五月·本星期預定工作項目

日記所載不設副總裁，即此時尚無法決定何人為黨的接班人。其實總理未料及早逝而未定接班人，實為黨內十三年糾紛之源。

·解讀《蔣公日記》一九四五年五月二十四日

中國省區太大，一旦中央力量式微，便形成地方割據之局。抗戰前曾有重劃全國為六十個省的擬議。蔣公在大陸主政的二十年期間，不但共黨未能就範，就連抗戰後方最重要的基地：四川與雲南，都實質有割據餘勢存在。

德國投降後，美國一面要求俄國參戰，一面準備在亞洲大陸的攻勢。中國所關心的，如俄國參戰必進攻東北，如美軍亦在南滿登陸之計畫，亦即以進占遼東半島為目標。若能先期占領旅順、大連，對俄有制衡作用，自爲蔣公所期盼，而哈雷大使明告有此準備。

·解讀《蔣公日記》一九四五年五月二十五日

美軍在中國大陸登陸計畫，爲避免與共軍發生衝突，故避免在長江以北海岸登陸，因當時長江以北海岸線，從蘇北、山東到渤海，已大都爲中共所控制。

我判美軍如在中國大陸登陸，當以杭州灣登陸，首先攻占上海、南京，且國軍亦可從浙贛地區配合攻勢，此或爲魏德邁所告知蔣公者。其實美軍在中國大陸的作戰計畫，應早與中國陸軍的攻勢計畫相協調，所以蔣公日記所載中美聯合作戰計畫，美軍僅要求中國對陸軍的攻勢計畫，而未透露美軍的攻勢計畫。

【六月協定】中俄協定難互助

軍事：日軍主力向東北與台灣撤退，國軍追擊不及。

內政：中共謊報國軍利用美械，在江南孝豐等地攻擊共軍。

共軍竄擾河南西部、浙江、湖南各戰區。

外交：外交官勾結共黨，美方逮捕前駐華使館祕書謝維斯。

美、俄促訂中俄協定，宋子文、蔣經國先生赴俄交涉。

國際：舊金山會議閉幕，通過聯合國憲章。

·解讀《蔣公日記》一九四五年六月·本月大事預定表

此際歐洲戰場戰爭結束，而日本正作最後掙扎，敗亡之局已定，如何準備迎接勝利？

一、對中共問題如何解決，為內政之首要。

二、對敵偽策反以確保勝利成果，故指定主持人選。

（一）北方：蔣鼎文，浙江人，曾任第一戰區司令長官。

（二）南方：宣鐵吾。

（三）東北：何杜國，東北人，曾任東北軍軍長。劉多荃，東北人，曾任東北軍一〇五師師長，西安事變即該師發動。另張群、陳誠及張治中。

三、抗戰勝利在望時，對僞滿及汪僞策反如能順利，則恢復失土與主權事半功倍。黨亦爲抑制中共乘抗戰勝利及其在華北地利之便，繼續擴大的重要措施。

四、策反須從歷史背景及地緣關係找人，當時幕後負總責者爲戴笠。

五、策反東北自始即未考慮張學良，即何杜國與劉多荃，均爲張的親信舊部，但在爾後接收東北的過程中，亦未起用他們。

・解讀《蔣公日記》一九四五年六月四日

德國投降後，對日問題已居於次要地位，而新一波的國際政治鬥爭開始。蘇俄與中共之共同目標，在擊倒蔣主席所領導的國民政府，其手段則以離間中美關係，是一箭雙鵰的策略。中共向美誣指國軍，以美械在浙江孝豐攻擊共軍（其實當時美援武器裝備在雲南的三十六個師尚來不及，浙江哪有美械部隊？故意強調美械，所以誣指美援裝備乃用於內戰，而非用於抗日）。

勝利前之內憂嚴重，中共坐大，無以就範，內部頹廢衰敗，堅強如蔣公者，頓起灰心。自亡之象，不幸言中。

・解讀《蔣公日記》一九四五年六月七日

俄國報章對六全大會的誣衊，蓋以雅爾達密約後已三月餘，中俄尚未完成談判，俄國有急迫感，故與中共相呼應，破壞中美聯盟關係，這是中共、俄共的首要策略。

就蔣公而言，為收抗戰勝利果實，必先處理好國際上對俄對美的三角關係。對內必須處理好中共問題，而中共問題又與美俄關係扯在一起。

·解讀《蔣公日記》一九四五年六月八日

美逮捕前駐華使館祕書謝維斯，為美已察覺美方外交官與共黨勾結，有利中美關係改善。

陸大將官班二期高級將領為期三個月訓練（如王敬久、馬呈祥），畢業及會餐。我是陸大二十期的學員，亦在場。

·解讀《蔣公日記》一九四五年六月·上星期反省錄（六月九日之後）

蔣公個性剛烈，日記中記載時常對部屬或不同意見者怒斥，但事後懊悔，甚至在日記上自己記過一次。這是他的自反，但無向當事人致歉的表示。

中共破壞中美關係的重要策略，是誣稱國軍以美援武器發動內戰，對美國自由主義分子而言，是很有效的。

聯合國安理會五常任理事國的否決權，是蘇俄首倡的。

雅爾達密約，中國雖被迫接受，但形勢上仍為中國自動與俄交涉，而不涉及雅爾達密約，以顧全中國的面子。故旅順港絕不能有租借名辭，因為這是不平等條約內的用語，故蔣公以自動允許共同使用，以取代租借。

・解讀《蔣公日記》一九四五年六月十五日

雅爾達密約於二月十一日簽訂，事先蔣公料知與東北有關，諸如旅順、大連港問題。直到六月十五日，美使才將雅爾達密約全部要求轉達，且尚非全文。蔣公料定，將置中華民族於萬劫不復，責羅老朽昏庸。

派經國先生逕告俄，美已轉達密約內容，以示美國已遵守羅斯福的承諾，負責說服蔣委員長。

・解讀《蔣公日記》一九四五年六月十六日

蔣公於苦悶抑鬱時，常邀稚老談敘解愁。

・解讀《蔣公日記》一九四五年上星期反省錄（六月十六日之後）

蔣公在開羅會議即承諾希望與美共同使用旅順港，以聯美制俄，實爲國際戰略高招；縱然中美英俄共用，亦所以制俄也，蓋此際俄爲我最大威脅。但羅斯福似乎不領情，或以美在西太平洋不乏海軍基地，避免與俄共用軍港，既示以對俄讓步，亦以避免敵對海軍共用一港，亦不符軍事原則。

・解讀《蔣公日記》一九四五年六月十七日

日國會授內閣總理以天皇特權，似爲其天皇授意，將由總理出面投降，以天皇與戰爭無關，預爲天皇解除戰爭罪責之手段。

睹其負有天皇特權的總理未在七月以內投降，故爲蘇聯所乘，對東亞戰後情勢影響極大。利害得失，掌握時機，乃最高政治智慧。

・解讀《蔣公日記》一九四五年六月十八日

滇軍係地方部隊，爲龍雲所把持，其待遇較國軍爲低。時陳誠任軍政部長，堅持滇軍未縮編成爲國軍系統前，不肯照國軍待遇發給。

・解讀《蔣公日記》一九四五年六月十九日

抗戰末期，隨著日軍收縮戰線，國軍與共軍都準備搶先占領日占領區。共軍在華北得地利之便，國軍反攻主力在西南，能向北推進者，只有在陝西的胡宗南部。

從山西向內蒙推進，本爲捷徑，但閻錫山部戰力弱，擋不住共軍。

而胡宗南戰力完整，故令支援閻部，盡早控制晉北，以爲推進到綏遠、察哈爾的準備。

・解讀《蔣公日記》一九四五年六月二十日

蔣公離開重慶，巡視綦江青年軍二〇二師。六月下旬，是重慶一帶最熱而難耐的季節。

陳牧農原任九十七軍軍長，於去年長衡會戰時，由於衡陽失守後，歸第四戰區指揮，守全縣失敗，被司令長官張發奎槍斃。張之所以槍斃陳，乃由於去年長沙第四次會戰時，長沙失守，第四軍軍長張德能，爲第九戰區司令長官薛岳所槍斃。第四軍原爲張發奎的基本部隊，張德能被處決，張發奎懷恨在心，所以藉口而槍斃陳牧農以報復也，故蔣公對陳牧農家屬甚關懷。

·解讀《蔣公日記》一九四五年六月二十二日

雅爾達密約簽訂未及三月，德國投降。美國要求蘇俄參加對日作戰，箭在弦上，中蘇談判必須緊鑼密鼓加速進行。

蔣公對共產分子素無信任，而一度視史大林為知己，實難以理解。截至本日，杜魯門明言，羅斯福對俄國要求，已完全贊成，且俄國對此案不願第三國參加，可知蔣公的處境。唯雅爾達密約對中國而言，實為新的不平等條約。羅斯福雖稱說服蔣委員長，實為施壓，且明言不能為中俄協定作保證，亦即中俄協定簽訂後，如蘇俄違約，美國不負任何責任。

當時站在中國立場：

一、拒絕蘇俄參加對日作戰，或蘇俄參加對日作戰，但應將東北劃入中國戰區，不容俄軍進入。蔣公應索性拒絕受雅爾達密約，這是上策。

二、如接受雅爾達密約，應由中美蘇三國共同簽訂蘇俄對日參戰協定，以保障中國權益，這是中策。

三、中蘇直接談判，是表面的獨立自主，實為下策。

·解讀《蔣公日記》一九四五年六月二十七日

此際，蔣公對俄並不信任，不接受外蒙獨立的美俄密約，但派經國先生赴俄親見史大林。經國先生應為宋子文隨員，但以其精通俄文，且係蔣公之子，直接見史大林，自有特別意義。

・解讀《蔣公日記》一九四五年六月二十八日

孫科當時公認為親俄派，故主張與中共和解，不為蔣公所諒。但孫科終未投共，一九四九年後，避居海外，於國父百年誕辰時回台，並派任考試院長，以迄壽終於台北。

・解讀《蔣公日記》一九四五年六月・上星期反省錄（六月三十日之後）

宋子文以行政院長身分，於六月二十七日赴俄談判，經國先生雖為隨員，但實有蔣公私人代表身分，故宋不悅也。

・解讀《蔣公日記》一九四五年六月・反省錄

一、六月份為雅爾達密約後，中俄實質談判緊鑼密鼓之時。蔣公接受美壓力，從今日觀點視之，乃為下策。

二、雅爾達密約，毛澤東應知其密，但站在中華民族立場，他亦佯作不知，故共黨對中俄談判，似未表示反對意見。

三、史大林明與蔣公合作，實暗助毛。

四、琉球戰爭結束，美傷亡重大，益見蘇俄參加對日作戰的迫切性，亦即壓迫中國達成雅爾達密約，完成手續的迫切性。

國共雖於七七事變後合作抗日，但自一九三八年起，即摩擦頻起。而一九四〇年冬皖南事變後，國軍在淪陷區無法立足。故一九四五年六月，舉凡蘇北、山東大部、河北全部，及皖北、豫北、晉南，均為中共所控制，成立地方政權。此際全盤而言，國軍仍居絕對優勢，故中共對外宣傳內戰開始，以取得美國及國內人民同情。

【七月暗流】外蒙獨立淪附庸

內政：行政院副院長孔祥熙因美金公債弊案遭彈劾。
　召開國民參政會，準備舉行國民大會。
　中共反對召開國大會，主張成立聯合政府。

外交：蔣公同意外蒙獨立。
　英美中七月二十七日聯合發表警告日本投降公報。

國際：英國工黨大勝，首相邱吉爾辭職。

・解讀《蔣公日記》一九四五年七月二日

日記中謂第一師號稱天下第一師，爲黃埔系最基本部隊。胡宗南將軍即由第一師基層至師長，乃至司令長官。蔣公次子緯國自德軍校回國後，即派任第一師第一團第一營第一連連長。

·解讀《蔣公日記》一九四五年七月六日

五、六兩日日記已說明，蔣公終於接受外蒙獨立的條件。歷史證明此項讓步未獲眞正效益，史大林背信了。其實，外蒙早已是蘇俄附庸，並未眞正獨立；而要求獨立，非出於外蒙本身的能力，而由蘇俄出面，完成在法理上脫離中國的宗主權，而實仍爲蘇俄附庸，根本沒有成爲獨立國家之能力也。

蔣公當年設想，可換得東北與新疆及全國之統一，即蘇俄不再助中共。戰後以公民投票解決外蒙獨立，僅爲一個顧全面子的手續而已。

原定待中國完全統一後，亦即順利收復東北與新疆，並解決了中共問題後，由政府自動提出外蒙獨立方案，是正確的。但最後竟在東北未完成接收、中共問題未解決前，完成外蒙獨立手續，是失策的。蔣公在以後日記中，表示後悔。

·解讀《蔣公日記》一九四五年七月·上星期反省錄（七月七日之後）

一九四五年六月二十七日，中國代表團赴蘇，宋子文以行政院長兼外交部長身分爲代表團長，團員包括外交部次長胡世澤、駐蘇大使傅秉常、蔣經國、卜道明等。自六月三十日至七月十二日爲第一階段，自八月七日至八月十四日爲第二階段。宋子文及代表團則於其間返回重慶。

七月七日是中蘇談判關於外蒙獨立問題非常重要的一天。其大要爲：

一、根據雅爾達文字規定，爲維持外蒙現狀，不能承認外蒙之獨立。

二、美國則表示，美國政府不能對雅爾達密約的文字作任何官方解釋。

三、史大林的解釋，「現狀」即爲正式承認獨立。

·解讀《蔣公日記》一九四五年七月·本星期預定工作課目

去年日本對湘桂黔發動最後攻勢，獨山一度失守。今則日軍已收縮戰線，國軍已開始反攻。

·解讀《蔣公日記》一九四五年七月十四日

美攻琉球犧牲之重，或爲其考慮使用原子彈原因之一。但先以高代價要求蘇俄參戰，後又決定使用原子彈，是相矛盾。如確認原子彈可迫使日本立即投降，即不應要求蘇俄參戰。換言之，雅爾達會議以前，美尚未知原子彈威力，或尚未試投成功。

·解讀《蔣公日記》一九四五年七月·本週預定工作項目

抗戰八年，國軍主力被壓縮在西南與西北，而中共在華北淪陷區已建立地方政權，國軍鞭長莫及。面對日軍即將投降之可能，中央如進軍華北，必與中共發生衝突。故日本如在三月內投降，對國軍不利。

·解讀《蔣公日記》一九四五年七月十五日

訓政時期是國民黨代表全民行使政權，實即一黨專政。抗戰開始，爲團結全民，另設國民參政會，容納各黨派參與議政，原則上國民黨會尊重參政會。抗戰勝利在望，國民黨力主召開國大會，制定憲法，實施憲政，還政於民。由於其他黨派，尤其是中共，反對五五憲草，故反對立即召開國大會，於過渡期間先成立聯合政府。其他黨派大都附和，以期分享政權。

・解讀《蔣公日記》一九四五年七月十八日

俄希望中國不倒向英美，與中國為友。蔣公此際亦希望對蘇俄與英美之對立，立於中間制衡之地位，以期左右逢源。而實際，俄希望中國一面倒向蘇俄，以騙蔣公、實暗助中共為其基本方針。尤其在東歐擴大附庸以後，實望中國為其附庸。

・解讀《蔣公日記》一九四五年七月二十一日

蔣公急欲整軍，準備反攻，但軍費需要，宋院長不能滿足需求，存有歧見。孔令儀為孔祥熙長女，攔孔祥熙為美金公債弊案聲辯。蔣公雖仍曲意維護，但不以為然。

另外，蔣公對二陳主控黨務已不滿意，故有培植經國先生主導黨務之思考。

・解讀《蔣公日記》一九四五年七月二十三日

日軍在中國大陸戰場收縮戰線，自動放棄陣地，勢所必然。而所謂諒解，不對撤退的日軍提出任何條件，諸如不得將武器、物資破壞或移交共軍，或要日軍必須等待國軍到達接收等。

・解讀《蔣公日記》一九四五年七月二十八日

宋子文支持貝祖詒（字申生）為央行總裁，蔣公則堅持俞鴻鈞為央行總裁，即為負責將央行黃金安全運抵台灣者，其後曾任為行政院長。

・解讀《蔣公日記》一九四五年七月三十日

美軍反攻似應循日軍攻廣州路線，在大亞灣登陸，國軍由粵北策應，以早日收復香港，打通華南的出海口。然日軍八月即投降，故未實施。

・解讀《蔣公日記》一九四五年七月・反省錄

原以換取收回東北，但還是受騙了。

一九四五年七月，中俄在雅爾達密約框架下，舉行重要的談判。美俄雙方都急於中蘇能依密約條件完成，表面上與雅爾達密約無關，由史大林直接向蔣委員長提出的條件，由中蘇直接談判。宋子文以行政院長身分，蔣經國可謂以蔣公私人代表身分，於六月三十日抵莫斯科。中經七月二日、七月七日、七月九日、七月十日、七月十一日、七月十二日六次會談，議題都是循著雅爾達密約有關中國權益的議題，其重點在：

一、依密約文字，外蒙古（人民共和國）的現狀須予維持。爭論的焦點爲雙方對現狀的解釋不同。美國不願介入解釋，史大林要堅持照他的解釋，那就是中國放棄外蒙古主權。宋子文的解釋，維持現況，就是擱置不談。

二、大連商港國際化，國際化的含義問題。

三、關於旅順港問題，蔣委員長堅持共同使用，不可租借。

【八月凱歌】日本無條件投降

軍事：美國投原子彈於日本廣島、長崎，日本宣布投降。
內政：發表台灣省行政公署組織與人選。
毛澤東應蔣公之邀，二十八日抵達重慶會談。
外交：俄國對日宣戰，中蘇簽訂同盟條約。
英國重占香港，泰越港受降權旁落。
簽署聯合國憲章，中國正式成為世界五強之一。

・解讀《蔣公日記》一九四五年八月五日

柏林三國會議，由杜魯門、史大林及英國工黨首相阿特里發表波茨坦宣言，規定日本無條件投降，而此際俄國尚未對日宣戰。其後日本投降，日皇僅宣布接受波茨坦宣言，避開無條件投降。三國會議場所現仍保存，我赴德旅遊時，曾特往參觀，以余爲二次大戰之年輕軍官也。

·解讀《蔣公日記》一九四五年八月十一日

美按租借法案，應先供應中國八十個師的武器尚未到達，日本已投降了。勝利來得比蔣公預料者太早，而對中共的坐大，一切反有措手不及之感。我當時在重慶陸大就讀，歡騰萬分，完全不知。

·解讀《蔣公日記》一九四五年八月·上星期反省錄（八月十一日之後）

一九三六年聖誕夜，蔣公西安事變脫險，我在南京軍校，全城都陷入瘋狂，爆竹、曳光彈都放完了。

一九四五年日本投降，我在重慶亦親睹狂歡盛況。

蘇俄於美國在日本投下原子彈，對日宣戰僅一天，日本已投降了，蘇俄坐收漁利。以今日觀點視之，此際，中俄協定如不簽，反而有利。

·解讀《蔣公日記》一九四五年八月十二日

雲南與四川乃抗戰最重要之基地，但歷經八年，國民黨並未在基層扎下根基，故龍雲尚未就範。最後還是由杜聿明以軍事使龍雲離滇來渝，就有職無權的農林部長。

·解讀《蔣公日記》一九四五年八月十三日

傅宜生，即傅作義，時任十二戰區司令長官，駐綏遠省會歸綏（現稱呼和浩特），及早進入平津，是國府控制華北的首著。

・解讀《蔣公日記》一九四五年八月十五日

發電邀毛澤東來渝，是抗戰勝利後首要大事。蔣毛的高峰會成敗關係重大，但以今日觀之，似無任何事前準備。

・解讀《蔣公日記》一九四五年八月十八日

二次大戰實際的最高統帥是美國總統。在同盟國平等協商下，我國由於去年在日本最後攻勢中的失敗，嚴重斲喪蔣委員長的威望，故接收日本投降之區域，全由美國規定，視盟國如下屬。馬歇爾實亦為關鍵人物。但於中國戰區，美國指明受蔣委員長之招降，阻絕了中共爭取受降的機會。

・解讀《蔣公日記》一九四五年八月十九日

日本雖投降，美租借武器是否仍按原計畫提供，是蔣公最關切者。

・解讀《蔣公日記》一九四五年八月二十三日

毛澤東覆電派周恩來到重慶，其本人尚未接受蔣公電邀。

・解讀《蔣公日記》一九四五年八月二十四日

簽署聯合國憲章為世界史的大事，中華民國為創始會員國，並為安理會常任理事國，且有否決權，中國正式成為世界五強之一。蔣公為中華民族尊嚴所作貢獻之歷史地位，在聯合國憲章中，永不會磨滅。

．解讀《蔣公日記》一九四五年八月．本星期預定工作

當年接收台灣部隊如指派青年軍，其軍容及水準均高，當不致予台灣同胞之不良印象，甚或不致發生「二二八」事變之嚴重後果也。

．解讀《蔣公日記》一九四五年八月二十六日

毛澤東來重慶，要求美國保證其安全，故由美大使哈雷（赫爾利）親往迎接。

．解讀《蔣公日記》一九四五年八月二十八日

一九四五年八月二十八日《新華日報》發：

中國共產黨中央委員長對目前時局宣言六項要求：一、承認解放區的民選政府和抗日軍隊，撤退包圍與進攻解放區的軍隊，以現立即和平，避免內戰。二、劃定八路軍、新四軍及華南抗日縱隊接受日軍投降的地區，並給予他們以參加處理日本的一切工作權，以昭公允。三、嚴懲漢奸，解散僞軍。四、公平合理整編軍隊，辦理復員，減輕賦稅，以紓民困。五、承認各黨派合法地位，取消一切妨礙人民集會結社言論、出版自由的法令，取消特務機關，釋放愛國犯。六、立即召開各黨派及無黨派代表人物的會議，商討抗戰結束後的各項重大問題，規定民主施政綱領，成立舉國一致的民主聯合政府，並籌備自由無拘束的普選的國民大會。

此項報導，證明毛澤東來重慶前，已有充分準備。

蔣公認定，中蘇條約簽訂後，蘇俄已遺棄中共，實乃誤判。

·解讀《蔣公日記》一九四五年八月三十一日

張家口的得失，爲國共雙方今後難以妥協的重要軍事因素之一。日投降僅半月，共軍即占張家口，圖控制內蒙的察哈爾省，自爲蘇俄所暗助。

·解讀《蔣公日記》一九四五年八月·反省錄

台灣行政公署，即決定陳儀出任行政長官。陳儀，浙江紹興人，日本陸軍大學畢業，娶日籍夫人。我在陸大受訓時，任陸軍大學代校長，曾任福建省主席。

東北原爲三省，國民政府接收時劃爲九省。東北行營主任爲熊式輝，江西人，政學系大員。

蔣公用人原甚重視地緣，而接收東北除九省主席爲東北籍，而最高首長、行營主任則爲江西人。其時固未考慮張學良，亦未考慮其他東北將領。而最高軍事首長爲杜聿明，陝西人，黃埔一期，但與東北無任何地緣與人際關係。

九省除原遼寧、吉林、黑龍江三省外，另劃分爲遼北、安東、合江、興安、嫩江、松江，共九省。

泰國與越南，原屬中國戰區，最高統帥爲蔣委員長。日本投降，按理應由中國戰區統帥受降，但英美（主謀當然是英國）竟將泰國與越南北緯十六度以南劃歸東南亞戰區，其最高統帥爲英國海軍上將蒙巴頓，而事先未與蔣公作何協商。蔣公委屈，只有忍受。

香港原在中國戰區統轄之內，但日本投降後，英國不但拒絕我軍受降，甚至蔣公派英軍官接收香港，僅爲顧全中國的面子，英亦拒絕。因國軍遠在黔桂，無法與英軍由海上搶先，而美國既屈從英國，蔣公只有痛憤，蓋國力弱也。

俄軍進攻張家口，爲已投降的日軍抵抗，但終讓共軍先占領張家口，亦爲今後國共爭執、談談打打的焦點之一。俄軍如由張家口直下平津，顯然超過美俄雅爾達密約之外。俄軍止於張北，其後，美陸戰隊登陸於大沽，有利國軍順利接收平津。

毛澤東初未應蔣公之請來渝，僅派周恩來來重慶，而終於來渝，亦謂係受命於史大林；亦如西安事變時終於釋放蔣公，係受命於史大林。史大林是二次大戰前後，運用敵人打敵人的代理戰爭，戰略最爲成功的。詳情容後再論。

九日蘇俄對日宣戰，乃極盡投機取巧之能事，坐收中國戰區漁利。此際簽訂中俄友好同盟條約，而俄軍進入東北後明顯違約的行動，可知「道義」非信守條約的基礎，「力量」才是信守條約的基礎。

【九月變局】受降之際動亂起

軍事：日軍九日在南京正式簽訂降書。
　　俄機轟炸烏蘇、精河。
內政：解決華中偽票與後方金價問題。
　　完成長江以南受降，接收過半隴海路。
外交：美派艾其遜來華視察，提出警告。

·解讀《蔣公日記》一九四五年九月·本月份大事預定表

此際對俄尚存信賴，東北之日本工廠、礦山之機器囑俄代爲保管。但日後俄視爲戰利品，所有重工業工廠的機器均拆運蘇俄。我於一九四七年夏，調往東北，駐瀋陽鐵西原工業區內，所有煙囪均不冒煙了，工廠僅剩廠房未拆。

·解讀《蔣公日記》一九四五年九月二日

九月二日，麥克阿瑟上將代表同盟國，在美國主力艦密蘇里號，接受日本政府代表外相重光葵，及大本營參謀總長梅津美次郎簽訂降書。我政府派軍令部部長徐永昌上將為代表，參加密蘇里艦的受降簽字儀式，故實際對日勝利日為九月二日。其後，中國戰區由何應欽上將代表蔣委員長，接受日本駐華派遣軍總司令岡村寧次簽定降書，其時為九月九日上午九時。

其後，政府定九月三日為勝利日，並定為軍人節，何應欽上將深不以為然。若以同盟國受降日，應為九月二日；若以中國戰區受降，應為九月九日。何將軍主張應以九月九日為勝利日與軍人節，不知何故定為九月三日。至今仍定九月三日為軍人節。

九月二日，蔣公由何應欽上將陪同，乘敞篷車由軍委會廣播後，檢閱沿途民眾。當時我即立在群眾中，狂歡已極。

·解讀《蔣公日記》一九四五年九月六日

羅斯福生前應允雅爾達，其內心應有如俄違約，有其反制策略。但羅猝逝後，杜魯門顯然無此考慮，故蔣公認定其政策不如羅之堅定支持。

·解讀《蔣公日記》一九四五年九月八日

蘇俄在東北收繳關東軍武器：

一、虜獲日軍戰俘五十九萬四千名。

二、飛機九百二十六架，戰車三百六十九輛，裝甲車三十五輛，野砲一千一百二十六門，機槍四千八百三十六挺，步槍三十萬枝，汽車二千三百輛，騾馬一萬七千四百餘匹。

三、另倉庫存儲野砲一千三百四十六門，機槍八千九百八十九挺，擲彈筒一萬一千五十二具，卡車三千零七十八輛，馬十萬四千七百餘匹，補給車二萬一千八十四輛。

俄方均移交共軍。

蘇俄於一九四五年八月八日對日宣戰，僅隔六天，日本即無條件投降。故俄軍侵入東北如入無人之境，很快就占領我東北及熱、察等省各重要城市。進入察北的俄軍，在張北與共軍會合後，就掩護共軍進入張家口；又掩護共軍一部進入熱河，一部經赤峰進入東北。（以上根據《陳誠回憶錄》。）

故抗戰勝利初期，熱、察，爲國共兩方爭奪的重點之一。

·解讀《蔣公日記》一九四五年九月十一日

誠與敬，是對內領導取得信任、促成團結的要素。對敵則以實力爲基礎，策略爲運用；誠反爲敵所騙，敬反爲敵所欺。此時，蘇俄與中共實質上都是敵對地位，誠與敬是用不上的。

·解讀《蔣公日記》一九四五年九月十二日

關於抗戰勝利以後定都問題，蔣公曾出巡西安漢中，一度認爲宜作首都。

國父任臨時大總統時定都於南京。其後讓大總統職與袁世凱，袁不肯到南京就職，以其北洋軍的實力全在華北，並假造事故，拒絕南下，而在北京就任大總統，中經洪憲稱帝八十三日而逝。其後，北洋軍閥竊國，亦以北京為首都，以迄北伐成功。

北伐成功後，定都南京。未及十年，抗戰西遷重慶。抗戰勝利後，還都南京。國大制憲草案，原有定都南京一條，以南北代表互爭，北方代表主定都北京，南方代表主定都南京，相持不下，最後取消定都一條，不明定首都於憲法。

在歷史上，從三國時的吳、魏晉南北朝的東晉，與南朝宋、齊、梁、陳，及唐宋間五代梁、唐、晉、漢、周，至南宋臨安（杭州），至明太祖，以至國民政府，都證明南京是一個偏安分裂的短命政權，眞是歷史宿命。

抗戰勝利還都後，放棄在陝西建都的想法（便於控制西北），而主張建都北京。如勝利，收復平津後，即定都北京，亦即靠近存亡威脅的蘇俄與中共，及早警覺危機，至少可保有大半壁江山，不致侷處台灣一隅也。

·解讀《蔣公日記》一九四五年九月十六日

蔣公認艾其遜為共黨分子，可見艾氏對蔣公敵意之深。因麥帥與蔣公意氣相投，杜魯門派艾任麥帥顧問，實為監軍也。

·解讀《蔣公日記》一九四五年九月十八日

蔣公所念念不忘者，為中共於一九三七年九月二十二日所發布之共赴國難宣言。但隨著日軍侵華，平津、京滬相繼淪陷，國共即開始摩擦。當時，以「摩擦」一語，以掩飾衝突。而至皖南事變，三戰區解決新四軍在江南根據地，並生擒新四軍軍長葉挺。其後淪陷區，原國軍及地方政權悉爲中共所占有。故共赴國難宣言，對蔣公而言，實爲一張空頭支票。

一九四五年八月，所簽中蘇友好條約，實爲蔣公接受雅爾達密約，但爲顧全民族尊嚴，強作自主與史大林簽訂。但自俄軍進入東北，處處顯示俄無信守條約誠意，拒我派員赴東北，而暗助中共，將接收關東軍所繳武器物資交與中共。對蔣公而言，這又是一張空頭支票。

蔣公接受羅斯福的要求，接受雅爾達密約，但美方無任何保證。

日記載今日中午約盛世才夫婦用餐。盛世才，我所知道的，他本是東北人，曾在日本陸軍大學或陸軍士官學校畢業。原在南京國民政府參謀本部（不屬軍事委員會，朱培德曾任參謀總長，一九三六年，在南京逝世，蔣公輓以「喪我股肱」，並於親悼時流淚，是我唯一一次看到蔣公流淚）。當時，盛是中校參謀，不知何種因素去了新疆。而盛在蘇俄支持下，奪取了新疆軍閥馬仲英的政權。盛雖來自南京，且非新疆人，亦非回族，既與蘇俄勾結，取得新疆政權，故未效忠國民政府。由於盛世才投靠蘇俄，蘇俄不僅以武器供應盛世才，且派紅軍八團及一個支隊的空軍，駐在新疆。此際，不僅蘇俄有技術專家三百餘人，而其中有中國人，原爲中共黨員而轉爲蘇俄黨員，新疆地方政府是一面倒的親蘇親共的政府。

一九四一年六月二十二日，德蘇戰事爆發，且初期攻勢，德軍勢如破竹。國民政府終於說服了盛世才，一九四二年三月，蔣公派第八戰區司令長官（長官部在蘭州）朱紹良與盛談判，盛決定反蘇反共，倒向國民政府。一九四三年九月，且處決中共幹部陳潭秋、毛澤民、林基路等，毛澤民是毛澤東的弟弟。（部分錄自王永祥著《雅爾達密約與中蘇日關係》）

一九四四年，盛世才將新疆政權交還中央，結束其十一年統治，到重慶任農林部長。

農林部長，是國民政府安撫割據地方失勢後的軍閥。我所知陳濟棠和龍雲，都以做農林部長，離開其割據稱霸一方的地盤。

蔣公感念盛世才終於不做漢奸，故禮遇午餐。但我所知，盛在新疆的統治非常殘暴，不僅共黨分子，即其他政見不同者，被害甚衆，故樹敵極多。一九四九年到台灣，我見過他，當時國防部還派了一排步兵，專門保護他，直到他去世。

・解讀《蔣公日記》一九四五年九月二十五日

日本投降後，英國乘其海軍優勢，仍圖恢復其戰前的遠東勢力範圍。而杜魯門則屈從，一面將原屬中國戰區的中南半島，除越南北緯十六度以北仍由中國戰區受降（中國派第一方面軍司令盧漢赴河內受降）外，其餘劃歸英蒙巴頓上將的東南亞戰區。香港本屬中國戰區，英方一度堅持由蒙巴頓受降。蔣公僅在顧全中國戰區統帥面子的情勢下，授派英軍官受降。實質上，英國收回了香港殖民地。香港問題，蔣公在開羅會議曾提出，邱吉爾以開羅會議乃討論處理戰敗國日本問題，香港為英國領土，英國乃同盟國，非戰敗國，故未談香港問題。故於日本投降後，急欲立即收回香港，以其海軍優勢捷足先登。蔣公為避免與英衝突，且力不及，故未堅持。

・解讀《蔣公日記》一九四五年九月二十七日

毛澤東抵重慶已一個月，其談判要求，諸如承諾其一百二十萬軍隊及五個省主席，我判斷應為山東、河北、綏遠、察哈爾、熱河五省。故蔣公憤指其抗戰期間實質與日本合作，以其不但未擾襲日軍後方補給，反掩護其補給線，使日軍無後顧之憂，攻擊國軍也，乃視為漢奸，實氣憤已極也。

・解讀《蔣公日記》一九四五年九月二十九日

站在政府立場，原共軍改編的第十八集團軍和新四軍，應受國民政府軍事委員會的指揮。抗戰最高統帥蔣委員長，將十八集團軍列第二戰區（司令長官閻錫山）的戰鬥序列，新四軍編入第三戰區（司令長官顧祝同）的戰鬥序列。但中共自設黨的軍事委員會，毛任主席，實際指揮十八集團軍和新四軍，形成國軍軍令不統一。抗戰最高統帥部（國民政府軍委會）曾命令新四軍，從皖南調往黃河以北，但新四軍抗命，顧祝同乃予以解決，生俘軍長葉挺，但餘部轉進蘇北，反將省主席韓德勤的八十九軍在黃橋擊潰，軍長李守維陣亡，韓德勤被迫離開蘇北，使蘇北成爲僅次於陝北的中共根據地。

陝甘寧邊區政府，實爲中共的中央政府。抗戰時期，所有中共控制的淪陷區，實已獨立於重慶國民政府之外。

・解讀《蔣公日記》一九四五年九月三十日

蔣公到西康省會西昌巡視，有感於教育爲立國之根本。民國建立三十四年以來，內亂外患，使整個國家建設陷於停頓倒退狀態。抗戰既勝，而提示了教育的基本宗旨。

雲南軍閥龍雲陽奉陰違，如何以和平手段使其就範，爲蔣公近日之重大考慮事件。到西康實以處理龍雲爲要務之一。時陳誠任軍政部長，杜聿明爲昆明防守司令，乃處理龍雲之第一線指揮官。

・解讀《蔣公日記》一九四五年九月・反省錄

俄在倫敦五國外長會議要求共同管制日本。蔣公內心並不贊成，但主張成立遠東委員會。易言之，俄不宜參與管制日本的實際工作。原我曾擬派兵占領九州，與美共同占領日本，俄國內心則欲占領北海道。我既因國共爭端尚未解決，遂放棄占領日本，俄國亦不能占領北海道，否則，俄占領北海道，必如北韓，製造共產政權，則今日成為兩個日本矣。蔣公此項決策，對戰後日本之復興與繁榮，關係重大。

日本投降月餘，國軍基本上不但規復江南，且隴海路以南亦已規復。而美國海軍進駐青島與津沽，為國軍順利接收膠濟路之青島、濟南兩重鎮，及平津走廊之重要助力，使國軍在華北占有重要戰略地帶，以與中共抗衡。而美軍行動，亦有反制蘇俄在東北行動的戰略意義。

英國外交自來老謀深算。抗戰期間，關閉我當時唯一的國際交通線，以取悅日本。二次大戰後，英國在歐洲大陸的勢力、影響力式微，而由美國取代，但對遠東仍圖保有其勢力。從香港到中南半島，與我政策衝突，而在雅爾達與羅斯福合謀，出賣我國權益。其防阻中國強大的策略，是顯然的，但終究不能避免大英帝國的沒落。殖民主義在二次大戰後完全終結，中國抗戰之功，不可沒也。

盟國占領軍（實際為美軍）占領日本後，日本實際在最高統帥麥克阿瑟將軍統治之下。日皇往謁，實顯出日本能屈能伸的特性，而奠定美日長期同盟關係，完成日本復興的基礎。日本可謂最幸運的戰敗國，而中國則為最不幸的戰勝國。

【十月和談】蔣毛重慶高峰會

內政：會面四十三天，國、共發表雙十會談紀要。

軍事：平津、膠濟與隴海各據點接收完成。

俄國進軍東北，阻我軍大連登陸接收。

美軍登陸天津，國軍葫蘆島登陸計畫受阻。

中共破壞各鐵路幹線，且圍攻歸綏。

・解讀《蔣公日記》一九四五年十月一日

此際，毛澤東尚在重慶，其安全，美方固有保證，蔣公亦無傷害之意，蓋國內外輿情亦不許可也。而中共提出毛在渝安全問題，蔣公內心頗有反感。

當時漢奸事宜，均由戴笠負責，因在汪僞組織內，戴布置了很多潛伏人員而單線領導，故誰是眞漢奸，誰是假漢奸，唯戴決定。寧滬漢奸處理辦法，應係何應欽上將之指揮所所定，未經戴雨農的審核，故認爲不妥也。

·解讀《蔣公日記》一九四五年十月二日

抗戰八年，雲南爲僅次於四川之人力物力根據地，但一直由龍雲主政，並未忠誠服從中央。抗戰期間，由於投鼠忌器，未予撤換。昆明爲西南聯大所在，爲集北方北大、清華與南開三所傑出大學所組成，學風頗具自由思想，與在重慶之中央大學不同，故左派亦有拉攏龍雲之意。抗戰勝利後，蔣公爲鞏固西南基地以對抗中共，雖仍有其他顧慮或副作用，決意拉攏之。

·解讀《蔣公日記》一九四五年十月·上星期反省錄（十月六日之後）

四川、雲南，爲抗戰最重要之基地，但就國民黨而言，八年期間並未深入建立社會基礎，故國民黨不僅在淪陷區，敵後鄉村諸如蘇北、山東、河北以及皖北，均被共產黨趕出，即抗戰基地——雲南，直至勝利才處理龍雲，且將省政交與盧漢（據稱爲龍雲的異父弟弟），實質上並未掌控雲南省政。蔣公以西南爲建國統一之基地，而想法落空。一九四九年，盧漢亦投向中共。

·解讀《蔣公日記》一九四五年十月十一日

毛澤東自八月二十八日抵渝，十月十一日離渝，在重慶四十三天。從日記中統計，共談十一次，其中，餐會五次。談話最長一小時，短則十分鐘。

抗戰勝利，日本投降未及三週，即舉行蔣毛高峰會議。毛初未立即應允，後受命於史大林，應邀來渝，亦可見史大林戰略之成功。我判斷，毛到渝前，必受史大林某些保證與承諾；而此際，美方亦力促國共談判，並由赫爾利（哈雷）大使親迎，保證安全，但美方對蔣公似無任何承諾與保證。

高峰會的舉行只能成功，不能失敗。如果失敗，則後果必然嚴重。而高峰會成功之道，在會前幕僚協商，基本上，必須對重大議題已達成協議才能舉行。雙方最高領導見面，完成手續而已。此次蔣公邀毛來渝，顯然沒有事先幕僚的協商，甚至國民黨連議題都未提出，而由毛抵渝後提出議題，作爲談判的基礎，則國民黨顯然已立於被動地位。中共的方針爲爭取和、準備打。換言之，史大林在對日宣戰，進兵東北，收繳關東軍的武器裝備，已有充分資源，對中共提出支援保證與承諾，爭取「和」，實亦爭取時間以消化這些資源，以準備「打」。可說毛澤東到重慶，是以和逼戰，爲其指導方針。

毛澤東既受命於史大林，而史大林考慮當時情勢，中共尚無控制全中國的實力。而毛到重慶，自亦無立即推倒國民黨政府的妄想。但提高談判價碼，實質爲華北五省主席及陸軍四十個師，地盤上，控制黃河以北及內蒙，並拖延召開制憲國大，在過渡期間分享中央政權，籌圖形成新的南北朝，以和的姿態爭取備戰時間，以準備打，亦即以高到難以接受的談判價碼，如國民黨接受，則不戰而勝；若國民黨拒絕，則有打的正當性，以戰求勝。

蔣公電召毛來渝，依我判斷，似爲蔣毛初次會面。在廣州國民黨第一次全國代表大會，當時蔣公尚非黨代表，故未親自參與，應無緣與毛見面。一九二七年清黨後，以迄西安事變，固未見過面，中共共赴國難宣言發表後，未及一年即開始摩擦（實際即爲衝突）。故毛到重慶，是蔣毛生平第一次見面，亦如在開羅與羅斯福及邱吉爾，均爲生平第一次見面。但蔣公視毛似爲部下，益以毛高呼蔣主席萬歲，故蔣公圖以精誠感召，不視毛爲對手，先天難免輕敵。

就談判過程言，蔣毛二位雖晤面十一次，但大都是應酬話。在這些應酬話中，毛所表現的是表面和婉，甚至僞裝接受某些觀點，而內心則是堅定不移。而負責實質談判的中共代表周恩來，更是非國民黨任何人所能及的對手。

談判的結果其實是失敗的，但雙方爲掩飾失敗，而以雙十會談紀要公布。吳稚老起初反對公布，誠是老謀深算。公開破裂顯然對毛澤東也是不利，因爲他須有備戰的時間；對國民黨而言，內外輿情都不利，國民黨不願擔負談判破裂的罪名。

毛澤東在重慶四十三天，是有重大收穫的。他直接談判，委由周恩來，但毛並非無所事事。我可以「不入虎穴，焉得虎子」形容之。他在重慶一面聯絡第三勢力，做出和平姿態；一面洞察國民黨的社會實情，及國民黨內在的危機。他深信打，已立於不敗之地，而開展了今後三個月邊談邊打的局面。

·解讀《蔣公日記》一九四五年十月十五日

俄軍進兵東北已二月，依約應於三個月內撤兵，但阻我軍在大連登陸接收東北，而暗助中共。

潘文華爲四川軍閥，一九四三年在成都，曾招待陸軍大學二十期學員會餐，沉默寡言。抗戰勝利後，令其部移駐川鄂湘黔邊區，任邊區綏靖主任。其內心仍希望留成都附近，故蔣公甚煩也。

·解讀《蔣公日記》一九四五年十月十七日

何思源，是淪陷區的山東省主席，利用日本降軍爲助，先入濟南。蓋山東大部均爲中共控制，故蔣公特予何思源嘉許，亦此後寬待岡村寧次（日本派遣軍總司令）原因之一也。

·解讀《蔣公日記》一九四五年十月二十七日

雙十會談紀要發表，毛澤東於十月十一日回延安後，即展開邊談邊打，以談助打，以談爲輔、以打爲主的策略，而以搶奪綏遠爲其重點，攻占平綏路要點集寧，並包圍歸綏（十二戰區司令長官傅作義司令部所在地），一面破壞平漢鐵路與津浦鐵路。在政治上，不派政治協商會議代表，以拖延談判。

蘇俄亦配合中共，一面拒絕國軍在大連登陸，並藉口長春各地發生武裝反俄事故（其實可能爲中共與俄軍方串演），而禁止我行營派員赴各地視察（實際爲孤立行營功能），並派共黨黨員擔任長春警察局長。可知俄必藉以延期撤兵（依約應於三個月內撤兵），蓋其收繳之關東軍武器、裝備轉交林彪，尚需時間整備。

·解讀《蔣公日記》一九四五年十月二十九日

中共鑑於美軍已在天津登陸，故欲逕取平津爲不可能，乃力圖爭奪熱、察、綏（即內蒙）。而綏遠接近晉北，共軍得地利捷足先攻占集寧，並進攻歸綏（第十二戰區長官傅作義指揮部所在），故蔣公爲傅（字宜生）而憂也。

河北平原淪陷，原爲中共所控制，故一面破壞平漢鐵路，一面在漳河以北馬頭陣占領陣地，阻礙孫連仲部（十一戰區司令長官）北進。

晉東南原爲中共控制區，閻錫山所屬第九軍約三個師，於八月中旬進入上黨區長治，而共軍冀魯豫軍區司令劉伯承攻占長治。

此際，閻錫山在重慶，蔣公約宴閻錫山與龍雲（由雲南解赴渝）午餐，而白崇禧（健生）、孟瀟（唐生智）、次宸（徐永昌，原晉軍閻錫山所屬，時任軍令部長）、頌雲（程潛）這些將領，過去都有反蔣的紀錄，今日同桌共餐，蔣公深有所感也。

・解讀《蔣公日記》一九四五年十月・反省錄

一九四五年，是影響中國百年歷史的一個年；而十月，尤其是關鍵性的一個月。毛澤東到重慶，可能是與蔣公生平第一次的見面。這兩位決定中國歷史的政治領袖，在這四十三天中，未能建立任何互信，實是中華民族的悲劇。

四十三天的談判實是失敗的。所簽雙十會談紀要，只是維持表層未破裂的面子，並種下今後一年打打談談、邊打邊談的因子。

毛澤東滯留重慶期間，國軍在美軍登陸青島與天津的支援下，順利接受了山東的重心膠濟路，以及華北的平津兩個戰略走廊，也許是國民政府在國共鬥爭中重要的收穫。

毛澤東返回延安後，立即運用共黨在華北地利之便，展開對淪陷區從晉南、內蒙到山東的全面搶占控制，並破壞平漢及津浦兩鐵路交通，阻國軍北進。

中共互爭受降權，並未成功。但其間繳獲汪偽軍，及蘇俄由東北繳獲日關東軍武器，及經由外蒙資助中共的武器，必為數甚大。故中共需要時間消化這些武器，整編戰力。邊談的目的，在爭取備戰的時間。對中央提出無法接受的政治價碼，而走向內戰之途，亦即以和逼戰策略的成功。

【十一月交鋒】國共間沉默內戰

軍事：蘇俄延期撤兵，林彪接收關東軍武力。

新八軍高樹勳部，在平漢路叛變投共。

東北登陸無望，擬由山海關前進。

內政：蘇俄掩護東北共軍，蔣公擬撤長春行營。

外交：資助韓國獨立英雄金九回韓。

・解讀《蔣公日記》一九四五年十一月二日

雙十會談後，國共雙方以爭取華北控制爲重心。此際，蔣公擬將熱察交由共軍接防，從今日看來，可能是政治妥協的重要契機，但最後仍以互爭熱察爲衝突重點。共黨稱爲局部內戰。

・解讀《蔣公日記》一九四五年十一月五日

抗戰勝利後，政府必須採取和平的姿態，而不能對中共公然討伐。蔣公日記，說得很清楚。

・解讀《蔣公日記》一九四五年十一月六日

蘇俄資助中共在東北發展。雙十會談後，國軍力求取得東北的控制，但在蘇俄蓄意阻攔下，林彪已獲得機先，全力爭取時間，消化得自關東軍的武器。在戰略上，國軍居於不利態勢。

・解讀《蔣公日記》一九四五年十一月十七日

蘇俄違約護共，東北行營孤懸長春，對接收東北工作根本無法展開。蔣委員長盱衡情勢，爭取主動，擬宣布撤退長春行營。俄迫於國際情勢，乃態度軟化，但其實仍為欺騙行為。蔣公竟為其所騙，原定撤退行營之策不予發表，實為失策。

十一月十七日，經國先生由長春回渝（時任東北外交特派員）報告，俄共擬利用經國先生及張學良在瀋陽成立政府云。

抗戰勝利後，主持接收東北行營主任熊式輝，及東北保安司令長官杜聿明，與東北均無地緣關係。以後論者，亦必以未命張學良接收東北為失策。

蔣委員長對張不信任，因張主謀西安事變，或恐如派其接收東北，正與中共合謀也。本日日記，找出張學良於一九四六年即移幽於台灣新竹的道理，乃阻絕張與中共或東北將領有暗通消息之機會。而張的移幽台灣，可從多方面評斷。

如蔣公當時盡釋前嫌，毅然派張學良為東北行營主任，主持接收東北大任，以其地緣及歷史關係，號召偽滿軍隊及東北同胞，應有一定的影響。以張的歷史背景，非馬克思主義者。其發動西安事變，非為親共，乃主張停止內戰，一致抗日。今日抗戰勝利，由張來接收東北主權，與中共必立於敵對地位，而成為中共的敵人。中共建政後，譽張為千古功臣，力邀張回大陸，但張不為所動。蓋張對中共於戰後發動內戰，並不以為然也，而寧願終老於夏威夷。

一九四六年，內戰戰局尚未惡化，卻令張幽居新竹，所以防止影響東北人事，而楊虎城則禁於重慶。若張非於一九四六年來台，可能在大陸局勢逆轉時，來不及移幽，為免落於中共之手，可能亦如楊虎城處決矣。而張於一九四六年來台，非源於大陸局勢不可收拾也。

晚年張先生在台灣獲得自由，與蔣夫人及經國先生多有來往。他對蔣夫人對他的關照非常感激。當時在台北經常聚會的號稱三張一王，即張岳軍、張大千、張學良與王新衡。他們經常聚會，我以晚輩偶亦參加，聽張先生談了很多掌故，不脫軍人本色及幽默天性。當他未赴夏威夷前，曾由夫人趙四小姐親自下廚，僅邀約王永慶夫婦和余夫婦，在他北投寓所餐敘，始知他們與王永慶先生亦稱莫逆。

九一八事變前，張在國內聲譽不佳。我年輕時對張的觀感，自然與當時社會一般熱血青年一樣，因張年輕得志，統領大軍，有勢有錢有權。晚年相談時，他亦自承年輕時可以荒唐二字概之。但自一九三六年幽禁後，在趙四小姐陪伴下，勤讀書並篤信基督。我與他相處時，已為一虔誠教徒與學者形象。

我在行政院長任內，欣逢他九十歲生日，在台北圓山飯店祝壽。他移居夏威夷後，我曾兩度往訪，並慶賀他的百歲生日，曾和他打特備的大麻將牌（十一張胡牌），皆表現出老頑童的心神。當時，烏鉞上將亦參與。

他的夫人趙一荻女士先他而逝，但他們早備了夏威夷墓園，作為安息之地。他不平凡的一生，也是影響中國歷史的一生。中共視他為千古功臣，但他終拒榮歸故里，其內心對抗戰勝利後的內戰，顯然是不能認同，亦可見他在西安事變反對內戰的原則堅持，對抗戰後的內戰，對勝敗雙方，都有他自己的看法。

經國先生留俄十二年，曾參加共產黨，故蘇俄進兵東北後，蔣公派經國先生為東北外交特派員，先期飛長春與俄交涉東北事宜。而俄擬利用經國先生曾為共產黨員，以與張學良共組東北親共政權，應係不實傳聞，或用以離間蔣公父子。

·解讀《蔣公日記》一九四五年十一月二十日

今日觀之，當時這種想法是正確的。惜以後並未採取是項政策，導致兵力分散，關外關內都不能取得決戰的勝利，是整個軍事戰略錯誤的開始。

·解讀《蔣公日記》一九四五年十一月·上週反省錄（十一月二十四日之後）

俄軍進入東北已屆滿三月，依約應即撤退，而其收繳的關東共軍武器及偽滿軍武器，全部移交林彪，但仍以其欺詐策略，一面誘我空運軍隊進入長春、瀋陽，一面堵塞所有海陸進軍東北的海上及陸上補給線，一面反以助我進兵東北的口實，在長春稍作抑制中共的兩面手法（魔術），一面企圖向蔣公要求其展期撤兵，實際乃爭取時間，掩護林彪消化其所獲得武器及整備戰力，使共軍在東北取得絕對優勢的地位。反觀美方對助我運兵北上，猶豫推託，在在顯示，史大林當時外交及軍事戰略上的巧妙運用。杜魯門入其彀中，蔣公則痛苦不堪。

·解讀《蔣公日記》一九四五年十一月二十九日

俄軍於進入東北三個半月後，才讓出錦州，固爲我進軍東北之第一步，實乃佯示俄方遵守條約義務的煙幕。

·解讀《蔣公日記》一九四五年十一月·反省錄

在外交上，蘇俄違背中蘇條約，暗助共軍在東北發展，明阻國軍進軍東北，是明顯的違約行爲。蔣公雖以撤退長春行營以彰蘇俄違約，但在蘇俄暫時軟化下反爲所騙。國軍雖占領錦州及葫蘆島港口，但基本戰略態勢處於劣勢。

吾人固不悉如果羅斯福尚在，對蘇俄違約作爲作何反應，但顯然杜魯門是採取消極政策，故對運送國軍進入東北猶豫，而國軍當時根本沒有海運及空運能力。

蘇俄延期撤兵，乃待林彪羽翼豐滿。

一九四五年十一月，爲毛澤東回延安後第一個月，證明重慶雙十會談紀要，完全是掩飾談判失敗的表面文章。

會談紀要發表，只是和平談判尙未宣布破裂，實際上，雙方都採取行動，其主要目的在：爭取對日軍的受降權。這點，共黨並無所得，但在關內收繳部分日軍及汪僞軍的武器，必有相當數量供其擴張武力。

互爭華北淪陷區的控制。共軍在晉東南與平漢路北段，可謂取得勝利；而國軍在美軍登陸平津及青島，使國軍順利奪得華北重要戰略地帶——平津走廊與膠濟走廊的控制，應爲國軍的勝利。而共軍對包頭、歸綏的圍攻則失敗。

共軍破壞平漢、津浦二鐵路的戰略是成功的。同時對魯東南的攻勢有成果。

【十二月紛亂】馬歇爾來華調停

內政：毛澤東在雲南煽動學潮。

蘇俄違約助共，東北行營孤懸長春。

蔣公掙扎再三，承認外蒙獨立。

各方代表相持不下，憲法刪去定都一條。

外交：馬歇爾來華調解，蔣公親迎於南京明故宮機場。

・解讀《蔣公日記》一九四五年十二月四日

我正在陸大二十期受訓。蔣公對陸軍大學教育甚重視，故每班期開學、畢業均親臨主持。而將官班甲級班，爲召訓當時中將級的軍長以上將領，爲期僅三、四個月。由於自黃埔建軍北伐抗戰，將領晉升太快，除戰場經驗外，均缺乏戰略、戰術與參謀業務素養，故蔣公特於陸軍大學成立將官班，甲級召訓中將級軍官，乙級召訓少將級軍官，而正則班均爲少校以下軍官，在學期間爲三年。

‧解讀《蔣公日記》一九四五年十二月‧本星期預定工作項目（十二月十五日之後）

雙十會談紀要發表，毛澤東回延安後，即全面展開淪陷區的爭奪戰，重心在關內，從晉東南、冀南、內蒙、魯西南，全面爆發內戰，並破壞平漢、津浦鐵路，但表面上和談尚未破裂，爲邊談邊打階段。杜魯門決定派重量人物馬歇爾五星上將，來華調解。

‧解讀《蔣公日記》一九四五年十二月十六日

蔣公領導抗戰勝利，全民愛戴，所到之處，民衆鵠立迎送，眞是萬民擁戴，亦是蔣公聲望最隆之時。唯在北平，青年情緒更爲熱烈，乃至圍擁達一小時，亦如今日之政治明星者。但以蔣公自北伐以來威嚴形象，一般人民都不敢過於接近，更不敢和他握手。今日景象，實爲民主社會對政治領袖表示好感的常態。蔣公以素認威嚴，故有「從來所未有試嘗之滋味」。而北平知識青年，咸認抗戰勝利後國恥盡雪，國家前途光明，對領導抗戰的領袖情不自禁而熱情奔放，故蔣公能感奮。我所知蔣公習慣，除外賓外，與國人見面很少握手，經國先生則作風不同。我隨侍蔣公多年，即從未與蔣公握過手。

蔣公以美海軍陸戰隊登陸平津，對國軍順利接收平津助益甚大，故心存感激。而招待外賓，亦常以國劇爲餘興主軸。

‧解讀《蔣公日記》一九四五年十二月二十日

蔣公自十二月十一日至十八日在北平巡視，對安定華北自有重大影響。十八日到南京，此際尚未還都，政府重心仍在重慶。何應欽上將以中國戰區陸軍總司令身分，代表中國戰區最高統帥蔣委員長，於九月九日上午九時，在南京中央軍校大禮堂，接受日本派遣軍總司令岡村寧次投降。蔣公抵京後，聽取何將軍報告，內心不滿意，在於對中共問題之嚴重未提出辦法。

何應欽上將，字敬之，在中央軍系統中，為僅次於蔣公的領袖，亦為蔣公自北伐以後，最得力的助手。敬公為人謙和寬厚，在黃埔系統中，視蔣公為嚴父，視敬公為慈母。凡黃埔先期受蔣公斥訓者，大都由敬公撫慰之，團結黃埔子弟，可謂相得益彰。但自辭卸軍政部長後，軍政大權轉由陳誠上將負責，敬公乃參謀總長兼中國戰區陸軍總司令身分，但軍政事項逐漸淡出，亦未參與重慶的國共會談。到南京主持受降，以負責處理日俘及日軍繳械事宜，故對戰後如何處理中共問題，自未積極主張。可能蔣以其一向為主要助手，既先到南京，似乎一切事都應由他管，尤以如何處理汪偽軍隊問題，敬公主張先予收編，但與陳誠意見不同，被蔣公否決，或亦因此，對蔣公認為應管的事採取較消極的態度。故蔣公甫到南京即表示不滿，但未責備。

行憲後，敬公派任聯合國中國軍事代表團團長，駐紐約。一九四九年初，國共和談，一度組閣，和談破裂後，即辭職。

來台後，敬公被任為總統府戰略顧問委員會主任委員，顧祝同上將為副主任委員（另一副主任委員為白崇禧）。我隨顧上將到戰略顧問委員會服務，亦常隨敬公出遊，或執行交辦事項，深覺他的人格和個性，為黃埔子弟所愛戴與向心。他對蔣公唯命是從，有次和我談起當一九四四年日軍發動最後攻勢，貴州獨山陷落，重慶震動，蔣公問他：「是你去，還是我去？」敬公答稱：「自然是我去。」便輕車簡從，遄赴貴陽坐鎮，轉危為安。自北伐以來，人稱敬公為福將。自從一九二五年的東征棉湖戰役，至北伐時龍潭戰役，一九四四年貴州坐鎮，二十年來，以其沉著穩重的大將風度，在危局中轉安。

來台灣後，與各方相處，尤以本省社會賢達均甚和諧，甚得人緣，但不過問政治，提倡高爾夫運動及世界道德重整運動，享壽近百歲。

陳紹寬爲福建籍海軍將領，地域觀念甚深，凡非福建人，幾乎無法充任海軍軍官。其後，海軍軍官分別出身青島海軍官校（沈鴻烈所辦）、鎮江雷電學校（中央所辦）、馬尾海軍官校（陳紹寬）、黃埔海軍官校（廣東海軍將領陳策所辦）。軍委會改組爲國防部後，令陳紹寬去職（後投共）。鑑於海軍派系分歧，而由參謀總長陳誠兼任海軍總司令。來台後，以黃埔一期陸軍出身的桂永清任海軍總司令，提倡四海一家。其後分別以馬紀壯（青島海軍官校）、梁序昭（馬尾海校）、馮啓聰（黃埔海校）、黎玉璽（鎮江雷電），輪任海軍總司令，即爲此故。

蔣公於勝利四個月到南京，看到死氣沉沉，悲憤難抑。蓋在受降後，南京準備還都，理應朝氣蓬勃，何以致此？我今推斷其原因：

一、何敬公主持受降繳械遣俘，是否曾賦與地方接收監督的全權？當時派任南京市長馬超俊，是否接受何敬公指揮？

二、抗戰八年，官員在後方艱苦窮困，一旦勝利回到大都市，又以勝利者的高傲心態，存在於接收官員中，亦即接收準備的思想教育缺乏，對敵產、偽產處理的規定不嚴謹，以致各行其是，甚至貪瀆中飽。

三、整個黨政接收人員，不少有勝者驕的心態。

·解讀《蔣公日記》一九四五年十二月二十二日

蔣公對南京地形，認不是理想建都所在，故在巡視陝西漢中途中，及到北平巡視途中，在空中詳察。西安與北平方正整齊，是好都城所在。如抗戰勝利後，即還都北平，就近掌控華北與東北、內蒙，內戰演變或又不同。

蔣公初到南京，對南京於受降後反缺乏朝氣，故情緒頗為激動。適於二十二日到明故宮機場接馬歇爾，而機場雜亂污穢，情緒失控，乃手批航空站長，但事後後悔而自記大過一次。蔣公自反的工夫是有的，但不會對外道歉。

・解讀《蔣公日記》一九四五年十二月二十五日

抗戰勝利後，面對國共衝突，孫科是主和派，亦如宋慶齡。但孫無法說服蔣主席，且其未向蔣公報告以謁陵之名，便先到南京一行，引起蔣公懷疑與共黨私通。但孫科主和，放棄革命法統之說，其意如在由各黨派重新改組政府，實即呼應共黨聯合政府之要求。

孫科雖主和為蔣公不滿，但一九四八年行憲，蔣公私意仍支持他做副總統，唯敗於李宗仁。當時副總統候選人未由總統候選人提名，開放同志競選，為一失策。

孫科於行憲後，再任憲治的第一任立法院長，其後一度組閣，擔任短期行政院長。中共主政後，孫雖主和，但未投共，而移居美國，國父百年誕辰回台定居，並任為考試院長，以迄壽終台北，亦證蔣公照顧國父後裔，而不計前嫌。

・解讀《蔣公日記》一九四五年十二月二十九日

蔣公承認外蒙獨立，乃掙扎再三的痛苦決定，但初意：

一、換取完整接收東北。

二、換取蘇俄不支持中共。

三、中蘇友好求得二十年和平建國時間。但自蘇俄參戰，進軍東北，劫收重工業機器設備，轉移繳獲武器暗助共軍，孤立長春行營，阻我進軍東北、新疆問題依舊支持叛軍。為何在東北未完成接收前，卻先正式承認外蒙獨立？未獲任何交換利益，實乃重大失策。蔣公在以後日記中，曾後悔提及。

·解讀《蔣公日記》一九四五年·【反省錄】一九四五年重大事項回顧

蔣公是浙江人，但愛看京劇（國劇）。曾於除夕夜，在中央幹校（經國先生為教育長）觀厲慧良演《古城會》，甚佩關公之志節。按厲家班為抗戰時期在重慶唯一的京劇團隊，全以厲家父子兄弟為要角，亦即由家庭訓練出的科班演員，諸如厲慧良、厲慧生、厲慧敏。我在重慶時，亦看過厲家班所演的陸文龍，甚為轟動，以其彰顯民族氣節。當時，厲字輩演員都為十幾歲的青少年演員。蔣公獨鍾《古城會》，亦所以表彰節義也。蔣公來台曾誓，不回大陸不看京劇，只看豫劇和紹興劇。但每屆生日暖壽，常由夫人親邀京劇名角，如杜月笙夫人等，到士林官邸清唱。其後開辦電視，一度，台視在黃金時檔演京劇，供蔣公欣賞。經國先生亦愛看《古城會》，我任參謀總長時，曾命軍中劇團獻演《古城會》，由李桐春演關公，王福盛演張飛，即為經國先生所指示，並親臨欣賞，或亦藉此懷念蔣公也。

·解讀《蔣公日記》一九四五年·中華民國駐印軍簡史

一九四一年珍珠港事件後，二次大戰全面爆發，中美英正式成為同盟國，一致對日宣戰，成立中國戰區，蔣公為最高統帥，美國派史迪威任中國戰區參謀長。

太平洋戰爭初期，日軍攻勢如破竹，迅即攻占菲律賓及中南半島及印尼（荷屬），並進攻緬甸。中國爲支援英軍在緬甸作戰，派遣遠征軍，以杜聿明之第五軍，轄二〇〇師及N二十二師及N三十八師，但不敵日軍攻勢，第五軍二〇〇師師長戴安瀾重傷陣亡，N二十二D及師長廖耀湘餘部，艱苦越過緬北野人山區，撤抵印度。N三十八D孫立人師長，於緬甸仁安羌解救英軍後，亦撤入印度，抵印度比爾哈省藍姆伽，成立補訓基地。兩個師抵印，共不及一萬人，政府乃由川湘滇徵集部隊，從昆明越駝峰飛抵印度，我即是由湖南祁陽帶領一百名新兵，從湖南徒步行軍到昆明，轉乘美C—四十六運輸機飛抵印度者（亦是我第一次坐飛機），由國內空運補充及N二十二師及N三十八師撤抵印度者，共約三萬人，成立中華民國駐印軍總指揮部。蔣公任命史迪威爲總指揮，下轄兩個步兵師，即新二十二師，師長爲廖耀湘；新三十八師，師長爲孫立人；另直屬部隊有砲兵二個團，砲兵第五團，裝備一〇五榴彈砲，砲兵十二團，裝備一五五公分榴彈砲，我任第六連少校連長；另有機械化的工兵（裝備推土機、壓路機等現代裝備及架橋裝備）、通信兵一個團、戰車一個營及其後勤部隊，在印度藍姆伽成立訓練基地，完全是美式新裝備及美式訓練。我曾親聽史迪威召集連長以上幹部用華語訓話，口稱：「我們中國」，使我感動。

我略知史迪威年輕時，任駐北京美軍（依辛丑條約）的軍官，故能通華語，爲美軍中的中國通，與馬歇爾關係深厚。

因爲他年輕時，目擊中國的落後腐敗，而對中國人，自然形成輕視與傲慢的優越感，自不能爲素以民族尊嚴爲念的蔣公所容。

史迪威原係中國戰區參謀長兼駐印軍總指揮官。史迪威去職，蔣公與羅斯福協議，由魏德邁中將任中國戰區參謀長，而另由索爾頓中將任中國駐印軍總指揮。一九四四年開始從緬甸反攻，一九四五年初打通印緬滇公路，蔣公命名爲史迪威公路。實際作戰由索爾頓指揮，而以廖耀湘的新二十二師為主攻部隊。砲十二團曾有一個連，第六連，參加八莫等攻擊時，我已回重慶，在陸軍大學二十期受訓，連長是我同隊同學畢家同接任，參與緬北的攻勢作戰。

史迪威公路打通，駐印軍回國，駐印軍總指揮部撤銷，索爾頓中將功成回國。

一九四五年總結

一、二月間，英美俄的雅爾達密約，出賣了中國的權益，羅斯福向史大林保證，將說服蔣委員長接受，蔣公自有所風聞。羅斯福所謂說服，其實是壓力，亦即是與蔣公的交換條件。但在日記中，看不出羅斯福如何施壓，及其交換條件如何，似乎亦不能僅以提供三十六個師的武器裝備，如此低廉的交換條件。其與蘇俄繳獲關東軍的武器轉交林彪者，不能相比。不但在日記看不出，羅斯福如何說服或施壓及其交換條件，而蔣公反以民族自尊爲重，佯作主動與蘇俄直接談判，以簽訂中蘇友好條約，似與雅爾達密約無關，亦即在中蘇談判列入雅爾達密約條款，出於蔣公的主動。

二、蔣公對承認外蒙獨立，內心掙扎，至爲痛苦，而終於接受。其目的如左：

（一）以外蒙獨立，換取完整的東北主權。

（二）以東北經濟合作及旅大兩港共用，換取蘇俄不支持中共。

（三）孤立中共，解決中共問題，求得二十年和平建國的時間。

三、歷史證明中蘇友好條約，蔣公完全受騙了，亦是蔣公的政策或戰略錯誤，與歷史發展的結果。如果當年蔣公不接受雅爾達密約，不簽訂中蘇條約，作一個反面思考，其後果可能如何呢？

依理，東北應歸中國戰區，但中蘇條約賦與蘇俄進軍東北的合法性。如無中蘇條約：

（一）蘇俄依密約對日宣戰，逕自進占東北，則蘇俄成爲強占東北的新侵略者，必爲全中華民族所不能接受，並且民族大義會由抗日轉而抗俄，民氣傾向國民政府。

（二）蘇俄非法進入東北後，以繳獲日軍武器轉交中共，則中共成爲勾結侵略者的新漢奸，亦如汪精衛的投靠日本。中共不能以維護國家領土主權號召人民，在民族大義上，中共處於劣勢。

（三）美國豈能坐視蘇俄在遠東擴張而不支持國民政府？應不會如此。美國唯有支援中華民國，以反制蘇俄。

（四）戰後初期，中華民國或未能收回東北，但不會承認外蒙獨立。

（五）由於蘇俄同時在新疆製造僞政權，再公然支援中共，則反俄反共的民族大義，將延續了抗戰精神。

（六）如於一九四五年日本投降後，隨即號召反共抗俄，則與一九四九年號召反共抗俄，其情勢完全不一樣了。

四、一九四五年開始，蔣公深知勝利在望，尤其打通印緬滇公路後，一面成立九個師的青年軍，一面接受美援三十六個師的裝備，完成反攻準備。然蔣公未知原子彈的發展，更未料美使用原子彈促使日本立即投降的效果，抗戰勝利來得太早太突然，一切有措手不及之感。從而由歷史發展的結果，檢討美國使用原子彈對日的得失：

（一）顯然雅爾達會議時，美國尚未計及原子彈發展的成果與威力。換言之，在雅爾達會議時，未考慮使用原子彈。

（二）從歷史發展看來，美國固從太平洋逐島攻擊中，由於日軍頑強抵抗所遭受傷亡之慘重，而懾於大陸決戰及一億玉碎之可怖，何以未考慮一旦德國投降，以盟國空軍之優勢，全面封鎖日本及空中戰略轟炸，可不經大陸決戰，即迫使日本投降的可能性？

（三）德國投降，日本已知必敗無疑。何以未及三月即對日使用原子彈？當然馬歇爾的建議是主因。在一九五五年聯合國成立十週年時，我在美國參大受訓，親耳聽杜魯門在堪薩斯城說，使用原子彈，他做了困難但正確的決定。其實從歷史觀點看，既要蘇俄參戰，應在蘇俄參戰後，觀察日本的抵抗與防禦決心與持久度，再決定是否應用原子彈。或既決定使用原子彈，應拒絕蘇俄參戰（但雅爾達密約已承諾），至少應待蘇俄參戰六個月後，再考慮是否使用原子彈。

（四）如果美國要求五月八日德國投降後，即應對日宣戰，不予蘇俄毫無犧牲代價坐收戰果，倘於蘇俄對日宣戰後六個月，由於日本在長江以南收縮戰線，中華民國國軍應已底定長江以南，國軍主力進抵隴海線，日本應不待受原子彈之慘重傷亡，可能宣布投降，則中國大陸國共軍態勢又是另一形勢。

（五）故在蘇俄參戰前，即貿然使用原子彈，實爲嚴重的戰略錯誤。使蘇俄於日本投降之同時，對日宣戰，坐收戰果。天下投機取巧之事，莫有甚於此者。

五、日本投降後兩週，毛澤東既得史大林同意，又在美大使哈雷的陪同下，於八月二十七日到重慶，舉行蔣毛高峰會談，這是日本投降後第一件大事。按高峰會議的舉行，必須先由雙方幕僚會議商討條件，取得協議，再舉行高峰會議，僅作形式的簽署。故凡高峰會議，只許成功，不能失敗，否則寧可不舉行高峰會。高峰會之成敗，繫於幕僚層次的會前會。國民黨對蔣毛高峰會幾乎毫無準備可言，連議題都是中共提出，則政府顯然已立於被動地位。而中共在八年抗戰期間，在敵後淪陷區趕走了國民黨的省主席及軍隊，完全控制的人口已達一億，正規武裝力量自稱一百二十萬，土地面積占全國百分之三十，遠非八年前西安事變後延安一隅可比。而國民黨在敵後地區與共黨的所謂摩擦鬥爭，既全部失敗，幾乎未作檢討，其根本原因，在國民黨的體質，具有士大夫及官僚習氣。黨的發展靠軍事，軍力到哪裡，黨才到哪裡，亦即黨政依賴軍力保護。

中共則正相反，它以工農深入基礎的組織，完全掌控了廣大農村，以及建立地方政權，他們不需要軍隊保護，反而發揮掩護軍隊的功能。故中共軍力能機動集中，而國民黨則備多力分。益以毛澤東的戰略指導，傷十指不如斷一指的殲滅戰思想，運用非常成功。

中共提出共赴國難宣言時，承諾之軍令政令統一，僅曇花一現，隨著抗戰的時程，不但其軍隊不受軍委會節制，自行擴充，自行行動，控制區自己組成地方政府，乃至發鈔票，延安已成另一個中央政府，成為國中之國。不過在國際關係上，國民政府仍居絕對優勢，為國際共認的唯一合法政府。

抗戰勝利後，如何處理中共，是蔣公日記中每日不可或缺的思考，但不外和與戰。以八年抗戰經濟凋敝，民不聊生，渴望和平休養生息，自以和為上策。

國民黨和的策略，必須檢討中共的發展過程，和自己的弱點所在，從而面對現實，運用優勢（即軍事與外交地位），掌握主動，提出完整的談判計畫，透過幕僚層級的會前協商，如協商不成，則寧可不請毛來渝。

毛雖來渝，政府只有照著毛的條件討價還價，最後發表的雙十會談紀要，只是掩飾談判失敗的虛文。

六、一九四五年政府唯一的成功是受降，嚴令岡村寧次在各戰區，必須向蔣委員長所指定的長官投降。中共對戰力完整的日軍，尚無任何撼動的力量。

七、雙十會談，毛澤東回延安後，雙方立即展開互搶淪陷區的軍事衝突。國軍能迅速底定江南，進抵隴海線，並在美軍在青島及天津登陸協助下，收復華北重鎮平津和膠濟路，難能可貴。

八、二次大戰期間，香港、越南、泰國在中國戰區範圍之內，依理日本投降，香港地區日軍應向中國戰區最高統帥蔣委員長投降，但由於英國的堅持，同時占海軍優勢，拒絕由蔣委員長受降。蔣公為避免中英的正面衝突，堅持中國戰區統帥權的面子，只由蔣公派英籍軍官赴港受降。香港問題曾在開羅會議提及，但邱吉爾堅持開羅會議是討論處理戰敗國日本的問題，英國是戰勝國，不容討論香港問題。

英國殖民主義顯然希望戰後保持其原有地位，但世界趨勢已證明，二次大戰是結束殖民主義的戰爭。英國在亞洲屬地印度、巴基斯坦、馬來西亞及新加坡相繼獨立，香港問題反因中國內戰而保持現狀，直至一九七九年鄧小平取得中共領導權後，以所謂一國兩制方式，於一九九七年收回香港。

從而想到時機與命運的關係。如果一九四五年中華民國收回香港主權，一九四九年香港即為中共所統治，則香港絕不能獨立於中共統治之外，資本家早已逃離香港，不可能成為東亞貿易與金融中心。

因為一九四九年香港是大英帝國的殖民地，成為大陸資本家的避難所，亦帶來了資金與人才，有助香港的繼續繁榮。後來迫使中共不得不維持資本主義社會現狀，且為大陸改革開放的窗口。

第二部

民主世界的失敗：一九四六年

一九四六年，可說就是馬歇爾年。自一九四五年十二月二十日，至一九四六年十二月十八日止，一年間，蔣馬見面五十六次，其中，一九四六年六月份，見面達八次。

蔣公在日本投降後，是百年來在中國及亞洲聲望超高的領袖，是強烈的民族主義者。這兩位舉世聲望超高的軍人在一起相處，誰能說服誰，便面臨考驗了。馬歇爾認為，他能說服羅斯福與杜魯門，難道不能說服蔣主席嗎？不幸他以壓力代替說服，遇上民族自尊強烈的蔣主席，便格格不入了。

馬歇爾以軍事專業判定，武力剿共必然失敗，歷史證明是正確的。但蔣公不能接受，而馬歇爾則一味對蔣公施壓以促成停戰，對共軍遵守協議並無保證，對蔣公亦僅以美元貸款作為施壓籌碼。

蔣公企圖說服馬歇爾，中共不會停止武裝鬥爭，必圖中國全面赤化，作蘇俄附庸，故美應全力支持政府剿共。但美國不介入中國武裝內戰的政策是堅定的，蔣自不能說服馬。

【一月停戰】壓力重重逼停戰
【二月動盪】政經不穩生亂象
【三月協商】國共角力爭制憲
【四月通膨】借款不成物價漲
【五月還都】別後十年還舊都
【六月復員】三十萬軍齊解甲
【七月凶案】李聞遇刺驚中外
【八月再戰】國共華北戰事起
【九月逼和】馬歇爾強力調停
【十月巡台】忙中偷閒避談判
【十一月制憲】制憲國大終召開
【十二月決裂】調停失敗硝煙濃

解讀一九四六

一、（一）一九四六年，可說就是馬歇爾年。自一九四五年十二月二十日，至一九四六年十二月十八日止，一年間，蔣馬見面五十六次，其中，一九四六年六月份，見面達八次。

毛澤東發表雙十會談紀要返回延安後，即展開搶受降、搶偽軍、搶淪陷區的地盤，國軍亦然。國共實質上啓開了內戰，但談判之門開著。此際，國軍在受降方面，嚴令岡村寧次須向蔣委員長所指定的單位投降，共軍可謂完全失敗。但共軍爭取偽軍、擴展占領區，尤其從東北及汪偽軍所獲得極爲龐大的武器，故其戰力在迅速擴張中，但需要時間整建消化獲得的武器，亦敞開談判之門，以爭取時間。

（二）美國急派馬歇爾來華調停，基本上當然是支持中華民國，以爲對抗蘇俄擴張的棋子。

（三）馬歇爾在二次大戰期間，是軍事戰略的主要決策者，聲望舉世超高。起初他自信，以其聲望與美國超強的實力，可以完成其使命。

（四）追源雅爾達密約，及使用原子彈炸廣島及長崎，馬歇爾都是主要的決策者。馬歇爾自然以美國利益，爲其決策的基礎，他必然是鑑於麥帥在太平洋逐島反攻中，所受傷亡之重，預想進攻日本本土，其生命損失，非美國所能承擔，故不惜犧牲中華民國權益，誘使史大林參加對日作戰，當時仍未計及原子彈的功效。

（五）德國於一九四五年五月八日無條件投降後，日本在太平洋戰場亦失去空優與海優，乃行收縮戰線，揚言一億玉碎，準備大陸決戰。僅在德國投降三月後，美國急於使用原子彈，企圖早日結束戰爭，史大林幾乎毫無損失，而取得重大收穫。

（六）羅斯福在雅爾達讓步，杜魯門毅然使用原子彈，其實都是馬歇爾的建議和決定。可見，此公在舉世分量之重與信心之滿。

（七）蔣公在日本投降後，是百年來在中國及亞洲聲望超高的領袖，是強烈的民族主義者。這兩位舉世聲望超高的軍人在一起相處，誰能說服誰，便面臨考驗了。馬歇爾認爲，他能說服羅斯福與杜魯門，難道不能說服蔣主席嗎？不幸他以壓力代替說服，遇上民族自尊強烈的蔣主席，便格格不入了。

（八）反對政黨有武裝力量，是美國的基本價值，認爲共軍由共產黨所領導，毛澤東則說國軍也是國民黨的軍隊，兩個政黨都有武裝力量。軍隊屬於國家，不能屬於政黨。蔣公認爲，美國既認爲共產黨不應握有軍隊，就應支援國軍消滅共軍；而馬歇爾則認爲，消滅共軍不可能，或許透過和平共存、聯合政府，透過民主機制，完成軍隊國家化。

毛澤東既認爲槍桿子出政權，武裝鬥爭是他領導共產黨的三大法寶（黨的建設、武裝鬥爭、統一戰線）之一，任何情況，都不能放棄於八年抗戰期間，發展出來的武裝力量。

持國府。

國共兩黨都有國際的背景。蘇俄百分之百支持中共，而美國後來似只有百分之三十支

（九）馬歇爾以軍事專業判定，武力剿共必然失敗，歷史證明是正確的。但蔣公不能接受，而馬歇爾則一味對蔣公施壓以促成停戰，對共軍遵守協議並無保證，對蔣公亦僅以美元貸款作為施壓籌碼。

蔣公企圖說服馬歇爾，中共不會停止武裝鬥爭，必圖中國全面赤化，作蘇俄附庸，故美應全力支持政府剿共。但美國不介入中國武裝內戰的政策是堅定的，蔣自不能說服馬。在日記中，看不到蔣公提出如接受馬的建議，中共不接受或接受後違反協議，馬提供如何具體援助中華民國經濟和軍事建設的條件。

蔣公認為，馬只知施壓達成停戰，完全為自己功業打算，未必公允。而蔣公於召開國大後，談判已破裂，寄望馬仍留華作軍事顧問，自是一廂情願的想法。

（十）杜魯門及馬歇爾在一九四六年的想法，歷史也證明是錯誤的。他們不喜歡蔣公的領導風格與堅持剿共，馬既明知剿共必敗，則將剿共成敗，當成完全是蔣公個人的問題，而忽視中華民國的成敗，關係美國在東亞的利益，終於在一九四九年以後介入了韓戰與越戰，及五十年的美蘇冷戰，其所付出的代價，遠超過一九四六年如果援華的千萬倍。中華民國如保有大陸大半壁的江山，就不會有韓戰、越戰發生，而當年蔣公亦有如談判破裂，保有長江以南及西南、西北大半壁江山從事建設的想法。

（十一）終結一九四六年國共兩軍態勢，國軍仍居於優勢地位。外交態勢則蔣公既希望討好蘇俄，又寄望美國衷心援助，以屹立於美、蘇兩大之間，結果是完全失敗

的。而黨內的紛擾、經濟的嚴峻、社會的不安，企圖以軍事勝利，解決經濟及政治、社會問題，是本末倒置。

（十二）一九四六年，馬歇爾失敗了，蔣公失敗了，美國也失敗了，是民主世界失敗的一年。但蔣公在本年所主導制定的中華民國憲法，迄今仍是中華民國在台澎金馬立足、生存、發展、繁榮，以及兩岸和平發展的基石，這是蔣公在失敗的一年，留給歷史最大的成功。

二、（一）馬歇爾來華兩週，即促成一月十三日的停戰令。這次停戰是國共雙方協議的，故中共參加了一月十日開幕的政治協商會議。

（二）政治協商會議應說是成功的，但修改五五憲草的原則，遭到國民黨六屆二中全會的翻案，導致了中共反彈，重啓戰端，抵制國大。十一月召開的制憲國大，又接受了張君勱主導的憲法，實際是接受了政協修改五五憲草原則。故二中全會的結果，提供共黨杯葛國大的藉口，實在是戰略錯誤。

三、蔣公企圖以軍事勝利的成果，迫使共黨參加國大，但迄國大召開，在東北戰略只是進占了南滿地區，未能殲滅共軍。在關內不能殲滅共軍，反使李先念突圍成功。在蘇北有整九十九旅及整六十九師被殲，在魯西有整三師被殲。進剿的成果本質上是失敗的，僅表面上多收復了若干城鎮，實際是增加了軍事的包袱，益使處處設防，兵力分散。

四、蔣公站在第一線與馬歇爾談判，毫無緩衝而形成冰炭之勢。反觀毛澤東身居幕後，進退自如。蔣公親上談判第一線，亦是戰略錯誤。

五、中華民國憲法是進步的、眞正的五權制衡的民主憲法，是蔣公革命一生，對國父遺教三民主義的歷史貢獻，不容歪曲。

六、根據荊知仁教授所著《中國立憲史》，依據《國父遺教》，建國大綱分建國為三個時期：一曰軍政時期，為期三年；二曰訓政時期，為期六年。北伐成功後，於一九三一年六月一日公布《中華民國訓政時期約法》，結束軍政，進入訓政時期，為期六年。故於一九三六年五月五日頒布憲法草案，並預定是年十一月十二日召開制憲國民大會，制定憲法，以屆期國大代表未能選舉完成，故延展一年召開國大。預定一九三七年十一月十二日召開國大，但七七全面抗戰爆發，國民大會不得不再延期。

七、抗戰勝利，一九四六年一月，國府召開政治協商會議，國民黨、共產黨、民盟、青年黨、民社黨及社會賢達參加，決定修訂五五憲草，原則並定五月五日召開國大。旋以國民黨二中全反悔五五憲草修訂原則，中共抵制，並展開軍事衝突，實際進入國共內戰。蔣公為達成國大順利召開，先後於六月六日及十一月八日，頒發兩次停戰令，中共仍拒絕，抵制國大。不得已，蔣公於青年黨、民社黨及社會賢達參加國大後，堅決於一九四六年十一月十五日召開國大，並依政協修訂五五憲草原則，制定了中華民國憲法，於一九四七年十二月二十五日施行，以結束訓政，還政於民。

一九四六當年時勢

【一月停戰】壓力重重逼停戰

軍事：第一次停戰令十三日零時生效，共軍十四日攻占山東泰安。

東北俄軍未遵約撤退，瀋陽亦未交防。

內政：政治協商會議修改五五憲草，谷正綱憤慨涕泣。

憲警搜查黃炎培寓所，民主同盟拒絕出席政治協商會議。

經濟困難，工潮學潮不斷發生。

邊疆：一月五日發布公告，正式承認外蒙獨立。

·解讀《蔣公日記》一九四六年一月八日

馬歇爾來華前，國共軍事衝突以爭奪熱察綏爲重點。

·解讀《蔣公日記》一九四六年一月九日

蔣公在日記中很少誇獎軍事將領，大多爲責難的記載，而對王耀武則爲例外。按王耀武為黃埔三期，山東人。抗戰末期任七十三軍軍長，駐湘西芷江。何應欽任中國戰區總司令時，王即任為第三方面軍司令（等同戰區司令長官，為黃埔系僅次於胡宗南的地位）。但在內戰中，王的基本部隊被殲於萊蕪吐絲口，為影響剿共的重大失敗。而後，王於吳化文叛變後，在濟南投降，非若張靈甫、黃百韜、邱清泉自戕殉職的軍人氣節，亦可見識人之難。板蕩識忠貞，誠哉斯言。

馬歇爾來華調停的首要任務必須是先行停戰。蔣公暫放棄對熱察的進軍，同意下達停戰令，這是馬歇爾調停的初步成功，距馬到華才兩週即能完成，是不容易的事。

·解讀《蔣公日記》一九四六年一月十日

與共黨搶北方淪陷區未如計完成，而又不得不停戰也。實與共軍喘息之機，故蔣公內心並不願意，而迫於內外的壓力，尤其是馬歇爾的壓力。

第一次停戰令國共態勢，如圖一。

·解讀《蔣公日記》一九四六年一月十一日

馬歇爾來華促成停戰，成立三人小組（馬歇爾、共方周恩來、政府張群），在北平成立軍事調處執行部，執行停戰事宜。

·解讀《蔣公日記》一九四六年一月十二日

蔣公同意停戰，可見馬歇爾壓力之重與蔣公內心之苦。

蔡文治為軍校九期，通英語，派赴軍調部工作。蔡於一九四九年來台，曾擬與美方成立

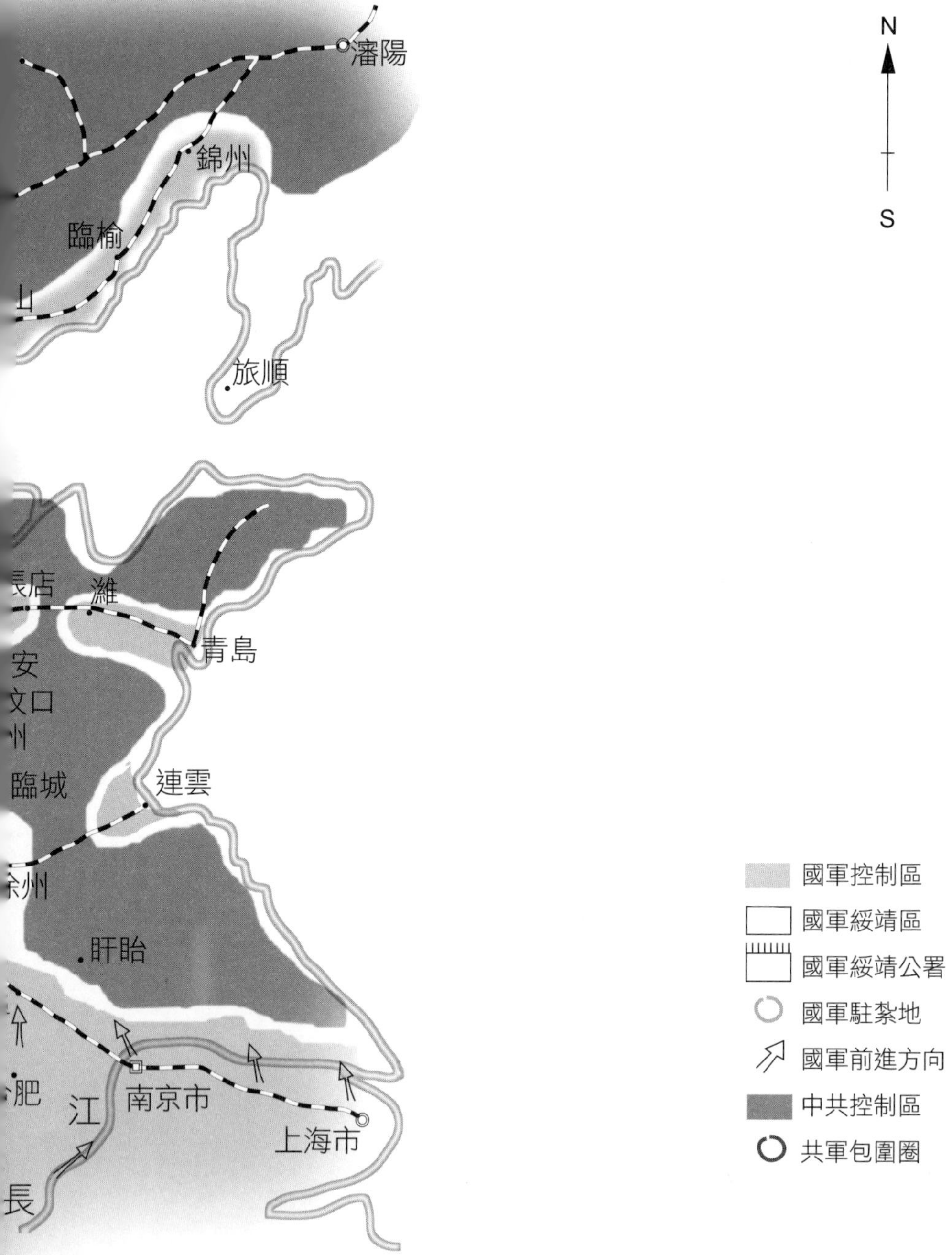

圖片來源：國防部史政編譯局（郝柏村提供）

【圖一】
第一次停戰令國共態勢
（1946年1月10日）

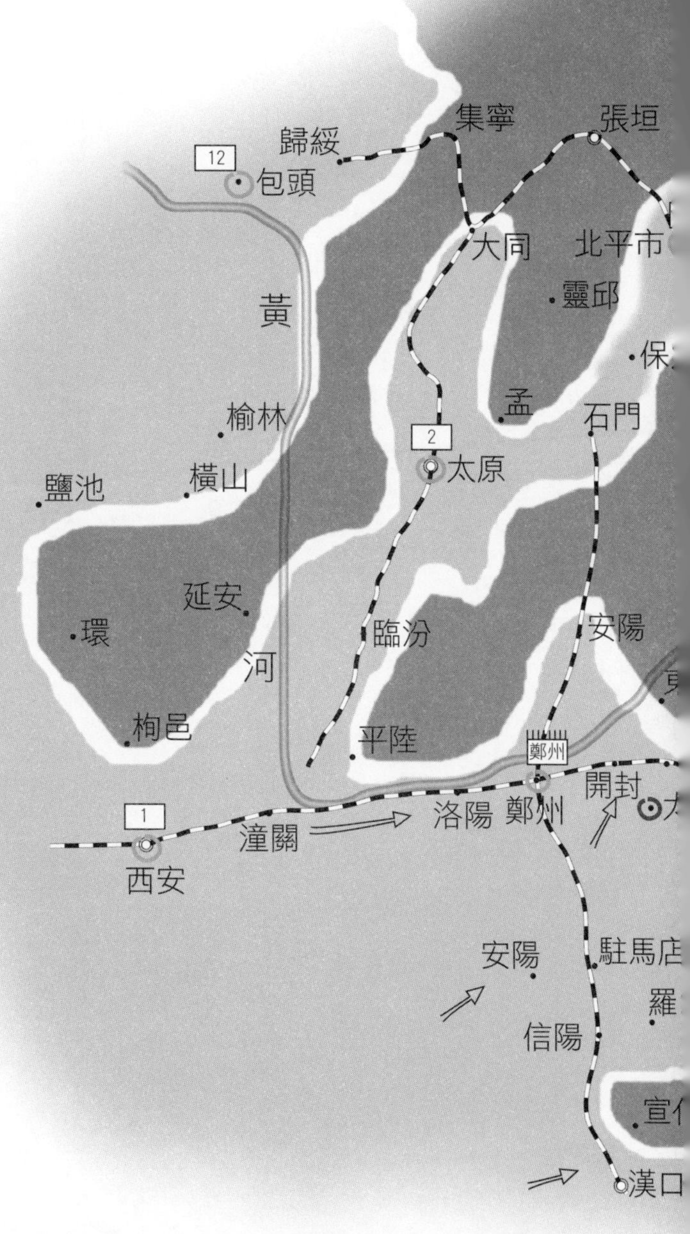

第三勢力。

·解讀《蔣公日記》一九四六年一月十三日

戰後對張學良的處置，是值得探討的問題。張學良晚年與我接觸之觀感，可評張案處理之得與失。張如被釋或重用，則不會成中共今日所稱千古功臣。

·解讀《蔣公日記》一九四六年一月十四日

蔣公對張學良始終不予諒解。由於各方要求釋放張學良，故於本年即將張移幽於台灣，以阻絕反對分子與張接觸，反而使張得以在大陸最後亂局中，逃過如楊虎城的命運，亦云幸矣。

·解讀《蔣公日記》一九四六年一月十五日

史大林對經國先生說，蔣公專事精神感召為革命哲學，實亦諷蔣公缺乏戰略與權謀，而蔣公在內戰的失敗，即在戰略與權謀。

·解讀《蔣公日記》一九四六年一月十七日

停戰令於十三日零時生效，但如何監督停戰？三人小組及軍調部，根本無此能力。

·解讀《蔣公日記》一九四六年一月十八日

關內國軍已停止進攻（熱河）赤峰，而共軍十四日（停戰令生效後）攻陷山東泰安，在在證明軍調部無力執行停戰令。

依約，蘇軍應於三月內（即十二月十日）撤離，現在延至二月一日，未必信守，而明阻國軍，暗助共軍，已很明顯。

·解讀《蔣公日記》一九四六年一月二十日

投降而未解除武裝之日軍（俘），應否運用，如何運用，是當時值得探討的戰略。各戰區受降前，曾嚴令岡村寧次必須抗拒中共的侵犯，但既已受降，如令武裝日俘協助抵抗共軍，自易與共黨藉口。

·解讀《蔣公日記》一九四六年一月二十五日

馬歇爾不了解中國國情，蔣公曾於二十三日詳談。而共黨本無海空軍，馬歇爾竟提陸海空軍，共黨皆占三分之一，恐中共初意亦不敢提出。馬歇爾的天眞想法，以爲共黨在陸海空軍各占三分之一，可以完成軍隊國家化。其實國軍與共軍形同冰炭，只可分隔，和平共處或有可能，而統編必爲亂源也。

·解讀《蔣公日記》一九四六年一月二十七日

協商會議期間，憲警搜查民盟重要分子住宅，顯然是不必要的，是政治藝術的失策，何以發生？則可知當時黨內沒有一貫的戰略戰術指導方針。

政協中政府派以政學系爲主，都爲主和派，故搜查黃炎培寓所，可能爲黨內右派蓄意破壞政治協商會議的權謀，蔣公事先並不知。

・解讀《蔣公日記》一九四六年一月三十日

頒發停戰令之同時，即召開各黨派的政治協商會議。蔣公對政治協商會議的參與分子並無信心，而同意停戰的目的，亦係主觀的希望，事後證明全部落空，但蔣公對建國仍具信心。

・解讀《蔣公日記》一九四六年一月三十一日

所謂各黨派協商，其實是以中共態度爲主。故周恩來回延安請示結果，可決定政治協商會議的成敗，國民黨其實是處於被動地位。

制憲原則是政治協商會議的主要議題。在協商中，孫科未堅持五五憲草。其實，爾後制憲國大通過的憲法（中共抵制，未參加），就是張君勱所主導的現行中華民國憲法的精神。

孫科在政協同意修正五五憲草原則，蔣公不滿。其實這是黨內決策機制的問題，如孫獲授權，則孫可決定；如未授權，孫應先問黨內決策機制（包括請示蔣公）。周恩來在協議簽定前，先赴延安請示，而國民黨則在二中全會反悔，共黨藉以不遵守停戰及改編與修復交通，實爲政協失敗的主因。

政治協商會議

政治協商會議五個方面的代表：

一、政府代表（中國國民黨）：孫科、吳鐵城、陳布雷、陳立夫、張厲生、王世杰、邵力子、張群。

二、中國共產黨：周恩來、董必武、王若飛、葉劍英、吳玉章、陸定一、鄧穎超。

三、中國民主同盟：張瀾、羅隆基、張君勱、張東蓀、沈鈞儒、張申府、黃炎培、梁漱溟、章伯鈞。

四、中國青年黨：曾琦、陳啓天、楊永浚、余家菊、常乃惠。

五、社會賢達：莫德惠、邵從恩、王雲五、傅斯年、胡霖、郭沫若、錢新之、李燭塵、繆嘉銘。

共三十八人。自一月十日至三十一日，共二十二天。

政治協商會議原則性協議（錄自張玉法教授《中國現代史》）：

一、關於政府組織案：

（一）國民政府委員名額定爲四十人，由國民政府主席就中國國民黨內外人士選任之。

（二）國民政府委員會之一般議案，以出席委員過半數通過之，國民政府委員會討論之議案，其性質涉及施政綱領之變更者，須由出席委員三分之二之贊成，始得決議。

（三）行政院部會長官及不管部會之政務委員，均可由各黨派及無黨派人士參加。

二、關於和平建國綱領案：

（一）遵奉三民主義爲建國之最高指導原則。

（二）全國力量在蔣主席領導之下團結一致，建設統一、自由、民主之新中國。

（三）確認蔣主席所倡導之政治民主化、軍隊國家化及黨派平等合法，爲達到和平建國必由之途徑。

（四）用政治方法解決政治糾紛，以保持國家之和平發展。

三、軍事問題案：

（一）軍隊屬於國家。

（二）禁止一切黨派在軍隊內有公開或祕密的黨團活動。

（三）改組軍事委員會為國防部，隸屬於行政院。國防部內設一建軍委員會，由各方人士參加。

（四）軍事三人小組照原定計畫，盡速商定軍隊整編辦法。

四、關於國民大會案：

（一）一九四六年五月五日召開國民大會，第一屆國民大會之職權為制定憲法。

（二）區域及職業代表一千二百名照舊，台灣及東北等新增區域及職業代表一百五十名。

（三）增加各黨派及社會賢達代表七百名，其分配辦法另定之。

五、關於憲草修改原則案：對國民政府在戰前公布的五五憲草，提出修改原則十二項，並組成憲草審議委員會，制定五五憲草修正案。

政協會議中實質的重點仍在五五憲草案，即取消總統制，傾向內閣制。其十二條修改原則中，以立法院立法委員由選民直接選舉（五五憲草原案為由國民大會選舉）、行政院向立法院負責（五五憲草，行政院不向立法院負責）。

其實，一九四六年制憲，中共雖未參加，仍是採取了政協的修改原則。

關於軍隊的改編，爭論的焦點，在中共以成立民主聯合政府和聯合統帥部。二月十日所簽，國軍共二十個軍、六十個師；其中國民黨五十個師，共產黨十個師。

【二月動盪】政經不穩生亂象

軍事：十七日南京軍事會議，國軍縮減兵力三分之一。

與中共協定恢復交通，整編其所部十八個師。

內政：俄在東北殺張莘夫，引起全民憤慨。

各地物價暴漲，公務員怠公與工廠罷工風潮蔓延漸廣。

國防會議緊急通過外匯基金五億美元，穩定金融。

外交：美軍贈送子彈一萬噸、冬季軍服二十五萬套。

・解讀《蔣公日記》一九四六年二月一日

政協既經決定制憲原則，雖與五五憲草不符，但政府藉由中常會決議，僅供制憲國大參考，實為政協會失敗的主因。其他停戰目的，諸如改編共軍及恢復交通，必然不可能了。

・解讀《蔣公日記》一九四六年二月十日

蔣公堅主總統制，以為政協會將制憲原則定為內閣制，在針對蔣公個人，故蔣公為貫徹其主張，表示不競選總統。其實國父主張直接民權，僅宜於寡民小國的民主政治。中國是一個大國，僅能實施代議制的民主政治，即地方自治以縣為單位而言，行使創制、複決，亦非輕易可行。

・解讀《蔣公日記》一九四六年二月十二日

我於一九四七年在瀋陽，即駐在鐵西原工業區的廠房內。俄已拆走機器，瀋陽鐵西煙囪無煙矣。

・解讀《蔣公日記》一九四六年二月十四日

本日所記，孫夫人親贈孫中山先生所撰之《建國大綱》手稿，在官邸時，經國先生曾以之展示於侍衛同仁。孫夫人似於原稿題「介石先生存」，下簽「宋慶齡」。此件，經國先生交予孝勇否？

・解讀《蔣公日記》一九四六年二月十五日

抗戰勝利後，對於敵偽財產之處理導致若干流弊，乃至貪污私吞，亦為國民黨在大陸失敗原因之一。

·解讀《蔣公日記》一九四六年二月十六日

中共從整個四十八個師的喊價，降到同意十八個師，應爲馬歇爾所促成，本爲和平統一的一大契機，惜因國大問題而失敗。

·解讀《蔣公日記》一九四六年二月·上星期反省錄（二月十六日之後）

抗戰勝利後，反政府的社會運動，證明國民黨不能控制或掌握基層社會，共黨已居優勢矣。

·解讀《蔣公日記》一九四六年二月二十七日

當時因俄在東北殺張莘夫、拆工廠、扶共黨、延撤兵，引發後方學生青年抗議。

【三月協商】國共角力爭制憲

軍事：俄軍藉演習奪取長春電氣總公司。
撤銷軍委會，成立國防部。

內政：軍統局局長戴笠座機失事身亡，情報系統瓦解。
二中全會推翻憲草修正原則，引發全國內戰。
瓊崖共軍要求派遣執行小組，蔣公拒絕。

・解讀《蔣公日記》一九四六年三月九日

日記中所載，乃在於蔣公拒絕全依政治協商會議的結論，包括制憲，此為中共終於拒參國大之原因。

・解讀《蔣公日記》一九四六年三月十日

陸大二十期的畢業典禮，與二十二期開學典禮，時我在陸大二十期畢業，並分發至新成立之陸軍總部任參謀，陸軍總司令爲顧祝同。

．解讀《蔣公日記》一九四六年三月十一日

抗戰勝利，蘇俄進軍東北。美陸戰隊在華北登陸，掌控平津走廊，略爲平衡共軍在東北的優勢，對我政府貢獻至大。故中國戰區暫時不能取消，魏德邁參謀長的名義應保留。蔣公同時希望馬歇爾能在華留較長時間。

．解讀《蔣公日記》一九四六年三月十二日

東北保安司令長官的人選，對東北戰局影響很大，曾考慮郭寄嶠。就我所知，郭不知。如其派郭就任，以郭在抗戰期間及平定新疆的用兵素養，東北絕不會導致全軍覆沒。一九四八年一月，衛立煌擔任東北剿總司令，即擬邀郭同往，但郭拒絕。可見，郭已預見東北戰局惡化，不可爲了。

關於戰後國民政府派員接收東北的概況，特於本月之末，收錄我的好友張祖詒先生所寫回憶文字，以助讀者了解實情。

．解讀《蔣公日記》一九四六年三月十六日

國民黨六屆二中全會反悔政協所協議的修正案，歷史證明爲政治戰略的重大錯誤，引發全國內戰的原因。首先談總理遺教，國父革命一生，雖推翻滿清，而從未取得全國政權，其思想原則絕對是正確的，但涉及政治的事務，則多從書本中及自己理想中創立，但無實踐的驗證。

遵奉總理遺教為蔣公的誓志，但就實務而言，即以建國三程序所謂軍政、訓政、憲政三個時期，以迄抗戰結束，一直都在軍政時期。即以中華民國訓政時期的約法頒布後，連戶口調查都未做到。直至到台灣前，在大陸大多沒有身分證。

戶政未做好，徵兵制度的基礎實際是強派。至於四權之一的選舉，根本無法做到一人一票、祕密投票，其他更無論矣。老實說，在一九四九年以前，無論是國民黨或共產黨，所謂選舉，只是黨部包辦而已。

依據遺教，訓政時期要訓練人民行使四權，以落實直接民權。民主政治是漸進的，以英國為例，民主政治已有七百多年，似乎尚未行使直接民權。以美國為例，立國已二百餘年，未見實施直接民權，均以代議制度的間接民權行之。除非小國寡民，且經濟發展及教育普及的高素質人民，才可實行直接民權。中國是一個大國，除非待英美先進民主大國已全面實施直接民權，在可預見的未來二百年以上，中國不可能實施直接民權。

再就台灣民主憲政的經驗，若依總理訓政時期的構想，國家在和平建設、經濟發展、教育普及，至少需時五十年到一百年。而抗戰勝利，各黨派迫不及待都要分享政權，組織聯合政府，根本不容一黨再搞訓政。所以抗戰勝利必須要進入憲政時期，遺教的訓政時期根本是有名無實。故國民黨六屆二中全會，以遵奉遺教而反悔政協決議，乃授共黨藉以拒絕裁軍、破壞交通，並拒絕參加國民大會。但在爾後的制憲國大中，實又接受了政協的修憲原則，制定現行的中華民國憲法，但全面內戰已無法避免了。

・解讀《蔣公日記》一九四六年三月二十日

戴笠搭機遇難，對今後反共戰爭有重大影響，共黨的滲透潛伏活動，招致國軍最後失敗也。

軍統布建有很多單線，領導只有戴本人掌控，一旦身亡，自然這些線斷了。戴的特工天才及工作，非任一人所能取代，而軍統內部的工作紀律與效能，亦因戴亡而鬆散，幾成為國民黨失去大陸政權的重要原因之一。

・解讀《蔣公日記》一九四六年三月二十四日

林彪所組東北共軍稱為東北民主聯軍，乃蘇俄與中共合謀。不用共軍之名，乃表示非蘇俄違約支持中共；而稱林彪所部，乃由當地所產生，非中共掌控，以飾違約之實。

當時中共似並無全占東北之意圖，而與國民政府平分也。

・解讀《蔣公日記》一九四六年三月二十六日

為結束訓政而開國民大會，為開舉國一致的國民大會，先開政治協商會議，以協商憲法草案為主，以及國大開會前過渡期間國民政府委員改組，容納各黨派參加國府委員會。但訓政時期依約法由國民黨代行民意機關，故人事仍應由國民黨中央通過。而中共則根本不承認訓政時期約法繼續運作，實為對二中全會的反彈。

・解讀《蔣公日記》一九四六年三月二十九日

張治中（文白）在國共談判中，迄居重要角色，擔任三人小組未久，被派往新疆，而張群不願接任，未識其故安在？或由於在雙十會談中，張為對周恩來的談判對手，似乎覺得中共難纏而消極，但三人小組是很重要的工作，最後由陳誠接任。

附錄：我在長春一百天　張祖詒撰

一九四五年八月十四日，日本正式宣布無條件投降；同一天，中蘇在莫斯科簽訂兩國友好同盟條約。

重慶街頭萬人空巷，爆竹聲、鑼鼓聲響徹雲霄，舉國歡騰，熱烈慶祝八年對日抗戰勝利，絲毫看不出背後潛藏的危機，那被國際強權迫簽的中蘇條約，將鑄成怎樣的禍害。

國民政府忙著「受降」、「復員」、「還都」等戰後復國大政，其中各院部會分別規畫對淪陷區的「接收」業務，雖然顯得準備不足，有些手忙腳亂，但政府令派全國各地區負責接收的人員，能夠陸續就位，看來倒也似乎忙中有序，「復員」氣象，尚洽人心。

當年我才二十八歲，有幸獲派為財政部東北區財政金融特派員辦公處的祕書，忝為東北區財政金融接收人員之一，內心至為感奮。

啊！東北，那是多麼具有魅力的地方，是多麼令人嚮往的地方。那裡有森林煤礦，那裡有大豆高粱，在那白山黑水之間，有著無盡的寶藏。我以一個南方青年，將有機會去那松花江上，去那久被流亡歌曲感動得流淚的地方，何等高興，何等盼望！

特派員的辦公處在重慶草草成立，雖然倉促成軍，但在特派員陳公亮先生的指揮下，個個充滿熱誠，積極各項準備工作，希望早日就道赴任。可是時間一天天過去，眼看其他如平津、京滬、武漢、浙閩、廣東、台灣等地區的接收人員都已紛紛啓程，展開工作，唯獨我們東北區各單位都仍按兵未動。十月已過，還無出發確訊，大家心中不免多有疑慮，難道東北局勢，眞的出了問題。

等待，等待，終於在十一月中得到命令，可以由重慶飛北平轉往長春。十一月十五日清晨，被安排同一梯次各部會要去東北的，共約三、四十人，搭乘軍方C46運輸機，自重慶珊瑚壩機場起飛，中經河南新鄉加油，傍晚抵達北平南苑機場，原以爲隔宿即可續飛長春，未料又奉命令，暫留北平候命，顯然我國與蘇俄有關接收東北的交涉，遭遇阻礙。

長春，不是一個陌生的地名，那是我們吉林省的省會，是僞滿洲國的首都，是日本關東軍總司令部所在地，是被日本定名爲新京，準備實現「大東亞共榮圈」迷夢時的新首都，是現在我們軍事委員會委員長東北行營的指揮中心，也是蘇聯遠東軍司令的駐在地。

一九四五年十一月二十八日，我眞的到了長春。機門開處，迎面一股寒風，剎時予我冷冽的感覺，步出機門扶梯，外面大雪紛飛，氣溫零下十度，走過來的地勤人員中，竟有穿著紅軍制服的蘇俄士兵，立刻意識到眼前東北處境的艱險，未來的路難走。

一輛軍用巴士，把我們載到長春市內的「滿炭大樓」，這裡是過去滿洲國炭業株式會社的辦公大樓，現在用作東北行營的指揮總部。樓高五層，前後二進，左右兩翼各有四間廳房，算是一幢相當寬敞的大廈，所有中央各部會的接收人員，以及東北九省主席，不論辦公、食宿，全部集中此地，曾被謔稱「集中營」。

經過十多天的瞭解、觀察和親身體會，方知實際上，我們根本無法進行任何接收東北的工作。儘管行營主任熊式輝和外交特派員蔣經國先生，與蘇軍全權代表馬林諾夫斯基將軍屢再交涉，因蘇方態度蠻橫，既無談判誠意，更全力阻擾，因之整個局勢毫無進展。十分殘酷的現實告訴我們：

- 蘇聯憑藉雅爾達密約的保證，不等中蘇條約簽訂，已經搶先在日本投降前數日，對日宣戰，並立刻進軍我國東北境內，占領各大城市。
- 史大林不顧甫經簽訂中蘇條約互相尊重主權領土的原則，逕於八月二十三日宣稱，

「滿州國全部解放」，正式命令日本關東軍向蘇軍投降。

•日軍所有武器裝備，全部由蘇軍繳械，旋即轉交中共，並以八路軍作為「中國代表軍隊」接收偽滿軍。

•原由蘇軍占領的地方行政，陸續移轉中共接管。

•蘇方拒絕國軍在大連登陸，後雖同意改在葫蘆島和營口登陸，但拒作安全保證，國軍頻遭攻擊，使我無法順利運兵。

•蘇軍不斷在東北各地，大規模軍事演習，掩護中共軍隊進入東北。

•長春當地蘇軍檢查我行營郵電，限制行營行動，並派武裝部隊，搜索我東北黨務專員辦公處和吉林省黨部。

•強行撤換長春警察局長，改派中共人員接任。

蘇俄的種種狂悖和惡霸行為，說明了雅爾達密約所種的禍根，透過中蘇條約，其惡果已經在我東北一一顯現。

長春的馬路寬廣，路旁建物整齊，街道清潔，市容美麗，我們雖然還可上街走動，但都無心欣賞景觀，尤其看到大同廣場聳立的紅軍勝利紀念塔，觸目驚心。不過我們幾個財金人員，因為正在進行編製長春物價和生活費指數的工作，提供政府未來收回東北流通券對法幣兌換率參考，所以常有機會和當地商販及市民接觸，感到東北民眾渴望國軍早日到臨十分殷切，覺得心有愧疚。

時序進入嚴冬，屋外氣溫降到零下三十度，大地一片銀白。長春四郊時有槍砲聲響，警示孤城已然圍困。滿炭大樓好像暮色蒼茫中的孤獨堡壘，在中蘇交涉接近破裂時分，攻守皆已乏力。一九四六年元旦，行營副參謀長董彥平中將主持新年團拜，勉強裝扮出些許歡樂氣氛。不料接著一月十六日，發生震驚中外的大事，資源委員會高級工程師張莘夫，奉派率員前往撫順煤礦，竟在中途李石寨站被共軍劫持，一行八人全被槍殺，噩耗傳出，全國憤慨。滿炭大樓內全體人員更是悲痛欲絕，一時風聲鶴唳，幾有人人自危之感。幸而蔣夫人於一月二十二日蒞臨長春，代表蔣委員長宣慰東北同胞，人心稍振。

二月一日爲農曆除夕，行營祕書長張大同，邀請滿炭大樓內全體同仁共吃年夜飯，只是「國未破，山河已碎」，無人開懷暢飲，有者，「舉杯消愁」而已。

東北情勢依然險惡，蘇軍既不遵守承諾，按規定時序撤軍，撤走部分地區又私自交由中共接管，公然違背中蘇條約義務和責任，已到無可忍讓地步，政府決定改變接收政策，命令東北行營撤至山海關，熊式輝主任改在錦州坐鎮，長春孤城之圍未解除前，行營由董彥平副參謀長留守，保持與蘇軍的若干聯繫。因之，中央各部會特派員辦公處的工作人員，也奉令分別撤至錦州與北平。

一九四六年三月八日，我離開秀麗而失色的長春，告別宏偉而黯然的滿炭大樓，再次搭乘C46軍機，飛抵北平待命，結束了整整一百天枯坐愁城的日子。不甘，但又無可奈何！

本書著者郝柏村先生詳閱蔣公中正日記之後傷時感懷，用他深邃的軍事和政治學術素養，對日記中許多史事，作了極爲精闢、客觀和卓越的分析與註解，令人敬佩。筆者承命憶敘當年長春第一次被圍的親身經歷，留作歷史見證。謹撰短文，願不辱命。

——民國一〇〇年五月二十五日

【四月通膨】借款不成物價漲

軍事：中共攻陷長春，俄向政府抗議僑民被殺。

內政：東北堅不退讓，馬歇爾借款條件轉苛。

法幣發行激增，物價指數漲至戰前三千五百倍。

周恩來帶葉挺與會，陳誠受刺激舊病復發。

·解讀《蔣公日記》一九四六年四月四日

俄軍延撤五個月，在俄軍入東北八個月後，其所繳獲關東軍武器裝備及偽滿軍，已完全交與林彪在東北所建編成的東北民主聯軍，實力應超過三十萬以上，羽翼已豐，故俄軍始允撤退也。

·解讀《蔣公日記》一九四六年四月·上星期反省錄（四月六日之後）

陳誠個性剛烈，在國共美的三人小組中，本不宜與外軟內硬的周恩來作對談對手，況陳爲政治部長，而周爲其副部長。

·解讀《蔣公日記》一九四六年四月十五日

蔣公日記中對制憲之主張，採分段完成，主張事緩則圓之道也。但在共黨杯葛的制憲國大中，仍接受張君勱主導的行政院對立法院負責。但憲法五十七條規定，行政院長仍居優勢地位，可保持穩定的內閣，非如二次大戰前，法國內閣平均壽命約六個月，故在二次大戰初期，法國在四十日內爲希特勒擊敗，躍馬巴黎，雪凡爾賽和約之恥。

·解讀《蔣公日記》一九四六年四月十八日

俞大維先生常與我討論大陸失敗所犯的戰略錯誤。日記中記載今日蔣公與其談軍事戰略，我猜，俞先生必爲對東北問題提出戰略的問題。

·解讀《蔣公日記》一九四六年四月二十日

預見馬調解失敗之伏筆：

一、馬歇爾抵華後，促成了一月十日的停戰令及召開政治協商會議，於一月三十一日達成五項協議。旋以三月間國民黨六屆二中全會，對修憲原則提出異議，共軍乃藉以採取軍事攻勢，而以東北及熱察爲重點。俄軍違約，佯言四月底撤出東北，但在四月二十日將長春交與共軍，國軍亦已占領四平街，故政協會結束後，實際又恢復戰爭，而軍調部三人小組完全無法制止，停戰令實已破壞。

二、馬歇爾抵華促成停戰、促成政治協商會議，初意必以提供美援借款支持國民政府爲保證。所謂保證，亦可謂壓力，亦即必須兩黨和平共存。而對政治協商議題則不介入，只求軍事停戰。一旦停戰失敗，保證就變成壓力。此所以借款問題初而條件嚴苛，繼而陷於停滯狀態。

三、面對中共的高姿態，證明蘇俄是百分之百支持毛澤東。顯然，馬歇爾乃挾借款施壓於蔣公。此際，政府面對戰後的財政與經濟危機，遠勝於共方的軍事威脅，故要求美國借款之急迫性無以復加，而馬歇爾對借款問題卻又成為慢郎中，故蔣公有感，明知馬歇爾精神予我協助，目的與我一致，成敗相同，但其手段錯誤。

・解讀《蔣公日記》一九四六年四月・本星期預定課目（四月二十日之後）

蔣公用心的重點，在如何說服馬歇爾，「確認中共無和平誠意，蘇俄必支持中共」。蔣公此際實已承認東北平分秋色，以求得和平。

蔣公以五月五日召開國民大會，自行改組國民政府委員會，以與中共攤牌。

・解讀《蔣公日記》一九四六年四月二十一日

五五開國大來不及了。如堅持五五召開（原政協決議），必然是談判的全面破裂，故蔣公考慮延期以爭取談判時間，政策是正確的。

・解讀《蔣公日記》一九四六年四月二十四日

一月十日的停戰令，原以關內為主而不及東北，故東北未派三人小組的人員，而蘇俄亦反對美國介入東北。然蘇俄既蓄意支持中共，掩護共軍，美乃承諾海運國軍九個軍進入東北。國共內戰延及東北，且東北成為主場戰。蘇俄於培植林彪羽翼既豐，乃承諾四月底撤出東北，北滿已完全為共軍控制，且成立地方政權。林彪則以東北民主聯軍旗號，表明與共黨無關，不在國共談判停戰令範圍之內，而取得軍事與地方行政的優勢。馬歇爾則以借款與協助運兵兩張牌向蔣公施壓，蔣公亦以美不助我海運，不惜自動放棄東北反制，以期說服馬歇爾。然而馬堅持東北停戰，並批評國民政府黨政幹部，可見蔣與馬的互信在惡化中。

·解讀《蔣公日記》一九四六年四月三十日

抗戰勝利後，增進國軍將級軍官戰略戰術素養，蔣公極為重視，其受訓名單均為親核，且每屆開學及結業，均親自主持。

·解讀《蔣公日記》一九四六年四月·反省錄

隴海路二十七個軍是關內國軍的主力，在還都前（五月五日）能控制隴海線，軍事上實立優勢地位。

美借款未成，由於條件苛刻，蔣公寧願不借。日記中未明示條件內容，但就文義，不外是呼應共黨所要求條件，諸如組織聯合政府，甚或監督借款用途，使蔣公有干涉內政、失去主權的感覺。然而美借款不成，國內通貨膨脹，物價高漲已達戰前三千五百倍，社會與經濟不可能支持長期的內戰。若經濟先潰，軍事必敗。

進軍東北雖收復南滿要城，但林彪已坐大。一月十日停戰令無效，關內關外軍事衝突日益擴大，蔣公既宣布國大延期，乃期於三月內取軍事勝利，而迫使中共參加國大，蔣公自感甚難。

【五月還都】別後十年還舊都

軍事：國軍收復長春，日本投降後蔣公首度親赴東北。楊虎城舊部孔從周在河南叛變，國軍及時撲滅。

內政：五日還都南京，舉行還都與謁陵典禮。南京公務員屋荒嚴重，各處公教人員生活困難罷教罷業。行政院交通、經濟兩部長就任。

外交：史大林邀請至俄會談，蔣公婉言拒絕。

・解讀《蔣公日記》一九四六年五月五日

今日上午九時，舉行還都與謁靈典禮。蔣公於日記中回憶一九三七年八月十五日拂曉，離南京赴江西轉赴漢口的心境，當時是悲愴傷心的。此際（八月十四日，日機轟炸南京後），軍校十一期二總隊於十四日晚間在靈谷寺，由蔣公主持畢業典禮。仍未畢業的十二期學生（我在十二期）及十三期學生，於十四日，夜行軍赴蕪湖，轉乘輪船赴九江。

抗戰期間，全國菁英集中重慶。太平洋戰爭爆發後，日空軍對重慶空襲，從減少而停止，重慶房屋不僅一室難求，甚至一席難求。我於一九四三年離印度經昆明抵重慶，當時沿途逐家問旅館，求一床位而不可得，幾露宿街頭。及至一九四五年八月，日本投降，西遷人民紛紛急於東下，無論機船，一票難求，而重慶空屋無人問津。我因正在陸大受訓，尚未畢業，未在受降接收與還都東下高潮之內。

自一九四五年八月十四日至一九四六年五月五日，政治重心仍在重慶。自五月五日還都後，重慶冷落了。我亦於陸大畢業（三月十日，蔣公主持畢業典禮），被分發在新成立的陸軍總司令部（總司令顧祝同），任中校參謀，於一九四六年夏初到南京，結下了追隨顧祝同上將的因緣。

・解讀《蔣公日記》一九四六年五月六日

如於抗戰期間召開國大制憲，中共不可能杯葛矣。蔣公於日記中提及失此良機，謂之可惜。

・解讀《蔣公日記》一九四六年五月・戰略與時機

任何一個戰略問題，時機是一個很重要的因素，亦即任何戰略必須決定於有利時機。召開國民大會是國民黨很重要的政治戰略，一九三六年制定五五憲草時，共黨已偈處於延安，對政治影響力式微，而國民黨的聲勢正處於北伐後的巔峰時期。雖然訓政時期有名無實，但國家建設成為戰前的黃金十年，亦為民國以來中央力量最強勢時期，足以懾服割據勢力。故於憲草頒布，即選出制憲國大代表一千二百人，預計於一九三六年十一月十二日召開國民大會。因六月兩廣事變及十二月西安事變，和平解決後，改延至一九三七年十一月十二日召開，但日本迫不及待，於一九三七年七月七日爆發全面抗日戰爭，國大不得不再延期召開。

抗戰勝利，一九四六年五月五日還都南京次日，蔣公日記痛感抗戰期間未解決國大問題，痛失良機。抗戰期間以國家至上、民族至上、軍事第一、勝利第一、意志集中、力量集中爲全民口號，而誤了召開國大的良好時機，而戰略的良機稍縱即逝。

從歷史證明，珍珠港事變後，一九四二年取消百年不平等條約。一九四三年冬開羅會議，中國位列四強之一。故一九四三年冬至一九四四年春，爲召開國大最有利時機。此際，共黨勢力尚未豐滿，其他黨派亦力量微弱。在國內阻力最小時機，制定民主憲法，還政於民，實際仍爲蔣公及國民黨執政。戰略有利時機，一去就不復返了。

．解讀《蔣公日記》一九四六年五月九日

徐學禹時任招商局總經理，蔣公準備國輪運兩個軍赴東北。

．解讀《蔣公日記》一九四六年五月十二日

戰略上既進軍東北，守住南滿以節約兵力。先集中兵力解決關內共軍，再談北滿問題，政策應是正確。但其後又進軍長春，形成孤懸態勢，而關內兵力不足，攻勢無成。

．解讀《蔣公日記》一九四六年五月二十三日

國軍進占長春後，已至最大極限。蔣公親赴瀋陽，及前派夫人先飛長春，爲收復東北之重要象徵。但林彪經蘇俄繳獲關東軍六十萬人以上之精良裝備，與收編僞滿軍，經九個月的

收東北的企圖心。

整編訓練，其較國軍運往東北者已居優勢。但蔣公二十一日與馬歇爾談話，已展示其全面接

．解讀《蔣公日記》一九四六年五月二十四日

馬僅支持國軍控制南滿，東北共軍一兵一卒完全爲蘇俄培植，馬歇爾視東北共軍亦如關內共軍，係在抗日陣營所發展，皆同等地位，站在美國立場，應該不承認。蘇軍既撤，國軍進入長春乃天經地義，而馬竟反對，與蔣公歧見甚深。

．解讀《蔣公日記》一九四六年五月二十五日

日本投降後九個月，蔣公始親來東北，而認爲共軍主力已擊潰，實乃誤判，而重展全面接收東北的企圖，使東北內戰亦成爲主戰場。

自三月國民黨二中全會結束後，無論關內、關外，軍事衝突繼續擴大，俄軍撤退後，馬歇爾亦介入東北的調處，但並未能制止衝突，直至馬歇爾於一九四七年一月離華前，均爲邊談邊打階段。

馬視東北林彪所部共軍，與關內抗戰期間所發展共軍是同等地位，應爲美政府及馬歇爾的戰略錯誤。蔣公無法說服馬歇爾，馬歇爾且將東北亦列入調處範圍。緣蘇軍未撤時，蔣公希望美人介入，以美之介入，反制蘇俄。今蘇軍既撤，既明知林彪部隊爲蘇俄於日投降後違約培植，應不予承認在停戰調解範圍，此所以蔣公又不希望調處小組來東北。

所有機器已被俄軍拆走，我一九四七年即駐鐵西區原日本空廠房也。

【六月復員】三十萬軍齊解甲

軍事：六日再下停戰令，共軍五小時後襲擊東北各地。
國軍二次縮編，編餘二十萬軍官，八萬青年軍退伍。

内政：物價漸穩，米價日落。
中統局負責人葉秀峰發動下關案件，蔣公痛責。

外交：荷屬印度巴達維亞一帶土共排華，僑胞死傷甚大。

·解讀《蔣公日記》一九四六年六月三日

毛澤東到重慶是以和逼戰的策略，故於返回延安後，以迫使中央無法接受的和平條件，全面發動攻勢。

此際爲邊談邊打階段。三人小組實無力執行一月十日的停戰令，故於二中全會後，關內關外均全面軍事衝突，故馬歇爾急於要求下停戰令。

·解讀《蔣公日記》一九四六年六月四日

政協會後，尤其二中全會後，蔣公採以戰逼和策略，關外關內在和談不全面破裂下，全面發動進剿攻勢，以取軍事勝利成果，迫使中共接受整編，修復交通，參加國大的政治解決目的。

·解讀《蔣公日記》一九四六年六月六日

馬歇爾向蔣公提出「宣布停止追擊令」，即所謂第二次停戰令，僅停戰十五日，亦即打打談談階段。第二次停戰令國共態勢，如圖二。

·解讀《蔣公日記》一九四六年六月十六日

蔣公深深懷念戴笠，與蔣夫人至靈谷寺戴笠安靈處。

·解讀《蔣公日記》一九四六年六月十七日

吳化文為汪偽軍，先投誠中央，後又投誠中共，濟南因而易手，王耀武被俘。益可證明偽軍是無靈魂的軍隊、見風轉舵的投機分子。蔣公雖召見，終未能收其心也。

·解讀《蔣公日記》一九四六年六月十八日

司徒雷登原為燕京大學校長，已繼哈雷為駐華大使。他堅主與共黨和平相處，反對內戰，以「國亡無日」警惕蔣公，可謂洞察機先。

圖片來源：國防部史政編譯局（郝柏村提供）

【圖二】
第二次停戰令國共態勢
（1946年6月7日）

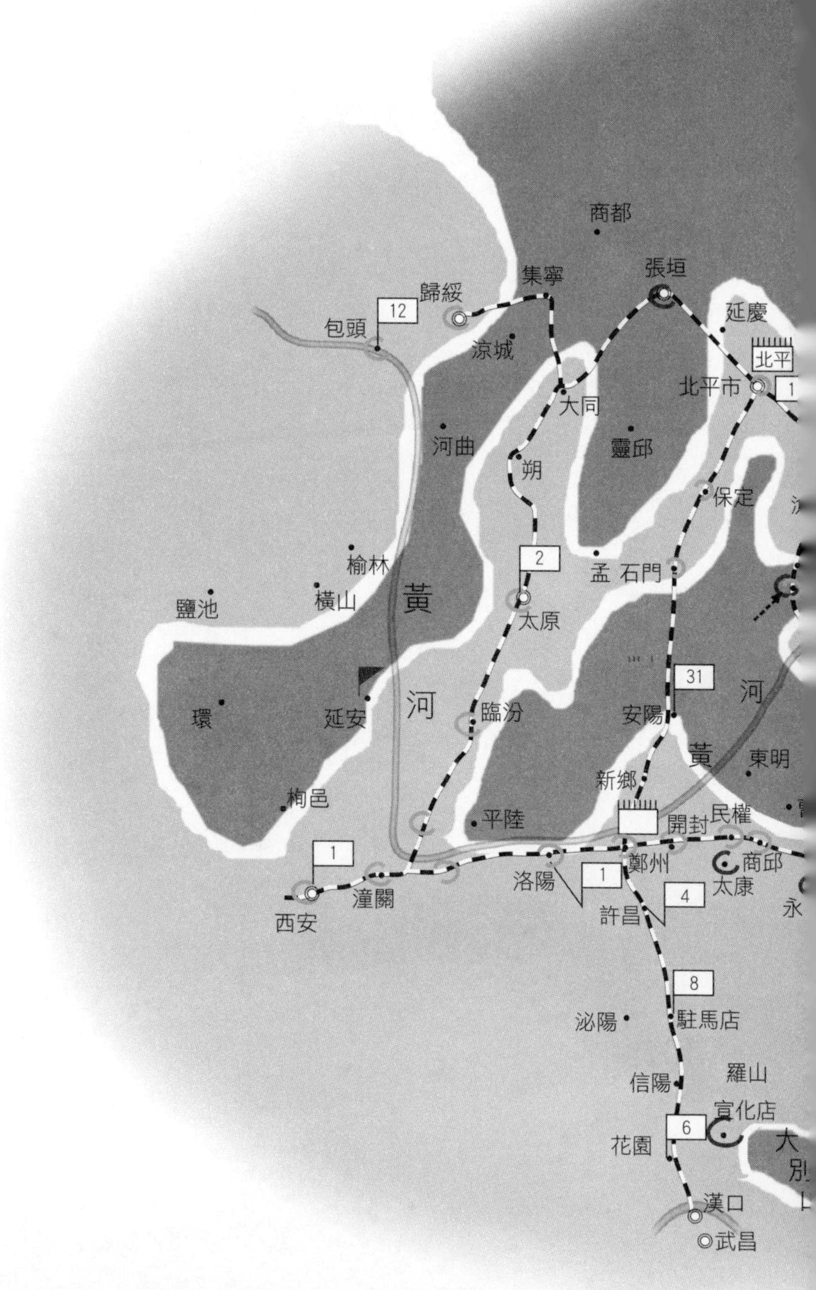

自難勝任。

·解讀《蔣公日記》一九四六年六月二十日

徐永昌曾任陸大代校長，沉默寡言，諢名徐木頭，豈是周恩來對手？用徐做談判代表，自難勝任。

·解讀《蔣公日記》一九四六年六月二十一日

政府要求先完成共軍整編與駐地及修復交通，再談政治問題，以政治談判曠日廢時。中共策略則以軍事、政治同時解決，爭取時間，以當時共軍仍居劣勢也。

·解讀《蔣公日記》一九四六年六月二十三日

自六月七日頒發第二次停戰令，原爲十四天——即六月二十二日期滿，但談判無進展，再應馬要求，延展至三十日。初以徐永昌爲三人小組代表，但徐不適任，從日記看，似已以俞大維取代徐永昌爲三小組政府代表。俞大維實是最適合的談判代表，他可以逕用英語與馬歇爾溝通。唯來台後，俞常召見我談論大陸失敗的戰略錯誤，但從未談及他任三人小組代表時的話題。

·解讀《蔣公日記》一九四六年六月二十四日

中共邊打邊談，政府在打打停停的狀況中，不可採取速戰速決戰略。蔣公希望三個月之內，亦即在九月底以前，打通津浦、平漢、平綏鐵路爲不可能。

進入長春的第六十軍原爲滇軍，故令盧漢（原爲六十軍軍長，現任雲南省主席）前往。整六十軍在一九四八年夏，首先在長春被圍中投降。

邊談邊打中，將五十三軍（原東北軍）運往東北，第一軍、第二十七軍均胡宗南嫡系，運晉南，因此際閻錫山所部，已無能力掌控晉南。

·解讀《蔣公日記》一九四六年六月二十五日

葉秀峰（CC系統）爲中央黨部統計局負責人，即國民黨的情報系統，簡稱中統，以別於戴笠領導的軍統。

·解讀《蔣公日記》一九四六年六月二十六日

當時對東北戰略，以收復長春以南之南滿與北寧路二幹線爲限，應是正確，問題在於關內共軍可能肅清否？參謀本部作何判斷？以精銳部隊九個軍運到東北，已使關內無絕對優勢兵力，以速戰速決達成肅清關內共軍之目的。

·解讀《蔣公日記》一九四六年六月二十九日

第二次停戰令即將屆滿，無論政治、軍事的談判，皆無結果，蔣公不得不準備第二期的進剿計畫，至於談判爭論的焦點在：

一、蔣公要求共軍撤出蘇北與承德。由於蘇北爲京滬之屏障，亦即京滬臥榻之旁，自不宜共軍留駐，隨時對京滬構成軍事威脅。至於熱河之承德，原在一月第一次停戰令之前，國軍即可收復，因停戰而停止進攻。國軍於收復平津後，主在爭取熱、察、綏之收復，尤不容熱河與東北共軍聯結，此亦爲爭論重點。

二、共軍雖承諾軍隊撤出原占領區，其所建立的地方政權則堅持保留原狀。而蔣公則堅持凡共軍撤出之地區，地方政權亦同時交給政府。

蔣公手書東北保安司令長官杜聿明，指示今後東北之方針。而參謀本部作戰指導幕僚是否了解其全盤戰略構想，從統帥至統帥部幕僚及戰場指揮官間之戰略思想，是否溝通一致，一直是內戰期間的指揮風格問題。

馬歇爾在此一階段談判中，傾向於中共的立場，向蔣公施壓，使蔣、馬之間的歧見益深。六月二十九日的蔣馬會談氣氛，至為緊張。

・解讀《蔣公日記》一九四六年六月・反省錄

第二次停戰令經延長至月底亦期滿。六月三十日，蔣公與馬歇爾共同商定停戰期滿後的聲明，事實等於宣布停戰無限延長，以適應馬歇爾的要求。但依蔣公在六月反省錄的解釋，政府亦可隨時恢復進剿。

第二次停戰期間實際為邊談邊打，而六月三十日停戰期滿，雖發表聲明停戰無限期延長，實際是政府片面停戰（並未與中共協議），故乃各自以打為主、以談為輔的階段。其主要戰場的戰鬥序列：

一、華東戰場——徐州綏靖公署主任　薛岳

（一）第一綏靖區李默庵——南通：二十五D、四十九D、六十九D、八十三D四個整編師，計十二個旅、三十九個團

（二）第二綏靖區王耀武——濟南：八C、十二C、九十六C、五十四C、七十三C，共十五個師、四十五個團

（三）第三綏靖區馮治安——魯西：整五十九D、七十六D，計六個旅、十八個團

（四）第八綏靖區夏威——皖北：三C、整四十八D、五十八D，計二十一個團

（五）綏署直轄主要部隊：①十九集團軍張雪中：整五十一D、五十二D②整編第二十七軍王敬久：整十一D、七十五D ③第五軍邱清泉。④整編二十八D、二十D、七十D、五十七D、八十五D ⑤其他特種砲兵、工兵及裝甲兵部隊。

二、華中戰場——鄭州綏靖公署主任　劉峙

（一）第四綏靖區劉汝明——豫鄂邊區：整五十五D、六十五D，駐許昌

（二）第五綏靖區孫震——豫西：整四十一D、四十七D，駐馬店

（三）整編第二十六軍王仲廉—豫北

（四）其他直屬特種兵部隊（包括我所服務的砲兵第十二團，美式一五五榴彈砲）

三、西北戰場——第一戰區司令長　胡宗南

（一）整編第一軍（一D、二十七D、九十D三個整編師）：董釗

（二）整編第二十九軍（十七D、三十六D、二十六D三個整編師）：劉戡

（三）整編第十師

（四）其他特種兵部隊

四、東北戰場——東北行營主任　熊式輝

（一）東北保安司令長官杜聿明

五、北平行營——主任　李宗仁

（一）第十一戰區孫連仲——負責平漢路北段

（二）第十二戰區傅作義——負責熱、察、綏

六、第二戰區——閻錫山，負責山西

軍事機關改組即爲撤銷軍事委員會，成立國防部，任命白崇禧爲國防部長，陳誠爲參謀總長（國防部實權在參謀本部而非部本部），參謀總長下轄陸軍總司令部總司令顧祝同、海軍總司令部總司令陳誠兼、空軍總司令部總司令周至柔、聯勤總司令部總司令黃鎮球。

抗戰勝利後，國軍須二次縮編。編餘軍官二十萬人，先後設置了三十五個軍官總隊收容。蔣公當時認爲難能可貴，但其後隨著剿共軍事失利，社會經濟崩潰，這些無所事事的編餘軍官，成爲社會動亂現象之一，曾在南京演出哭陵事件，亦有部分轉投延安。以後社會流傳口語「軍官總」、「青年從」、「國大代」，成爲國家的三個亂源。就此而言，編餘軍官未能安置社會或地方基層，以曾經嚴格軍事訓練及戰場磨鍊的忠黨愛國中下級軍官，未能作爲鞏固地方政府及社會基層的幹部，是否爲一失策？

青年軍除二〇七師進軍東北撫順（煤礦重地，爲二〇七師駐地），餘均復員退伍，亦爲蔣公培植經國先生的軍事基礎。但復員安置未盡圓滿，其後少數鬧事，故稱「青年從」，亦譏爲當時社會亂源之一。

【七月凶案】李聞遇刺驚中外

軍事：國共軍事衝突重點轉向蘇北與晉南，國軍包圍李先念。

內政：李公樸、聞一多相繼遭暗殺，霍揆章假造人證口供。

中國救濟人員集體簽名，美國服務處停運救濟物資。

西藏代表要求鄧柯、德格二縣歸西藏，中央不派駐藏人員。

外交：俄在巴黎四國會議提議，與美共同調停國共問題。

・解讀《蔣公日記》一九四六年七月三日

與共黨談判未能有協議，政府決定十一月十二日召開制憲國大，乃談判破裂之必然結果。

・解讀《蔣公日記》一九四六年七月五日

馬歇爾於二次大戰後，其軍事聲望不僅爲美國將領之第一人，超過麥克阿瑟與艾森豪，亦為全球聲望最高的將領，其影響力甚或超過美國總統。當其受命來華調解時，自為個人聲望的賭注。而蔣公身為領導抗戰勝利的民族領袖，無論基於其個人及民族的自尊心，先天與馬有「誰說服誰」的心理衝突。

我猜測馬歇爾的心理，認為蔣公既接受他來華調解，則必須尊重和接受他的意見。但由於史迪威事件，尤其史迪威是馬歇爾極端信賴的將領，故於史離華之後，派任為美陸軍第十軍團司令，負責攻占琉球。史在馬歇爾面前不會對蔣公有好的評論，是否亦為馬歇爾先入為主，對蔣公懷有不友善的成見？

蔣公過去在與國內反蔣勢力的鬥爭中，取得成功，無論對閻馮、對陳銘樞、對兩廣，都是先軍事而後政治解決，故在二次停戰令後，亦圖以戰逼和。但馬歇爾以其軍事專業認定，剿共不可能速戰速決，故不惜政治代價，以促成並確保停止軍事衝突為第一要務，自與蔣公的策略有基本上的矛盾。蔣公力圖馬歇爾接受其策略，自然就很困難了。

・解讀《蔣公日記》一九四六年七月・上星期反省錄（七月六日之後）

蔣公似未察知高峰會議不舉行則已，如舉行，只能成功，不能失敗。如談判失敗，則後患嚴重。毛澤東到重慶談判失敗，即為一例。馬歇爾乃以聲望，挾美國政策援華的優勢地位，除非自始即婉拒其來華調解，既接受其來華，隨著時程的推移，馬歇爾的態度越來越不禮貌，使蔣公認為冷酷殘忍的貴賓不能不見，見則難堪的苦境。

・解讀《蔣公日記》一九四六年七月七日

劉峙服從性高，抗戰初期任第一戰區司令長官，在平漢線北段一路潰敗。後任重慶衛戍總司令，發生（日機轟炸）大窒息案後，任第五戰區司令長官（接李宗仁）。抗戰勝利，派任鄭州綏署主任，以指揮無方，於十一月遭撤換。但於一九四八年，又被派爲徐州剿共總司令，而導致徐蚌會戰全面失敗。

・解讀《蔣公日記》一九四六年七月・上星期反省錄（七月十三日之後）

馬以其軍事專業，武力剿共必爲長期內戰，不符美國國家戰略利益，固非爲其個人成敗與否也。而蔣公用兵之旨，似亦在以軍事壓力促成政治解決，亦即一面打、一面談。其實，這就是馬歇爾施壓的具體行動之一。

・解讀《蔣公日記》一九四六年七月十四日

中共此際一面破壞停戰令，一面利用馬歇爾阻止全面進攻，而採取邊談邊打戰略，繼續破壞交通，擴展其占領區。

馬歇爾雖一味施壓蔣公停戰，但馬對於如何能使停戰生效，若確證中共破壞停戰，美國如何支持政府反制中共，似無任何保證。蔣公在與馬的交談中，似未提出此項要求（日記中未提及），深爲不解，致馬專以美援作王牌向蔣公施壓，益增蔣公反感。

一九四六年七月十四日，實是國共和戰攸關的重要一日。蔣公與馬歇爾的歧見：馬力主一切以停戰爲先決條件。蓋以軍事專業，無論是局部或全面的軍事行動，政府不可能速戰速決，獲得勝利；而蔣公則期望說服馬歇爾，先協助政府軍事解決共軍（我判蔣公之意是軍事解決共軍主力），而其餘部隊剿撫兼施。

蔣公對局部的速戰速決信心堅定，故不顧馬之反對，並於祈禱可否剿共，默示可，即下令徐州綏靖公署主任薛岳，於七月十八日至二十日之間，開始對山東沂蒙山區陳毅所指揮之共軍進剿。由於未能徹底集中優勢兵力，採取外線作戰的攻勢，進剿並未成功。

·解讀《蔣公日記》一九四六年七月十七日

山西是閻錫山多年經營的根據地，他對山西的建設，都有獨立自保的著眼，尤以正太鐵路（河北正定到山西太原）及同蒲鐵路（從大同晉南貫穿山西全省縱貫鐵路）都採取窄軌，不與平漢及隴海鐵路（準軌）接軌。雖在一九三〇年中原大戰失敗，馮玉祥失去兵權下野，而閻則回踞山西，不容中央勢力進入。但抗戰開始後，他鬥不過共產黨，閻的親信薄一波，所主持山西犧牲同盟首先投共。抗戰勝利後，閻僅能回占太原，並利用投降的日軍助其接收，為蔣公不滿。至晉北、大同則受共軍圍攻，而晉南乃由胡宗南派第一軍及第二十七軍進入接收，先占晉南重鎮聞喜，故晉南共軍反攻聞喜甚急。

本日亦記載李公樸、聞一多被刺之事。

李公樸，江蘇武進人。一九〇二年生，滬江大學畢業，一九三六年參加救國會，曾與沈鈞儒、鄒韜奮、史良、章乃器等，號稱七君子，被捕。抗戰開始後，獲釋，在西南聯大任教授，為民主同盟之主要盟員。一九四六年七月十一日，在昆明被刺。

聞一多，湖北浠水人。一八九九年生，一九二二年赴美留學，習美術。曾任中央大學、清華大學中國文學系主任。抗戰時期，任西南聯大教授，為民主同盟中央委員。一九四六年七月十五日，在昆明被刺。

李、聞被刺，雖然絕非蔣公指示，但在和談期間引起極大風潮，對政府形象傷害很大。蔣公深感痛心，指示究辦。

【八月再戰】國共華北戰事起

軍事：美軍在平津道安定村被共襲擊，馬歇爾忍讓繼續調解。
　　國軍九十九旅被殲滅，共軍李先念突圍。
內政：槍決昆明暗殺案二凶犯，霍揆章遭革職看管。
　　為求穩定幣制，提高外匯率。
外交：蔣公不接受停戰，美拒發我已購軍火出口許可。

・解讀《蔣公日記》一九四六年八月・上星期反省錄（八月二日之後）

馬歇爾唯對政府施壓，而對中共軍事行動毫無制止能力，蔣公已極度反感而手擬八、九月份的進剿計畫。蔣公之目的，仍在以戰逼和。

・解讀《蔣公日記》一九四六年八月十五日

日記記載杜魯門來電，我猜測，必爲如不接受調解，美將拒絕提供援助。蔣公對美壓力雖有反感，但肯定其善意。

・解讀《蔣公日記》一九四六年八月十六日

馬是軍事專家，確認剿共無法如蔣公想像可速戰速決，而國民政府的經濟社會，絕難支持長期的內戰，是不幸而言中。

・解讀《蔣公日記》一九四六年八月二十三日

打通津浦與平漢二路之關鍵，其實不在軍事之進展，而在如何肅清鐵路兩側，共黨在抗戰期間所建立的地方政權，及其對廣大農村農民之控制，國民黨已無能力與共黨在農村鬥爭。

中共破壞鐵路大都用地方民兵，我於一九四七年夏，任砲兵十二團第二營營長，奉命出關到錦州後，錦瀋間鐵路，夜間即被共軍民兵將鐵軌拉立起來。白天，國軍派人修復未完，晚間又被破壞。在錦州滯留一個星期，才到瀋陽。

・解讀《蔣公日記》一九四六年八月二十七日

今日蔣公懺悔之日記，實乃戰略問題之重要啓示。召開國民大會爲重要政治戰略議題，抗戰勝利後，政治協商與召開國大，政府幾完全立於被動被打地位，蔣公乃深悔在抗戰期間未開國大之失策。

蔣公亦深悔去年重慶會談失敗，未下定決心全面進剿，不予共軍接收俄援及僞軍武器，以消化整建時間，至少先解決關內共軍主力。但問題是，國軍實際採取的攻勢，諸如對李先念、對蘇北，都未能達到殲滅成果。除非毛澤東離渝後，即決定全面進剿，不考慮政治協商等問題，尤為當時國際及國內政治情形所不許。

和，不能接受過高的政治價碼；戰，不能速戰速決。蔣公陷於和戰兩難，而毛於邊談邊打中，獲得生存與發展。

【九月逼和】馬歇爾強力調停

軍事：黃橋失陷，九十九旅旅長自殺。

冀東各縣及蘇北魯西晉南綏東，相繼收復。

內政：青年團代表大會閉幕。

蔣公巡視贛南。

匯率提高，美鈔大漲，物價波動。

・解讀《蔣公日記》一九四六年九月一日

從八月始，蔣公所訂進剿計畫及軍隊部署，我想按指揮程序，應已先由參謀本部完成建議與計畫，統帥一人在牯嶺，並無完整軍事指揮幕僚，何能詳細至此？此因蔣公事無巨細，親自決定。陳總長未事先參與討論與決定，應係事實。

陳誠上將對蔣公絕對服從，亦如何應欽、顧祝同等，爲蔣公極爲信賴的第一輩重要助手。抗戰末期以後，對陳更爲倚重，故先接替何應欽爲軍政部長，而於還都後，撤銷軍事委員會，改組爲行政院國防部，陳誠爲第一任參謀總長，具有直接向元首負責的軍事全權，亦即實質的前軍委會委員長，國防部參謀本部即軍事最高統帥部。但蔣公依其北伐以來的一貫領導風格，故於抗戰勝利後的對共進剿計畫，亦親自指示。

故日記中，看不到與參謀總長商談軍事戰略計畫的記載。鑑於一貫的服從性，陳總長似亦未對蔣公指示提出異議，故所有作戰命令由參謀本部下達前，蔣公對各戰區已先作指示，故參謀本部似僅在形式上下達書面命令，陳總長自應知道。但由於進剿不順，陳總長顯然感覺因蔣公直接指揮有關，但又不能抗命或提出異議，故以書面表示辭意，實即不滿蔣公的直接指揮風格。而蔣公以其一向忠誠服從，故引爲最大之煩悶也。

·解讀《蔣公日記》一九四六年九月二日

蔣公對陳總長的辭職信至感煩悶，故覆信特先與吳鐵城、張厲生及湯恩伯商討，不外措辭慰勉。蔣公未予責備，對陳誠覆函極爲愼重和緩，故自覺涵養漸進。但對今後的軍事指揮性格，似未改變。

日本投降，國軍主力遠處西南，對長江以北可謂鞭長莫及。而長江以北淪陷區，大都爲中共控制，建立了地方政權，共軍亦占地利之便，東北已被蘇俄占控，亦有利共軍，如何接收華北，爲國軍最大困難，故美軍先期在塘沽及青島登陸，其戰略意義有二：

一、美軍對蘇俄控制東北亞，必須採取反制對抗措施，故對西太平洋重要港口如青島與塘沽，不容共黨勢力控制，對國軍搶先占領平津走廊，及膠濟走廊有重大助力。

二、蔣公拒絕停戰，蔣夫人已知馬歇爾施壓之語而告知蔣公。撤退青島美軍，最後留約千餘人，乃施壓之具體行動。

·解讀《蔣公日記》一九四六年九月五日

日記載九十九旅旅長朱志席自殺，團長受傷被俘。九十九旅（實轄二九五、二九七兩個團）乃第一綏靖區（南通）李默庵所指揮，為進剿以來第一次嚴重挫敗，實乃綏靖區指揮兵力運用的錯誤：

一、中共黨政在無軍隊掩護下，可以在地方生存，故共黨是以黨政掩護軍，而軍則機動運用。

二、國民黨正相反。所有黨政皆須軍隊保護，軍隊到哪裡，黨才在那裡生存，故國軍須處處防守，不能機動。

三、毛澤東的戰略，是「傷十指不如斷一指」。中共控制了戰爭面，故其軍隊可機動，徹底集中絕對優勢，對國軍的據點包圍殲滅。九十九旅即在此戰略下被殲。但國軍採取攻勢，雖占領許多城市，但並未殲滅共軍野戰軍。李先念部被擊潰，未聞俘其營長以上軍官也。

·解讀《蔣公日記》一九四六年九月七日

整三師為國軍戰力堅強部隊，曾經三次長沙會戰及衡陽會戰（堅守四十七天）的光榮戰績。歸鄭州綏署指揮，進剿魯西地區，被劉伯承所部包圍殲滅，為第一次整編師（軍級）被殲，鄭州綏靖主任劉峙應負責任。

其後撤銷鄭州綏署，改由顧祝同指揮，成立陸軍總司令鄭州指揮所，我乃隨顧總司令到鄭州。

·解讀《蔣公日記》一九四六年九月十日

此際，黨與團都陷於內鬥，而與共鬥則無志無力。所謂「內鬥內行、外鬥外行」也。

·解讀《蔣公日記》一九四六年九月十八日

此際，中共尚無席捲全大陸的野心。

自六月第二次停戰令延長至月底，乃至無限期延長，實際以「打」爲主，「談」是表面未破裂。然國軍三個月來的攻勢，只占領若干共區城市，但並未收到局部殲滅的效果，反而被共所局部殲滅，如蘇北黃橋的九十九旅和魯西的整三師，因此共黨氣焰更高，故只願談停戰而不願談政治（參加國大與參加政府）。蔣公以戰逼和的策略是失敗的。

共黨雖表面不願馬歇爾調停，實際認爲馬歇爾調停是對共有利的。經兩次停戰，共黨未作任何政治讓步。在軍事，一面爭取時間，消化整建所獲蘇俄提獲的武器，一面以機動戰略，中原軍區李先念部突圍成功；一面在蘇北與魯西，得局部殲滅戰的成功。

國共談判，共方自然希望蘇俄介入。不但蔣公堅拒，美方亦不同意。而美方調解之本意，乃在唯有中國停止內戰，美國才能援助中華民國的復興建設，作爲美國在東亞的堅定盟友，以反制蘇俄的擴張（當時尚未期待扶植日本爲其東亞盟友，故扶植日本，乃由於國民黨失去大陸政權及韓戰爆發，美國的遠東政策，才改以扶植日本及南韓，以取代中華民國）。可惜，美政府與馬歇爾因不滿蔣公個人而放棄中華民國，故韓戰、越戰，美國付出千百倍的代價。

在一月十日第一次停戰之前，國軍第十六軍（軍長李文，原第一戰區胡宗南序列）已進抵張家口近郊（蘇軍於一九四五年進入東北後，迅即占領張北，並支持共軍占領張家口）。

馬歇爾來華後，蔣公原擬攻占張家口後宣布停戰，但迫於馬歇爾的壓力，宣布停戰而未攻入張家口，故蔣公念念不忘張家口。六月一日第二次停戰令前，未能攻占，以迄九月，仍未攻占。現在第三次停令在邇，故蔣公仍擬占領張家口以後，再發布第三次停戰令。

準備第三次停戰令之目的，在換取共黨參加十一月十二日的制憲國大。

蔣公對馬歇爾及美政府不能諒解處，在於美方未對蔣公提出明確的支援承諾，與政治讓步的底線。馬歇爾似只要求停戰，而事實無法監督停戰，談談打打，雙方無法取得妥協共存的底線。

一九四六年九月，在時機上已確證無法以軍事解決，蔣公所想的統一概念而又未思及退一步謀求分治共存、和平競爭（在美國支持下）的策略。

・解讀《蔣公日記》一九四六年九月・反省錄

整個軍事檢討，其成就雖取得重要城市，但未殲滅共軍有生力量，且遭受蘇北九十九旅及魯西整三師的挫敗。但整個而言，國軍仍居絕對優勢，故共方堅持停戰第一優先。

由於國軍九十九旅及整三師的挫敗，共軍李先念的突圍成功，故五月來，共軍益增其信心。國軍自發動攻勢以來，雖收復很多城市，但未殲滅共軍有生力量。

用兵的主旨，在全軍（不被敵人殲滅）與破敵（殲滅敵人）。所有戰略與戰術，都是環繞這兩個主題在循環推演。

毛澤東的戰略思想：

甲、不打無把握的仗（全軍）。

乙、地失人在，有人有地；地在人失，人地皆失（不固守城池，機動作戰，以有生力量爲目標）。

丙、傷十指不如斷一指，逐次徹底殲滅敵人有生力量。國軍九十九旅在蘇北、整三師在魯西被殲，即此一原則的運用。

【十月巡台】忙中偷閒避談判

軍事：安東、遼通、開魯等地陸續收復，南滿基礎已穩。收復張家口，第一期進剿計畫完成十之七、八。

內政：戰事順利，蔣公飛赴台灣巡視。小豐滿電力直送瀋陽，工業經濟漸復。軍事目標達成，準備停戰，召開制憲國民大會。

・解讀《蔣公日記》一九四六年十月一日

蔣公堅持攻下張家口再停戰，實乃鑑於第一次停戰令前已攻抵張家口，因停戰令而停止攻入，故於六月第二次停戰令後，必以攻占張家口為再次停戰的先決條件。其實在和戰的大戰略中，張家口的得失是一個小問題，重大根本在如何確保雙方就地停止衝突。其實僅憑三人小組及軍調執行部，是無能做到的，而蔣公似從未問馬歇爾，根本不是頒發停戰令的問題，而是如何確保真正停止軍事衝突。馬歇爾不能提出保證，美政府亦未保證，只要停止軍事衝突，全力支持中華民國整軍與經濟建設，亦未保證如果中共再違反停戰令，美方如何採取反制措施。

如能確保停火，則先停戰，政治條件再慢慢談，未始不可。蔣公的顧慮，則是無限期拖延政治談判，軍事衝突繼續進行，政府反居被動挨打地位，自應堅持。

蘇俄不希望中國和平建設而傾向美國，美政府將對蔣個人的成見或不滿，而不顧中華民國的成敗和美國亞洲政策利益，是美國政府的失策。此乃美國二戰後對抗蘇俄，付出重大代價的根源。

・解讀《蔣公日記》一九四六年十月二日

從日記中蔣公與馬歇爾對張家口的問題歧見甚大，竟成蔣、馬無法調和的死結。

・解讀《蔣公日記》一九四六年十月三日

馬對共提出的四項條件：讓出十三名國民政府委員名額、共黨國大代表名單提交馬保存、蘇北共軍撤至魯南、大同解圍。其實對政府是有利的。

爲何不同意馬對共所提條件？如中共不接受，則馬必傾向政府也。爲何堅持攻取張家口？實乃因小失大。

・解讀《蔣公日記》一九四六年十月六日

政治談判已近破裂，馬歇爾亦作最後攤牌，曾三日不見蔣公。而六日約見，雙方氣氛已甚難堪。

・解讀《蔣公日記》一九四六年十月八日

中共不接受休戰十日（即蔣公之意），可見雙方以軍事爭奪張家口，作為談判籌碼。

・解讀《蔣公日記》一九四六年十月・上星期反省錄（十月十二日之後）

蔣公認為下半年的進剿軍事戰略態勢，已居於有利地位，但其實不但未能殲滅中共野戰軍，且國軍遭受局部被殲，雖擴展了收復地區，益增加國軍的防守負擔，而形成兵力分散。更由於國民黨地方政權全賴國軍保護，亦使國軍失去機動集中的功能。就軍事戰略而言，一九四六年的兩期進剿並未成功，僅在表面上收復了若干城市而已。

在蔣公堅持下，第十二戰區終於十月十一日攻占張家口，國軍從包頭、歸綏、集寧、張家口到承德之線完全打通，亦即主控了熱察綏三省（今內蒙自治區），隔絕了關內共軍與外蒙的聯絡。此所謂國防對北基點，亦即隔絕了蘇俄利用或經由外蒙，對關內共軍的聯繫。

蔣公自覺軍事勝利，而毅然片面發布國大召集令，蓋恐協商拖延時日，將迫使國大延期。蔣公乃採政治的主動先制，至少迫使共黨以外的黨派就範，參加國大，以孤立共黨。

・解讀《蔣公日記》一九四六年十月十三日

國大召集令必須在十月十二日以前下達。此一主要政治議題，自政治協商會議一月十日召開後，迄無協議。在未與中共及各黨派協議前，發布了召集令，故馬歇爾及司徒雷登大使認為，是關閉政治協商之門。馬質問蔣公，是否專用武力為工具，達成政治之目的，如此絕不能成為民主。懷疑是否實現三民主義的民主政治，一直是美國與馬歇爾對蔣公的成見。

·解讀《蔣公日記》一九四六年十月十四日

蔣公以收復張家口後，雖可考慮停戰，但在政治上採取高姿態，即迫使共黨接受整編與參加國大，而以乘軍事勝利，發布國大召集令，迫使三人小組與五人小組立即開會。三人小組商停戰及共軍整編，五人小組談國大及憲草。

·解讀《蔣公日記》一九四六年十月十五日

此際停戰如能確保共軍不再背約攻擊，則國軍既可保有已獲戰果，又能得馬歇爾之「同情」，增進中美合作信心，至爲重要。軍事之再求進展，已屬次要矣。想法是正確的。

·解讀《蔣公日記》一九四六年十月二十二日

蔣公首次來台飛抵松山機場後，乘車直趨草山溫泉，之後走訪圓山忠烈祠，經北投至淡水，巡訪舊砲台故址，見劉銘傳手書「北門鎖鑰」，感慨之餘，親手在球場旁，與蔣夫人各手植樟樹一棵。

·解讀《蔣公日記》一九四六年十月二十三日

蔣公第一次到日月潭，即印象奇佳。來台後，每年均住日月潭共計一個月以上。

·解讀《蔣公日記》一九四六年十月·反省錄

毛派周談判，自己不站在第一線，而蔣公總在談判第一線，所以先天居於不利而無緩衝，故蔣馬之關係誠惡劣極矣。

【十一月制憲】制憲國大終召開

軍事：劉汝明部被共軍偷襲。

　　蔣公主動停戰，下達國大召集令。

內政：第三方面要求國共談判，蔣公拒絕。

　　十五日國民大會開幕，到會一千三百餘人。

　　外匯基金因商業投機匯兌減損。

．解讀《蔣公日記》一九四六年十一月．大事預定

此際，蔣公重點仍在政治與軍事，而實際上，經濟問題已非常嚴重，非軍事成就所能解決。況所謂第一期進剿計畫完成十之八，但未殲滅共軍有生力量也。

政府忍讓的最大限度似乎已定，但馬歇爾如何保證，縱使中共要求停戰，中共如再襲擊，美國如何支持政府？蔣公似亦未反問馬，在日記中看不出來。

毛始終居於談判第二線，而以周恩來居於第一線，而蔣公親立於第一線是失策。

事實已明證，一年的軍事行動不能達成速戰速決。由於國民黨在淪陷區基層空虛，結果表面的勝利是克服若干城市，實際則是多一個城市，多一個包袱。

·解讀《蔣公日記》一九四六年十一月四日

現行憲法都採取張君勱的意見，亦可說，張君勱是中華民國憲法的產婆。

·解讀《蔣公日記》一九四六年十一月十日

陳辭修為蔣公極為親信倚重的將領，亦如何應欽、顧祝同等對蔣公之忠誠服從。但以敬公與墨公的修養忍耐工夫，從未對蔣公之不悅或指責，有任何違逆的表示，辭公則不然。自從接任參謀總長後，尤其對共軍的清剿、對蔣公直接指揮戰區，曾有書面辭職之表現。今因蔣公對其參謀次長人選，未見徵詢其意見而不滿（其實徵詢意見如蔣公堅持，辭公仍會服從），拒於蔣公指定之時間與馬歇爾會談，實為藉故鬧情緒，使蔣公極為傷心悲痛。其實部屬有個性、持己見，並非壞事，而唯唯諾諾者則大多庸才。蔣公時嘆人才難覓，其實與他用人風格亦有關也，楊杰（耿光）即為一例。

蔣公雖主動停戰，但馬歇爾與司徒大使仍無力促使共黨參加國大。司徒大使勸蔣公再延期，蔣公拒絕。

國大召集令下達後，實已政治談判攤牌，故第三方面要求延期，政策上不可能，但為求和諧，仍行主動（實際是片面）停戰，仍以部分代表未及報到，可作短期延期考慮，迫使提出各黨派代表名單為先決條件。

・解讀《蔣公日記》一九四六年十一月十三日

胡適以無黨籍身分參加國大，是重要象徵。

・解讀《蔣公日記》一九四六年十一月十六日

張君勱參加國大的條件仍為制憲原則，即實質內閣制而非總統制的憲法，蔣公終於接受。

・解讀《蔣公日記》一九四六年十一月・上星期反省錄（十一月十六日之後）

依據一月政治協商會協議，原定一九四六年五月五日召開制憲國民大會，後以國民黨六屆二中全會對政協決議的反悔，導致政治協商停滯，軍事衝突再起，迄一九四六年五月無法達成協議，乃宣布國大延期至十一月十二日，並於六月一日發布第二次停戰令。

第二次停戰顯然無效，馬歇爾亦無能為力，只有對蔣公施加壓力，延長停戰令。蔣公迫於馬的壓力，同意停戰無限期延長，事實並非雙方協議，故實質為「戰」的局面，「談」只是未宣布破裂而已。

國大再延期的日期益迫，蔣公認為國軍已有勝利成果，居於軍事戰略有利態勢。但半年進剿戰果，不但未能殲滅中共野戰軍，且在蘇北及魯西遭受重大損失，但認為以戰逼和戰略成功，故堅持國大不能再延。

中共則認為，半年軍事衝突，中原李先念突圍成功，無論華北、東北、蘇北、魯西、晉南，戰力未減反增，雖失去若干城鎮，但政治價碼更高（參見圖三〈第三次停戰令國共態勢〉）。除非恢復一月十三日前軍事態勢，拒絕馬歇爾調解建議。

蔣公以十一月十二日召開國大爲最後底線，已明知中共杯葛，故力爭其他黨派參與，尤以民盟要角張君勱爲然，此一策略成功。

・解讀《蔣公日記》一九四六年十一月十九日

周恩來回延安，事實等於談判之門已關。

・解讀《蔣公日記》一九四六年十一月二十三日

張君勱是參加國大的象徵人物，故蔣公竭力爭取。

・解讀《蔣公日記》一九四六年十一月二十八日

所提修正五五憲草之憲法草案，大多爲採納張君勱意見，而爲現行在台灣八次修憲前之憲法。

・解讀《蔣公日記》一九四六年十一月・上星期反省錄（十一月三十日之後）

我親聽蔣公在台灣一次集會中說，國大開會把他頭都鬧昏了，亦爲軍事失敗原因之一云。

【十二月決裂】調停失敗硝煙濃

軍事：共軍劉伯誠部竄過黃河南來，威脅徐州。

六十九師被共軍擊敗，戴之奇自裁殉職。

內政：二十五日完成制憲，確立民主政治。

法幣一日數貶，公教與軍隊皆發實物。

邊疆：新疆伊寧叛徒操縱阿山、塔城二區，屠殺漢人。

西藏代表不願為地方政府，不願列入憲法。

・解讀《蔣公日記》一九四六年十二月八日

蔣公認爲十二年的建國可達理想的小康社會，惜蔣公始終未考慮國共暫時和平分治之方案，至少三分之二國土，蔣公有從事和平建設之時間，豈止十二年而已！

・解讀《蔣公日記》一九四六年十二月十二日

國民大會既開幕，中共抵制不派代表參加，實際上和談已經破裂，但雙方都不願宣布破裂，承擔歷史責任。蔣公擬派人赴延安商談，僅是一種姿態而已，同時準備明年五月打通津浦路，期望仍維持邊談邊打的態勢。

津浦路北段兩側農村，均為共黨所控制的地方政權，除非政府能在原中共控制區建立地方政府，肅清其潛伏共幹，僅憑正規軍打通津浦路是不可能的，除非沿線有龐大的護路部隊。而線式的兵力部署，正是共軍民兵機動襲擊的弱點。

馬歇爾來華的任務是調停國共內戰，於今調停實質失敗，除非政府外交政策一面倒向美國，而美國又不放棄在中國大陸與蘇共對抗的政策，馬歇爾不可能由調人身分，轉變為協助政府剿共的軍事顧問。

蔣公欲與司徒雷登談馬歇爾任顧問事。馬如能任駐華顧問，將使中美關係好轉，而應是馬確認與中共無法和談，中國一面倒向美國之外交政策乎？

・解讀《蔣公日記》一九四六年十二月十四日

國民大會雖無中共及民盟搗亂，但國民黨分子並不安分，顯然看不到國共終將內戰的危機，還蓄意謀私利。蔣公固深感痛心，一九四九年後，「國大代」亦諷成為失大陸的亂源之一。

・解讀《蔣公日記》一九四六年十二月十九日

蔣馬相處極為緊張，且蔣公對馬極不滿意，而深恐馬認為破裂之責在蔣公。今日記載美政府公開宣言責在中共，蔣公稍覺寬慰而已。

美如認為談判破裂之責在共方，對蔣公而言，此應馬歇爾之意見也。

·解讀《蔣公日記》一九四六年十二月·上星期反省錄（十二月二十日之後）

今年一月，政協協議修改五五憲草原則，遭致國民黨六屆二中全會反悔，孫科亦被蔣公痛責。今蔣公認同政協修憲原則而慶幸，蓋五五憲草，一般民主國家認為是法西斯憲法，若二中全會接受政協協議，中共及民盟將無理由杯葛國大，則中華民國憲法為舉國各黨派一致參加制定之憲法。

而今在中共與民盟抵制後，仍通過政協協議之憲法，蔣公對民主政治的歷史地位業已確定，但國共談判卻陷於困難境地，不能不謂二中全會的決定為重大失策。

一、本年六月，無限期片面延長停戰令後，實際軍事衝突在邊談邊打態勢下進行。國軍在關內徐州綏署和鄭州綏署兩個主要戰場，由於兵力分散、協調無方，以致外線作戰之態勢，反被內線的共軍機動殲滅，我野戰軍泰興九十九旅（整編旅）及宿遷六十九師（整編師）被殲。尤以六十九師之敗，在國大開會期間，更漲中共氣焰。

二、蔣公在邊談邊打中，企圖以戰逼和，但由於既未殲滅共軍有生力量，而國軍反受嚴重挫敗，故亦不能達成逼和目的。

第二部

全面內戰的變局：一九四七年

戰爭總是免不了犯錯，而勝敗的分野，則在小錯勝大錯、少錯勝多錯。勝則全是，敗則全非。

整個剿共戰爭戰略錯誤，容後再作全面分析，僅說一九四七年一年的剿共內戰，在戰術已完全暴露國軍的弱點。證明了小敵之堅、大敵之擒的真理。

就陸軍而言，諸兵種混合的基本單位，從五千人到一萬人，或稱旅、或稱師，是最基本的戰略單位，亦是最大的戰術單位，而營則是最基本的戰術單位。

從師到營的領導與指揮，德國在帝國時代是採取二元制，亦即領導歸皇家系統，指揮在參謀系統，乃由於帝國時代的參謀總長毛奇，鑑於皇家冑裔代表皇家統軍，但不長指揮，乃另立參謀系統，負責作戰指揮。其後共和體制國家，如法國、美國，則採領導與指揮一元化，亦即指揮官負一切成敗責任。

【一月新局】美馬離華和談斷
【二月危情】軍事經濟皆慘澹
【三月攻勢】剿共清鄉興內戰
【四月失利】北方各地戰況急
【五月激變】戰事不利陷膠著
【六月均勢】共軍壯大勢均分
【七月游擊】共軍離巢四流竄
【八月國辱】美使驕橫辱中華
【九月混戰】共軍飄忽亂目標
【十月再戰】共軍全面起攻勢
【十一月危境】國軍失據陷被動
【十二月詭變】美俄互爭中國利

解讀一九四七

一、在軍事上，一九四七年的成果與年初所構想者落差甚大，但蔣公仍堅持信念。

二、在軍事戰略及共軍戰略戰術的優點，有客觀深入的反省與檢討。一年來急圖殲滅共軍主力，不但未達成目標，且蒙重大損失，已證明意圖速戰速決消滅共軍，為不可能的事，馬歇爾的判斷不幸言中。意圖自力更生，應為如何保存實力，建設江南為重點，但蔣公仍不忘情於收復地區重要據點之固守，尤以是否放棄長春，天人交戰，軍事戰略未能應勢調整。

三、一年進剿，蔣公以最高統帥，直接指導及第一線軍事，易使戰區及兵團指揮功能薄弱，甚至架空，致使全盤戰略構想，不能上下前後一貫，不符大軍指揮原則。

四、師以上大軍僅以糧彈攜行，其生存持續力與戰鬥持續力是有限的。一旦長期被圍不解，必敗無疑，大軍作戰，絕無置之死地而後生的可能。

五、可以信神，亦可重視道義，但神與道義，永遠不是戰略考慮因素。

六、自來用兵的基本原則：戰略的錯誤，不可能用戰術來補救，而戰術的錯誤，也不可能用戰鬥來補救。

戰爭總是免不了犯錯，而勝敗的分野，則在小錯勝大錯、少錯勝多錯。勝則全是，敗則全非。

整個剿共戰爭戰略錯誤，容後再作全面分析，僅說一九四七年一年的剿共內戰，在戰術已完全暴露國軍的弱點。證明了小敵之堅、大敵之擒的眞理。

就陸軍而言，諸兵種混合的基本單位，從五千人到一萬人，或稱旅、或稱師，是最基本的戰略單位，亦是最大的戰術單位，而營則是最基本的戰術單位。

從師到營的領導與指揮，德國在帝國時代是採取二元制，亦即領導歸皇家系統，指揮在參謀系統，乃由於帝國時代的參謀總長毛奇，鑑於皇家冑裔代表皇家統軍，但不長指揮，乃另立參謀系統，負責作戰指揮。其後共和體制國家，如法國、美國，則採領導與指揮一元化，亦即指揮官負一切成敗責任。

欲求戰術單位的功能健全，軍官教育制度與部隊訓練制度是根本。

國軍自黃埔建軍，前三期教育時間只有六個月，實際僅完成排長的教育。

一九二四年建校；一九二五年東征，統一廣東；一九二六年北伐，一九二八年統一全國。國民革命軍面對軍閥軍隊，如摧枯拉朽，勢如破竹。九年之內，黃埔一期由排長升到師長，從帶四十人到一萬人，其間未再受進一步的軍事深造教育。直到抗戰末期，統領十萬大軍以上，依然只受黃埔一期六個月的軍事教育。

黃埔先期打了天下，自信滿滿，甚或驕傲腐化，自信有作戰經驗，不屑紙上談兵的軍事深造教育。蔣公有鑑於將領深造教育的重要性，故於抗戰末期，特於陸軍大學，設立甲級將官班及乙級將官班的補救教育，且每期親自主持開學、結訓，及召見訓話。無如在學僅三、四個月，況且部分高級將領，並未體會蔣公苦心，把受訓當作休假，自己吃喝玩樂，帶了參謀、祕書，代替做功課。其效果不彰，在一九四七年一年內戰中可見。

抗戰期間，國軍在戰略持久的方針，以空間換取時間，基本上打的是防禦戰與退卻戰。除於抗戰末期，在緬北滇西行攻擊作戰外，八年的習慣，國軍是守陣地，故對運動戰、遭遇戰及陣地攻擊等戰術，似都格格不入。而在本年初全面進剿期間，都是戰術上的運動戰與陣地攻擊。在陣地防禦中，陣地部署在敵人未到達前，而部署既定，則掌握下屬，固定於靜態；而在運動戰中，部隊掌握是動態的，千變萬化。當國軍解圍攻擊，常被伏擊；及至遭遇戰中，失去掌握，全軍潰散，都種因於部隊未能在抗戰勝利後，增進運動戰的訓練，以適應進剿要求。

蔣公對戰術戰鬥問題，研究敵情，誠煞費苦心，而親訂《剿共手本》，但欲落實，非僅辦軍官訓練團所能辦到，必須透過軍隊訓練制度，加以測考後，才能收效。

國軍自黃埔建軍，乃至內戰末期，根本無暇建立健全的部隊訓練制度。部隊訓練一如人事經理，由部隊長包辦。重視訓練的部隊長，視部隊訓練關係全軍成敗者，如杜聿明，就我所知，是很重視訓練的指揮官，所以第五軍一直是戰鬥堅強的部隊。

而另一型的部隊長，只重視領導權，雖得兵心，但對訓練很少親自主持或講評。

共軍的軍官教育制度及部隊訓練制度，我沒有深刻研究，但其事事落實基層的作風，我體會很深。綜觀世界先進國家，在二次大戰期間，無論軸心國或同盟國，如德、日、英、美，他們都有健全完整的軍官教育制度，及部隊訓練制度。我在抗戰期間常聽人說，日本軍隊打仗簡直同演習一樣，可反證其訓練完全符合實戰要求。而發表此項觀點的軍官，又可反證我們演習是一回事，與實戰不相干。

綜觀一年的攻勢進剿期間，攻擊中未殲滅敵人；敵人放棄陣地了，未追擊，讓敵人重整集結，自己反而在攻占敵陣地後，轉取防禦，等待敵人反撲。無形中抗戰期間的防禦心態，又習慣性的用於剿共，使共軍順利圍點。解圍部隊不習於運動戰及遭遇戰，或在戰備行軍途中，遭伏擊或被阻，而不習於正面攻擊，使共軍阻援成功，而達成打點的戰略目標。

唯有運動戰，可以考驗指揮官的智勇與部隊的掌握。沒有部隊掌握能力，及與敵人相伯仲的機動力，便不能打運動戰，這兩項正是國軍當時的戰術弱點。部隊掌握必須依存於指揮官的戰術素養、完整的作戰構想、確實的通信聯絡，輔以下級指揮官的獨斷專行，才能達成。

唯有完整的作戰構想，下級指揮官充分了解上級的作戰構想，獨斷專行方能符合上級的要求。

在一九四七年一年的剿共戰爭中，從蔣公日記所看到的，下級似乎事事等待命令，而蔣公對第一線的指示亦多。我到現在不知，張靈甫守孟良崮是上級的命令，還是自己的決定？

機動力與掌握力，是國共雙方在戰略及戰術上成敗的關鍵因素。國軍取攻勢，抓不住敵人而撲空；國軍在面對優勢共軍攻擊，不能迅速脫離，而寧採取防禦，益證明其機動力與掌握力脆弱。

針對以上問題，國軍應深知速戰速決、殲滅共軍是不可能的。僅從軍事的思考，應是如何保存實力，爭取時間，徹底檢討改進弱點，而採取戰略守勢。此時不是如何消滅共軍的問題，而是如何不被共軍消滅的問題。

一九四七年當年時勢

【一月新局】美馬離華和談斷

外交：馬歇爾八日離華，旋就任美國務卿。
我軍占領西沙群島，法國軍艦威脅交還。

軍事：整二十六師及整五十一師被殲，新式重砲落入共軍手中。

社會：女生被美兵姦淫，京滬杭各城學生響應北平學潮。

・解讀《蔣公日記》一九四七年一月四日

整二十六師在魯南向城的損失，是馬歇爾離華前國軍重大的挫敗。其損失的砲五團一〇五榴彈砲，爲抗戰時駐印軍所屬之新式砲兵團。我服務的砲十二團，亦係同時在印度藍姆伽所成立之一五五重砲團。

整二十六師的失敗，蔣公決定撤換薛岳，將徐州綏靖公署，改爲陸軍總司令徐州指揮部，顧祝同上將移駐徐州，但鄭州仍歸其指揮。

其時，砲十二團駐鄭州，我被任爲第二營中校營長，但仍兼顧上將參謀職。砲十二團第二營，亦隨顧上將，由隴海路運往徐州駐防。

・解讀《蔣公日記》一九四七年一月五日

向城挫敗檢討：

一、外線作戰指導問題。

二、最高統帥與戰區指揮官分際問題。第一線兵力部署與運用，非最高統帥所應掌握。

・解讀《蔣公日記》一九四七年一月八日

馬歇爾離華，並非如昔七上廬山之傳聞。且國共衝突從「邊談邊打」階段，進入「只打不談」階段。

此際蔣公內心觀感如何？在以後美國外交之政策上（馬任國務卿），顯然對我不利，尤其借款不成，對我財政經濟影響甚大，導致最後軍事失敗。

馬歇爾爲二次大戰軍事戰略重要決策者，其先歐後亞固無論矣。而爲減少美軍對日作戰傷亡，竟出賣中華民國，與蘇簽雅爾達密約。他危害中華民國的責任，不低於羅斯福。馬與麥克阿瑟、艾森豪，同爲二次大戰美國名將，而麥帥與艾森豪，則與蔣公志同道合也。

・解讀《蔣公日記》一九四七年一月九日

馬歇爾離華後，蔣公針對陳毅共軍，指示五路進兵的外線作戰方案，但會戰計畫，必須由薛岳所主持的徐州綏靖公署綿密策定，非僅最高統帥之指示完成也。而蔣公指示之前，是否與參謀總長及其幕僚研討，日記未明言。依理，應係與陳誠商議後決定。

・解讀《蔣公日記》一九四七年一月・上星期反省錄（一月十一日之後）

馬歇爾回美國，對剿共軍事再無人施壓要求停戰，故蔣公自覺精神解放與自由了。

・解讀《蔣公日記》一九四七年一月十三日

此時形式上組聯合政府，以應美政策。蔣公之意，乃組織共黨不參加的聯合政府，亦是統戰策略。

・解讀《蔣公日記》一九四七年一月十四日

所謂「花園決口」是一九三八年夏徐州會戰後，國軍為阻絕日軍西進，在鄭州、開封間黃河堤花園決口，沿賈魯河形成廣大氾濫區，使日軍無法前進，爭取武漢會戰時間，確保隴海西段不被日軍攻陷。

抗戰勝利後，於一九四六年冬，乘黃河枯水時期堵口。當時，我隨顧祝同上將在鄭州，曾親往視察。此際雖枯水期，但決口亦如水壩洩洪，其勢如萬馬奔騰。動員十萬民工以木石一舉斷流，實乃驚險艱鉅工程，閻振興當時是參加工作的年輕工程師。

・解讀《蔣公日記》一九四七年一月十九日

軍事調處執行部，原由美方、政府及共方三方面幕僚人員組成，隸屬三人小組。馬歇爾回美後，三人小組已不存在，但美方幕僚仍留在調處執行部，其實已不能發生功能，無論就美方及共方而言，是藕斷絲連。如美國決定撤銷其在執行部人員，乃表示美已完全退出調解，連象徵性也沒有了。

馬歇爾離華後即調任國務卿，可見受杜魯門的倚重。以蔣馬一年相處情如冰炭，馬歇爾對華態度不言可喻。

國共和談基本上破裂。蔣公擬在關內取守勢，建設收復區，實施憲政，而關外似仍採取攻勢。此無論攻守，關內關外均顯兵力不足，實難以兩全。戰略上，不能專注目標是失策。此際，實應在關外取守勢，集中兵力優勢在關內，方為上策。

・解讀《蔣公日記》一九四七年一月二十日

國大在中共杯葛下完成制憲，已採納了一九四六年一月政協會議所通過的制憲原則。故蔣公在孤立中共、分化民盟、拉攏青年黨、民社黨及無黨籍人士，照政協協議改組政府（亦即行憲前過渡性聯合政府）。原定國府委員四十名，共黨及民盟堅持要十四席，即三分之一以上的否決權。

蔣公希望完成政府改組，擺脫一黨專政罵名，作對內對外的政治號召，以孤立中共。

・解讀《蔣公日記》一九四七年一月二十三日

因黃氾區以東，豫東與皖北為中共控制區，一旦堵口完成，便於國軍進剿，故中共威脅美方，反對美方支援堵口。

・解讀《蔣公日記》一九四七年一月二十五日

徐州綏署第三綏靖區馮治安轄整五十九師，師長劉振三（轄一八〇、二三〇兩個旅）；整七十七師師長王長海（轄二十七、一三二兩個旅），負責魯西地區。

當準備對魯南發動攻勢時，魯西共軍必牽制國軍，而負責魯西的馮治安，為舊西北軍，抗戰時在台兒莊表現很好，但內戰時顯然官兵的戰鬥意志不若共軍，甚至意圖保存實力，此為對日抗戰與內戰之重大精神分野。

・解讀《蔣公日記》一九四七年一月二十九日

蔣公未能切實檢討一九四六年一年中進剿得失的因素，期於今年開始爭取軍事上決定性的勝利，置主目標於關內戰場，而以進剿魯中為根據的陳毅部為主目標，而策定了外線作戰、四路向心攻勢的計畫。

然而此一計畫在備戰階段，即遭受嚴重挫折。由於鄭州指揮所顧祝同所指揮主力，向豫北取攻勢，反使劉伯承避免在豫北決戰，東渡黃河，重占魯西，南下影響徐州綏署的攻勢，故蔣公痛責顧總司令。但徐州方面，竟使精銳的快速部隊，含一〇五公分重砲及戰車突出於向城，先被陳毅以內線態勢，機動集中優勢，擊破一方的內線作戰指導成功，故蔣公深為憤怒，而痛責顧、薛二將也。

在國大制憲完成，馬歇爾回美國任國務卿後，司徒正式通知，退出三人小組及結束軍事調處執行部，乃宣告美國今後不介入國共內戰。

此際蔣公願與中共直接談判，遭中共拒絕。其實，毛澤東已深信在馬歇爾調處期間，國軍表面雖在東北及關內收復若干城鎮，但未能殲滅共軍有生力量。而國軍在蘇北、魯西、魯南遭受五十一旅、六十九整編師、整編第三師以及整編二十六師的被殲，毛澤東不但不怕，而且希望打。蔣公以戰逼和的策略完全失敗，而毛澤東以和逼戰的策略反而成功了。

・解讀《蔣公日記》一九四七年一月三十日

共軍的機動作戰，常以「你到我家來，我到你家去」，故劉伯承面對國軍攻勢而避免決戰時，則採取向國軍後方突進，而非向共區後方撤退，迫使國軍變更作戰線。作戰線，為大軍大戰從後方基地到第一線的正面垂直線。大軍作戰變更作戰線，是很困難的事。

・解讀《蔣公日記》一九四七年一月三十一日

蔣公領導風格，事無鉅細，都常詳盡指示或手令。古語云：「將在外，君命有所不受。」而蔣公指示過詳，未必與第一線情況相符，但前方將領對蔣公指示，一向絕對服從，故有強其所難之態度。

由徐州綏署負責，對魯南陳毅部採取外線作戰合團之攻勢，故參謀總長陳誠赴新安鎮督戰，當時由湯恩伯指揮第一兵團，係主攻兵團。

・解讀《蔣公日記》一九四七年一月・反省錄

日記載，國共交手時，中共採人海戰術問題，蔣公認為比晚唐黃巢、明末李闖更殘酷。

綜計一九四六年一年的進剿，蔣公所云得失甚大、成敗互見。其實所謂得者，乃在收復了若干城鎮及地區，所謂成者亦在此。但國軍雖進占到原共軍控制區，但未能殲滅共軍有生力量，而共區原來的黨政組織，依然潛伏生存，控制戰爭面。國軍黨政人員只能隨軍推進，軍進則進，軍退則退。蔣公要求縣長與縣城共存亡，根本做不到。

共軍則雖暫時退出共區，但其黨政並不隨軍撤退，繼續有效控制國軍所進剿收復的農村，故劉伯承只要兵力優於國軍，隨時可重回魯西。而進駐魯西的國軍，主要為原西北軍馮治安所統領，第三綏靖區並不能全面掌握魯西農村，一旦面對優勢共軍，只有撤退，否則亦被圍殲。

一九四七年一月開始，政府無論在政治、經濟與軍事方面，都處於不利的地位，尤其軍事的挫敗為然。

一九四七年一月最大軍事挫敗，為整二十六師及整五十一師被殲。綜計自一九四五年十月底進剿以來，國軍先有平漢北段高樹勛新八軍投共，一九四六年整三師在魯西定陶被殲，九十九旅在蘇北如皋被殲，整六十九師戴之奇在宿遷被殲，情勢已甚嚴重。整編師長（相當於軍長）陣亡及被俘者四人，即趙錫田中將、戴之奇中將、馬勵武中將、周毓英中將，旅、團長以下更無論矣。反觀國軍進剿以來，從未聞俘虜共軍團長以上將領，從而可知得失落差之大。

從一月以來的軍事發展來看，共軍不但不怕打，而且更具信心而敢打、能打了。一九四六年的整個軍事戰，國軍是求戰共軍的主力予以殲滅，而共軍避免決戰的戰略是成功的。共軍在一九四六年面臨國軍攻勢，一面避免主力決戰，故突圍（如李先念）者突圍，後撤者後撤（如蘇北、魯西），但仍待機集中兵力突襲一點，吃掉國軍整編師級單位，這就是毛澤東「傷十指不如斷一指」的戰略。

馬歇爾於一月八日離華。甫離華即任美國務卿，以他一年與蔣公相處，幾達水火不容的程度，雖保持禮貌風度，當然對中國政策不會有利。蔣公原急期的五億美元貸款，擱置無進展，實際即不貸，致我國外匯日減，黃金日空，通貨膨脹加激，經濟危機已無法支持內戰。

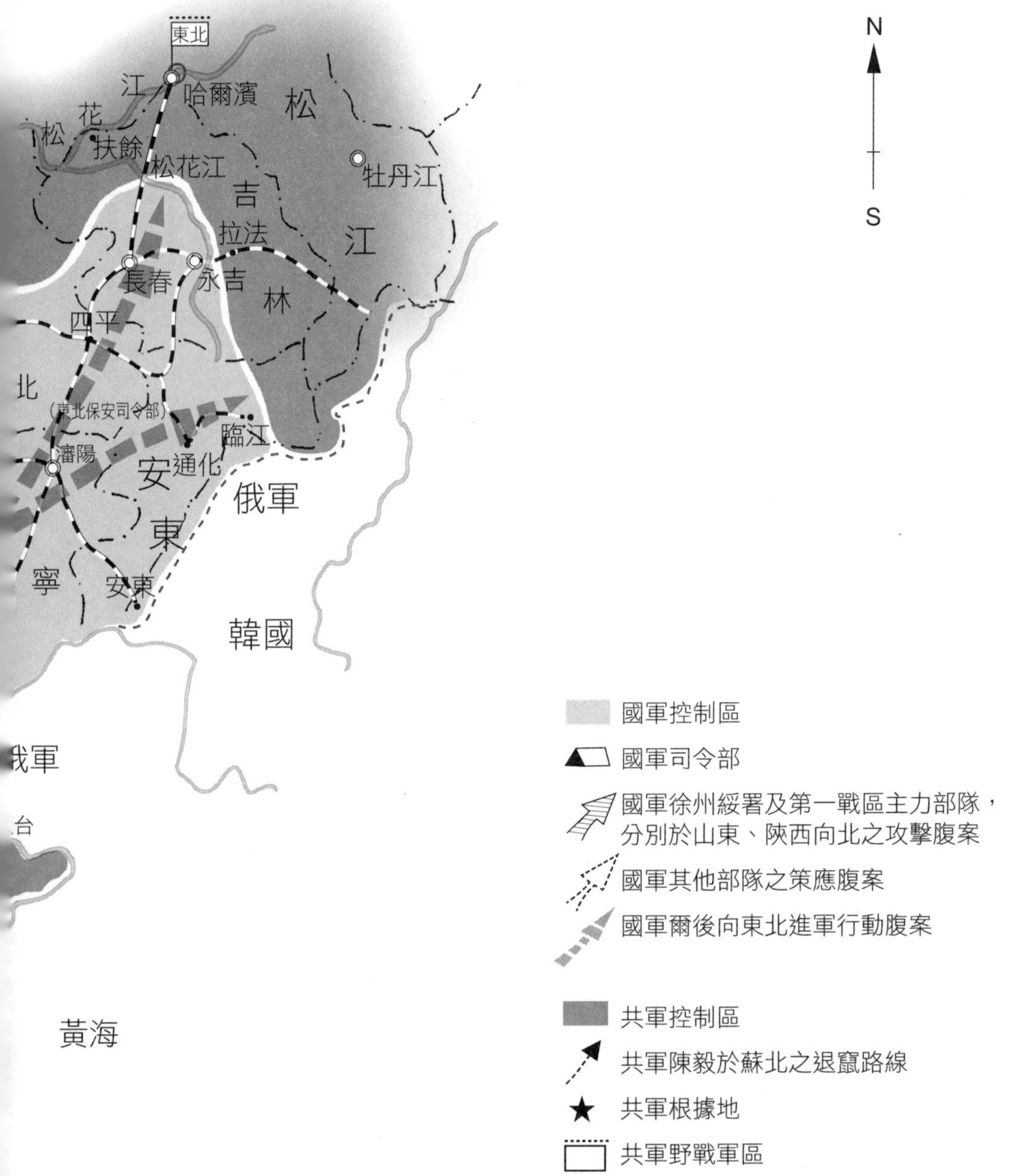

圖片來源：國防部史政編譯局（郝柏村提供）

國軍掃蕩魯南共軍陳毅部隊之作戰計畫
(1947年1月)

【二月危情】軍事經濟皆慘澹

經濟：上海停售黃金，經濟掀起大風波。

軍事：七十三軍與整四十六師被殲，吐絲口與萊蕪之間屍橫遍野。劉伯承部橫行魯西、豫東，忽南忽北，或隱或現。

・解讀《蔣公日記》一九四七年二月三日

日記裡的最高統帥對戰局憂心未已，憂懼時起，幾乎成爲驚弓之鳥，實爲極嚴重的心理現象。就理性而言，實應客觀檢討敵我戰略問題，亦即信心問題。

・解讀《蔣公日記》一九四七年二月四日

四十五師師長胡長青（一九四九年任軍長，在西康西昌陣亡），屬第五軍。軍長邱清泉時駐魯西，四十五師在柳河，東進策應魯南主力攻勢。蔣公日與陳總長辭修、空軍總司令周至柔、第五軍軍長邱清泉通電話。陳總長擬派駐隴海路商邱（歸德）的一個團，應係整七十五師的一個團，但蔣公不同意而制止之。

按大軍統帥團級部隊的運用，應為戰區司令官（亦即綏署主任）以下之職權，不但最高統帥不宜干預，即參謀總長既策定會戰計畫後，臨機處置是戰場指揮官的事。戰區司令必須負會戰成敗的整個責任，蔣公以最高統帥干預一個團的運用，在大軍指揮上並不恰當。

此時，我在鄭州指揮所任顧總司令隨從參謀，兼砲十二團第二營營長，當年不夠資格參與對蔣公的簡報。

十六旅為整七十五師所轄（師長沈澄年），駐隴海路歸德（即商邱）。奉派增援皖北亳州守軍，但抵達前，亳州已陷，而十六旅在亳州郊外被優勢共軍所圍，情勢危殆。蔣公乃令空軍協助突圍。按進剿期間，共軍因無空優，故大部隊行動常於夜間奔襲，同時由於我火力優勢，而敵長於夜間利用人海戰術衝鋒。十六旅雖被圍，幸賴空軍夜間投照明彈，共軍無法在夜暗能見度不良摸黑衝鋒，故夜間突入陣地之五百餘人，在照明彈照明下，守軍可發揮火力予以殲滅，故能完成突圍。

·解讀《蔣公日記》一九四七年二月七日

國軍在魯南採取攻勢，以殲滅陳毅主力。由於二十六師在向城、五十一師在棗莊被殲，緒戰已屬不利。而魯南主攻方面，開始時，共軍即避免決戰，後退並堅壁清野，使國軍進入共區後，一切物質都靠後方補給，甚至連飲水都困難。就戰略戰術而言，尋求決戰必須迫使敵人無退避之自由，顯然魯南主攻未能做到拘束敵人的先決條件。而共區在共黨多年經營控制下，民眾亦隨共軍意志行動，可見其對民眾的組織與控制效果，亦如美軍在越南進入共區卻找不到敵人，但到處都是敵人。是以二十六師及五十一師之挫敗，即在於過於突出，而共區民衆人人皆爲情報員，人人皆爲保密員，既能完全掌握國軍情況，又能掩護共軍祕密，故常使國軍孤懸單位遭受圍攻，而其主力則進退自如。

·解讀《蔣公日記》一九四七年二月八日

蔣公追悔未先毀滅共軍，其實只有西安事變以前一個時機，但蔣公冒險親往西安，被劫持而妥協，則抗戰開始，一心抗日，難以同時剿共，亦爲民心所不許。唯在淪陷區，國民黨原居優勢，而被中共逐出，實國民黨在敵後地區鬥不過共產黨，乃致命傷也。何以如此？政府迄未檢討原因。

馬歇爾離華後，和既無望，戰亦無果，共軍氣焰益高，而經濟崩潰，絕難支持內戰。宋子文任行政院長，專長於財金，而對經濟建設並無計畫，財政赤字日增，美元貸款絕望，巧婦難爲無米之炊，只有印發鈔票以虛應一時，其實非宋子文一人所能力挽。

魯南主力進展遲緩，國軍此時處境是，主戰場求決戰不可得，支戰場則挫敗與被動。政治、經濟、軍事，在一九四七年初，其實已陷入嚴重危機。蔣公年初所擬進剿進度，勢將落空。

·解讀《蔣公日記》一九四七年二月·上星期反省錄（二月八日之後）

蔣公此際處境已非常艱難，幾乎全部心力用於關內戰場，寄望於徐州綏署及陸總鄭州指揮所兩個主戰場，故親臨徐州、鄭州指導戰略事宜，但似不爲第一線戰區長官所心服，但又必須服從，故蔣公自覺「所部已覺可厭矣」。其實，大軍指揮戰略方針既定，戰區司令負成敗全責，最高統帥本不宜親作師旅部隊之調動。

蔣公對中央銀行總裁，一向要由自己的信任人氏擔任。貝祖詒為宋子文力薦，而蔣公後來終於用俞鴻鈞，並負責黃金運台，彼後任行政院長。

·解讀《蔣公日記》一九四七年二月九日

抗戰勝利，國家未能和平建設，發展經濟，改善民生；內戰爆發，經濟發展停頓，美國貸款無著，外匯日竭，黃金日空，軍費浩繁，收支不能平衡，通貨膨脹加速惡化。宋子文以財政金融要求減少預算赤字，並無不當。但戰禍延長，生產停滯，經濟投機風氣益甚，物資缺乏則囤積居奇，蔣公力主仍用抗戰末期，軍公教以發實物代替薪俸，其實都不能解決問題。此際，蔣公心緒之煩，非局外人所能體會也！

·解讀《蔣公日記》一九四七年二月十日

此際，蔣公熱切期望魯南會戰與陳毅部決戰，故聞膠東有力共軍南下，而判斷陳毅亦準備決戰，故蔣公引以為慰。

為配合魯南攻勢，鄭州應向魯西施壓，採取攻勢，以為配合，而認為顧祝同上將在魯西獲一得為足，放棄良機，而不能再用。

其實，顧上將非常體恤部下，蓋連日攻勢，部屬必稱疲勞，而要求稍作休整，自易失去戰機。蔣公對顧上將雖云不能再用，但信任有加。何況顧上將自到鄭州，未有任何失敗，故蔣公雖云不能再用，實際則更加重用。月後，徐州指揮責任亦交顧，我亦由鄭州調駐徐州（砲十二團第二營）。一九四八年，顧並調任為參謀總長，但由於剿共全面失敗，來台後，亦自承國家罪人（在其慶生茶會中說）。

·解讀《蔣公日記》一九四七年二月十二日

抗戰勝利前，政府爲收縮通貨，舉辦黃金儲蓄計畫，每兩五萬元法幣。但抗戰勝利後，宋子文決定減半兌現。當時，學者即論爲，政府言而無信，必敗。

·解讀《蔣公日記》一九四七年二月十三日

中共與國民黨在鬥爭策略最大的差異，在共黨深入農村基層其所控制地；國軍雖進入，但不能建立有效政權與控制基層社會，軍隊到那裡，黨政到那裡，軍隊撤退了，黨政亦不能原地生存。共黨則是以黨政掩護軍隊，軍隊撤退了，其黨政仍在原地有效施政，包括對軍隊的物資支援。通常大軍離開補給線，則無法生存，而共軍則不然，只要在其黨政控制區內，不須補給站，地方政權就是全面的補給線。魯西、冀南、豫東、皖北，均爲農村地區，共黨地方政權控制已久，能發揮其全面補給、全面情報、全面反情報，故劉伯承以二十萬以上大軍，可在其區飄忽行動，完全立於機動、主動地位，而難以捕捉聚殲。

·解讀《蔣公日記》一九四七年二月十四日

抗戰勝利後，蔣公似先以軍事解決中共，然後再談經濟建設。其實，美鈔暴漲、黃金搶購、物資囤積、物價飛漲、通貨膨脹等經濟問題，不可能用政治方法解決。物價是供需問題，供需平衡自不會漲，政府收支平衡則通貨不會膨脹，物價亦無從漲。故穩定物價，唯依增加生產力，幣值穩定（必須政府收支平衡），故物價非用政治或行政力量所能管制。

馬歇爾回美後，貸款無望，外匯短乏，美鈔與黃金跟著漲。商人敏銳，不投機是不可能的，非僅上海也，舉世皆然。故經濟金融管制政策，必然失敗。

而一九四七年開春後，軍事進剿不如預期。魯南主攻進展滯鈍，冀南、豫北、魯西之劉伯承部飄忽牽制，圍剿無著。而經濟金融之危機，其動搖國本之嚴重性，更甚於軍事問題。

・解讀《蔣公日記》一九四七年二月・上星期反省錄（二月二十二日之後）

蔣公對高級將領的批評是事實，但這些將領是他培養的。北伐時少年得志，面對腐敗的軍閥可一衝而散，但面對有思想的共軍，一如北伐時驕傲輕敵，可印證《孫子》所說：「小敵之堅，大敵之擒」之至理。

會戰間，參謀總長陳誠坐鎮徐州，待攻占臨沂即回京，而認為會戰任務完成且請病假。從日記可測，此其間，蔣公與陳誠必有意見上的不協調，但陳絕對服從蔣公，或許只有稱病示意。

魯南會戰，國軍居外線，主攻兵團雖攻占臨沂，但陳毅主力未與決戰，反轉兵力北上，對由萊蕪南下之北方兵團七十三軍，埋伏襲擊成功，不但整個會戰目標未達成，而七十三軍因而覆沒。

・解讀《蔣公日記》一九四七年二月二十五

七十三軍與整四十六師在萊蕪吐絲口被殲，使整個魯南會戰外線合圍的計畫完全失敗，故蔣公有剿共前途茫茫之感。指揮七十三軍與四十六師的總指揮李仙洲，與李玉堂、李延年都是黃埔一期，號稱山東三李。李玉堂抗戰戰功極著，來台後以涉共諜案被處決。李延年則因棄平潭島，交軍法審判。

半年來，在山東戰場，先後有整二十六師、五十一師、七十三軍與四十六師的全軍覆沒，陳毅兵力益強，故決定放棄膠濟路，但濟南的補給線僅靠津浦線矣。

·解讀《蔣公日記》一九四七年二月二十六日

軍事剿共不可能達成，而經濟已瀕臨崩潰，此時應是檢討整個對中共政策，如何退而求其次的共存戰略。

蔣公自濟南回京，對白崇禧、陳誠、劉為章（作戰次長）及顧祝同、湯恩伯等訓話。各戰場指揮，大多由蔣公親自指示，陳誠參謀總長自亦負重大責任，故蔣公言：「未知辭修有動於衷否？」

·解讀《蔣公日記》一九四七年二月·反省錄

此際應係徹底檢討軍事戰略的時候，但蔣公似仍未了解，過去一年來毛澤東避免決戰，但機動集中優勢、各個殲滅的「傷十指不如斷一指」的戰略。基本因素在於：

一、關內中共控制區，已經八年的戰場經營，亦即中共黨的組織，已完全掌握農村及社會基層，故其地方政權不需軍隊保護，且能掩護軍隊，故共軍可充分發揮其機動。由於國軍占有空優，故共軍習於夜間奔襲。

二、蔣公曾召見胡璉，詢問國軍進入共區，民間反應為何？胡將軍當時報告，共區人民對國軍熱烈歡迎。其實，胡將軍當時所得印象，可能為中共所欺騙。蓋國軍進入共區時，共黨可能動員群眾故示歡迎。由於共黨控制整個戰爭面，國軍進入，既捕捉不到共軍，亦到處都是看不見的敵人。由於共區全面反情報及全民情報功能，共軍全在暗處，而國軍全在明處，宛如盲人騎瞎馬，故共區人民歡迎國軍，乃錯誤印象。蓋若非共黨策動，人民不敢公然表態也。

三、國軍將領輕敵，自恃裝備火力優勢且有空優，冒進深入。

四、關外則不然。由於僞滿時期，不容共黨分子潛伏，故中共對東北戰場，毫無社會基礎，面臨優勢裝備國軍，只有避免決戰。截至一九四七年二月底，國軍在關外進展順利，且未遭受損失，但亦未能殲滅部分共軍。林彪基本上是全面守勢，整建戰力，避免決戰。

一九四七年二月是蔣公不幸的一個月。除軍事失敗，經濟危機亦現崩潰的徵兆。美國由馬歇爾主持外交政策，自然袖手旁觀，乃至輿論冷嘲熱諷，成爲過去一年，馬歇爾力言軍事剿共必敗的認證。

【三月攻勢】剿共清鄉與內戰

外交：北滿軍事緊急，俄國要求我增兵接收旅大。

軍事：勒令京滬共黨分子限期撤退，轟炸赤都，進剿延安。

內政：台灣自「二二八」事件後，對中央及外省人攻擊事件不斷。三中全會要求，清查宋子文財產、陳儀撤職查辦。

・解讀《蔣公日記》一九四七年三月一日

宋子文以經濟情勢惡化而辭職，蔣公自兼，並不能解決財經問題。沒有傑出而可信的經濟助手，實爲蔣公最大的痛苦。

此際第四十六師乃由膠濟路南下，與七十三軍在吐絲口被殲的餘部抵濟南。指揮七十三軍與四十六師南下的是李仙洲，爲黃埔一期，「山東三李」之一。

矣。

・解讀《蔣公日記》一九四七年三月三日

決定進攻延安，限期撤退京滬共黨分子，亦即國共談判正式宣告終止，進行全面內戰

馬歇爾年初離華，雖然調解失敗告終，但蔣公仍以國共直接談判，而共黨亦留其次要代表人員在京滬（周恩來已回延安），蓋雙方都不願負和談失敗的責任。

蔣公昨日召見胡宗南、劉爲章商進攻延安計畫。兩年後，傳劉爲章爲共黨潛伏分子，果爾，國軍主管作戰的參謀次長爲共諜，難怪所有重要會戰皆失敗了。進攻延安，結果雖占領，實際是撲空，毛澤東與周恩來均安全離開，到五台山暫住（其住屋現仍保存，我曾去看過）。劉爲章在蔣公下野後，任和談代表團員之一，和談破裂後，隨張治中等，留北平投共。

・解讀《蔣公日記》一九四七年三月八日

劉雨卿時任二十一師師長，派其增援台灣，處理暴亂事宜。

健生爲白崇禧，時任國防部長，奉派來台調查，處理暴亂事宜。

・解讀《蔣公日記》一九四七年三月・上星期反省錄（三月八日之後）

二二八事變正值國軍在山東圍攻計畫失敗，且遭重大損失，經濟情勢惡化。蔣公苦思焦慮之際，發生此不測之變。

蔣公習慣親筆致信各將領以鼓勵士氣，亦爲蔣公軍事領導的特色。我任第九師師長，於一九五八年金門八二三砲戰時，亦由經國先生到小金門，帶蔣公致我親筆緘，此應是蔣公一

生致師長級的最後一封信。

·解讀《蔣公日記》一九四七年三月九日

蔣公日記未明示致陳儀信內容，亦未明示劉雨卿到台灣之方針內容，但依前日記所示，對台暴亂取懷柔政策，應係主要內容。

·解讀《蔣公日記》一九四七年三月十日

劉伯承與陳毅爲關內共軍主力。蔣公此際對關內戰局尙具信心，故所作戰略判斷傾向樂觀。

而蔣公數度與白崇禧談台灣暴亂事件，自有令白來台處理之意。白崇禧於一九四九年與李宗仁割斷關係來台灣，可推知，白自信沒有對不起台灣同胞之處，亦可知蔣公處理二二八事變之基本方針爲懷柔。

·解讀《蔣公日記》一九四七年三月十二日

蔣夫人對政治外交是深具觀察力的，她對時局的悲觀並非出諸情感，而是理性的深思。此際，蔣公在國內，「和」不可能，「戰」亦無把握；在國際間，美蘇都不討好的兩難之境。可惜，蔣夫人的悲觀未能影響蔣公的內外政策。

·解讀《蔣公日記》一九四七年三月十三日

美國人員撤離延安後，國軍立即開始進攻。但毛澤東可能早有準備，避免決戰。其實，此際中共的指揮中心應已在太行山區，而非延安。

國軍進攻延安，先一日轟炸，次日陸軍前進，戰術上亦未必正確，蓋已完全失去奇襲效果。如確證毛澤東仍在延安，應以空降部隊突擊，期能一舉擒獲毛澤東。蔣公對戰車運用，及日前對傘兵軍官召見講話，似應先有此意也。從日記看，蔣公進攻延安應有奇襲的準備，且應於轟炸同時進行。但從日記看，實際並非奇襲與急襲。

國軍進攻延安的戰鬥序列

第一戰區司令長官：胡宗南

整一軍：董釗，右翼兵團，由宜川發起攻擊

整一師：羅列（轄一、七十八、一六七共三個旅）

整二十七師：王應遵（轄三十一、四十七、四十九共三個旅）

整三十師：魯崇義（轄二十七、三十、六十七共三個旅）

整九十師：嚴明（轄五十三、六十一共兩個旅）

整二十九軍：劉戡，左翼兵團，由洛川發起攻擊

整三十六師：鍾松（轄二十八、一二三、一六五共三個旅）

整七十六師：廖昂（轄二十四、一四四、N一共三個旅）

直屬部隊

獨一、二、三團

騎一旅

砲十一團（德造一〇五榴彈砲）

砲九團第一營（七十五公分野砲）

砲五十一團（戰防砲）

戰車第二團

共軍（陝北戰場）戰鬥序列

野戰指揮所總指揮：賀龍

共軍一二〇師：王震（轄三五八、三五九共兩個旅）

二十七師

獨立一、二、三、、四共四個旅

民兵約七萬人

·解讀《蔣公日記》一九四七年三月十四日

國共問題，中共在史大林支持下坐大，特別在東北，蘇俄公然違約，阻礙政府接收。美派馬爾歇來華調解失敗後，蔣公自不接受任何國際干預。莫斯科四國外長會議，俄企圖在美馬調解失敗後，所謂討論中國局勢，實際即再由國際介入，特別是俄國亦參加的國際干預。蔣公不接受美國調解，而從來即反對俄國介入調解。

·解讀《蔣公日記》一九四七年三月·上星期反省錄（三月十五日之後）

自雙十會談毛澤東返回延安後，實際國共雙方軍事衝突全面爆發，中經三次停戰令，國軍失去一鼓作氣完成任務，反予共軍喘息發展時間。而自進剿以來，前方將領最大錯誤，一在輕敵、二在誇大戰果。日記所稱妄報，實已寬厚矣。此等誇大戰果之報告，亦使蔣公誤判。

所謂殲滅戰者，並非殺光全部敵人，而主在繳獲其武器裝備，虜獲或擊斃其指揮官，摧毀其整個指揮機制，餘衆則四散矣。國軍一年半來，中將級指揮官陣亡、自殺或被俘者達六人以上，團營級更無論矣；而重要裝備損失，日記都有痛心的記載。反觀未能俘獲團長級的共軍指揮官，以上更無論矣。一個師可能在三天內，遭殲滅性的擊潰，重整戰力至少需一年時間。就東北而言，雖已收復南滿大部分，並進抵長春，但並未殲滅共軍，林彪仍領有廣大地域從事整備，且配合關內作戰，相機襲擾國軍。

·解讀《蔣公日記》一九四七年三月十八日

柯遠芬，黃埔四期。台灣光復後隨陳儀來台，任台灣警備司令部參謀長，處理二二八事變失當，故蔣公決定調其離開台灣。一九四九年後來台任政戰工作，八二三砲戰時任金防部政戰主任，曾陪經國先生，於砲火聲中到小金門與我見面。

日記載蔣公與胡適見面。胡適之先生為自由主義的代表人物，故堅決反共。抗戰期間曾任駐美大使，抗戰勝利後，支持蔣公召開國大、結束國民黨訓政、還政於民的政策，任無黨派社會賢達的國大代表，蔣公視為諍友。一九四九年，蔣公特派機接離北平赴美。蔣公復職後，來台參加國民大會活動，並任為中央研究院長，直到逝世，葬在台北南港。

·解讀《蔣公日記》一九四七年三月二十五日

曾胡《治兵語錄》為蔣公親校，來台後，亦為我對軍官團教育，尤其是武德教育的好教材。

自一九四五年十月內戰爆發，無論邊談邊打或全面進剿，國軍在戰略戰術都犯了致命的錯誤。

蔣公本日日記所載，欲求改進，必須編定完成教材，並對全軍至少營長以上幹部施訓，以統一戰術戰略思想，此非蔣公一人之手令所能奏功。當時全面戰局何以挫敗？概括之，國軍至少從五比一的優勢，成三與二之比，如何推動從高級將領到校尉級幹部，分層全面實施的計畫，必須由參謀本部編成完整教材。此際國軍攻勢未成，但共軍尚無全面發起攻勢之能力，實是國軍轉敗為勝的最後機會，惜未實施。我當時任營長，並未受此等教令與訓練。

·解讀《蔣公日記》一九四七年三月二十六日

蔣公領導風格大小事都管，今日日記可以證明。其實，這些事都應由政府有關部門處理。蔣公越管得多，政府部門越被動，等待手令。

另，蔣公至靈谷寺祭戴笠，對戴笠非常懷念。

·解讀《蔣公日記》一九四七年三月二十七日

蔣公判斷中共計畫於半年內使國軍損失過半，是正確的。蓋一年半以來，雙方在邊談邊打中，國軍有生力量的損失已很嚴重，而共軍有生力量不但未遭重大損失，從新八軍高樹勛在平漢路投共後，國軍計有整三師在魯西定陶、第一師在晉南、整二十六師在魯南向城、整五十一師在棗莊、整六十九師在蘇北宿遷、七十三軍與整四十六師在萊蕪，概估約七個整編師精銳部隊被殲，將級將領陣亡或被俘共八人，至少二十萬人的裝備，尤其是重武器，被共軍虜獲。此際，國共實力由一九四五年十月的五比一，而到三比二的境地，應是國軍徹底檢討戰略的時候。尤其是如何保存戰力，對共避免決戰的思考。

蔣公認爲國共戰力相等後，中共會提出和談妄想，則待商榷。除一九四六年一月第一次停戰，中共實際並未協議第二次、第三次停戰，政府僅是片面宣布停戰，以應馬歇爾要求。而在一九四六年六月第二次停戰令，中共即以回復一九四六年一月十三日的軍事態勢爲條件。而今國軍雖占領延安，但雙方戰力消長，國軍更不利，故毛澤東不會再要和談，因他在和談中以和逼戰目標已達成，今後是求戰而非避戰。而蔣公以戰逼和策略，由於軍事失利，亦根本失敗。故中共不會再提和談，而馬歇爾既離華，政府亦無從發起和談，而陷入和戰兩難之局。

進剿以來，國軍根本之弱點：

一、將領不明共軍在其控制區，掌握了戰爭面，以黨政掩護軍隊，軍隊可機動。軍隊撤退，黨政依舊控制戰場，使國軍進入既找不到敵人，但亦處處是敵人。國軍在明處，共軍在暗處，以明擊暗難，以暗擊明易。

二、國軍初期自恃裝備優勢，輕敵冒進，且恃空優，不習夜間作戰。一天二十四小時，將夜間十二小時的行動自由爲共軍取得。

三、國民黨的黨政機構，軍在則在，軍退則退，根本不能在戰地基層社會扎根。

四、國軍一旦遭受挫敗，其士氣影響非如抗戰時期。蓋抗戰以民族大義之號召力，其精神潛力無窮，而內戰則不然。尤其士兵都來自農村，說服剿共的理由，無法用民族大義激勵。

中共以游擊起家，游擊的基礎在控制社會面。故國軍不僅不能在共區，以游擊打游擊，即在國軍原控制區，亦不能以游擊打游擊。

由於經濟情勢瀕危，蔣公想到先建設江南，惜已浪費了兩年之時間。

基本上，此際似已思考如何保存戰力，確保大半壁江山從事建設，而放棄武力滅共的想法。如馬歇爾仍在華時，是可能實現的唯一時機。

【四月失利】北方各地戰況急

軍事：山東與陝北剿務未達目標，豫北失利，晉南孤立。

七十二師在泰安被殲。

內政：各黨派府委名單提出。

派任經國為中央政治學校代理教育長，

爆發反對行動，毅然引退忍讓。

心願：清明溪口掃墓，蔣公盼夫妻儉葬同穴。

．解讀《蔣公日記》一九四七年四月．上星期反省錄（四月十日之後）

兩年多來，從日記中，看出蔣公身心內外交迫，幾無片刻休閒。此次與夫人回鄉，是難得一次的休假。

從日記中，看到有兩次交代身後的事宜，以儉葬爲心願，而與夫人合葬，本月日記亦至爲明顯。蔣公今暫厝於慈湖，已三十六年，而蔣夫人現暫厝於紐約近郊，與孔、宋爲鄰。

蔣公與夫人的喪禮，我都參與，感慨萬千。迄今歸葬大陸之心願未遂，亦為兩岸重要政治議題。

・解讀《蔣公日記》一九四七年四月十七日

中央政治學校完全是公費，一如中央軍校，是國民黨培植文職幹部的搖籃。向由陳果夫、陳立夫兄弟負責，亦成為CC的大本營。派任經國先生為政校代教育長，自為其接班鋪路的作為。

由於二二八事變，決定將台灣行政長官公署改為台灣省政府，並將陳儀調離。

・解讀《蔣公日記》一九四七年四月十九日

三民主義青年團原為培養下一代三民主義信徒，亦即國民黨之新陳代謝，由陳誠負責，蔣公亦培養陳誠政治實力，寓有接班之意（陳誠比蔣公小十歲）。黨則由陳氏兄弟（果夫、立夫）掌控，與青年團互爭政治資源。一九四七年準備選行憲第一屆國大代表，蔣公告誡陳誠青年團不可參與競選。其實黨團互爭形勢已成，直至來到台灣，陳立夫去美，CC龍頭已失。陳誠任台灣省主席，後任行政院長，立法院原由CC控制，而由青年團幹部所掌握。

四十九旅旅長李守正為第二快速縱隊，直屬陸軍總司令鄭州指揮所。顧祝同赴徐州後，統一指揮，鄭州指揮所由范漢傑中將負責。

一九四七年四月，共軍圍攻豫北湯陰，四十九旅奉命由淇縣北進解圍未果，轉進至後崗，被劉伯承部第三縱隊（三個師）所圍，旅長負傷被俘，全旅覆沒。

・解讀《蔣公日記》一九四七年四月・上星期反省錄（四月十九日之後）

制憲以後、行憲以前，組成過渡政府，由民、青兩黨及社會賢達參加。蓋自共黨及民盟抵制國民大會後，蔣公力圖爭取民、青兩黨及社會賢達，參加國府委員之政治會議，取代抗戰時期之最高國防會議，人事以孫科任副主席，張群任行政院長最為重要，形式也算聯合政府，但胡適終未參加。他仍獲選為行憲第一屆國大代表，亦為重量級代表。

蔣公以辦黃埔軍校而領導全國，一向重視幹部訓練。抗戰前，辦廬山軍官團及峨嵋軍官團，召訓非黃埔系軍官，奠定抗戰基礎。抗戰期間，在重慶辦中央訓練團，召訓文武幹部。當此剿共軍事受挫之際，辦軍訓團以檢討剿共戰略戰術得失。

・解讀《蔣公日記》一九四七年四月・本星期預定工作（四月十九日之後）

白崇禧一向伴李宗仁，為所謂桂系領導人。一九三六年六月一日，與廣東陳濟棠發動兩廣事變，假北上抗日之名反抗中央後，以陳濟棠空軍完全飛抵南昌投效中央，其第一軍軍長余漢謀，在大庾嶺宣布投順中央，另，香翰屏在潮州封金掛印，反對陳濟棠，陳乃倒台，而桂系李、白則仍控制廣西，掌有割據實力。但蘆溝橋事件爆發，白崇禧立刻飛抵南京，效忠蔣公。抗戰期間，李宗仁任第五戰區司令長官，白則任軍委會副參謀總長，兼軍訓部部長，抗戰勝利後，任第一任國防部長，但軍事實權在參謀總長陳誠手中。白或以國防部提供人事建議，未為蔣公接受，但作戰次長劉斐（為章）為白所建議。大陸失敗來台後，蔣公以劉斐投共，白應負保薦不實責任，予以記過處分。

張學良於抗戰期間幽禁貴州，抗戰勝利，有人建議起用，蔣公未接受。際此剿共軍事挫敗，我想蔣公恐中共或東北將領，暗與張學良連繫，蔣公為阻此，故考慮遷移，最後決定幽居台灣新竹，隔海自難與外界連繫。我想幸而早來台灣，否則延至一九四九年冬國府遷台，來不及為張安排來台，恐亦將如楊虎城就地處決矣。

張學良少年得志，有權有錢，九一八前後傳聞，可以「荒唐」二字概之。張個性豪爽坦誠，無怪三十多歲受惑，鑄下大禍。張在西安事變為反對內戰，但其個人出身、思想與生活，與共產主義格格不入。我想他內心中，中共在抗戰期間擴軍，勝利後以武力奪取政權，不符他當初反對內戰之旨，不會認同。故雖經中共百般禮遇爭取，他還是拒絕，寧可終老在異域，亦可見其人格自有堅持。

·解讀《蔣公日記》一九四七年四月二十一日

中央政治學校為國民黨黨校，掌控黨校培養幹部，即掌控黨權。政校校長亦如軍校校長，向由蔣公自兼，實際負責教育者為教育長，向由陳氏兄弟所掌控，故經國被任為代教育長，CC策動學生反對，乃內部權力鬥爭，中共未必介入，蔣公特以中共陰謀淡化之。

·解讀《蔣公日記》一九四七年四月二十八日

此際，蔣公的戰略思維尚不完整，雖有縮短戰線之意，但仍有分區逐次攻勢殲滅之思維，但始終未檢討（包括參謀本部及軍官團之教育）共軍的機動，尤以夜間的奔襲與圍攻，而國軍機動力不能與共軍比。機動力弱的軍隊，永遠抓不到機動力強的主力而行決戰，這是根本原因所在。故蔣公本日日記，乃示其主觀願望而已。

・解讀《蔣公日記》一九四七年四月二十九日

爲應剿共軍事，舉辦軍官訓練團，檢討剿共戰略戰術。日記未明示召訓層級，而現在第一線戰況正緊，主要作戰部隊似亦無派員受訓。綜觀我一向的感受，蔣公向來注重幹部教育，課程大都出自個人的思維，如無整體健全幕僚的策劃，僅憑蔣公個人訓話，很難貫徹到基層。而此際第一線部隊每日行軍作戰，根本亦無整訓時間，故軍訓團效果並不彰顯。

・解讀《蔣公日記》一九四七年四月三十日

薛岳由徐州綏署撤換；黃紹雄原任浙江省主席，被陳儀取代；黃振球則由聯勤總司令撤換，但蔣公仍爲安置他們費心，領袖總是要照顧幹部的。

鄧晉康即四川軍閥鄧錫侯。川人都說鄧是水晶猴，喻其投機取巧也。我於一九四三年曾在成都見過鄧錫侯與潘文華。潘沉默寡言，鄧則滔滔不絕，甚易得人好感。一九四九年十二月，蔣公到成都再召見他，他就拒絕見面了。

整七十四師師長張靈甫、整二十五師長黃百韜，時在第一兵團（右兵團）湯恩伯的序列，由魯南發起攻勢，已占領臨沂、蒙陰，原擬繼續向北攻勢，以孟良崮之坦埠爲目標。由於左兵團整七十二師在泰安失敗，故右兵團（第一兵團）暫緩攻坦埠，調整七十四師及二十五師部署。此是否爲參謀本部及徐州司令部共識？抑蔣公個人指示？則無從判斷。但大軍會戰計畫既定，不宜因進展未如預期而變更原計畫。

・解讀《蔣公日記》一九四七年四月反省錄

蔣公支援韓國獨立，並應組織統一政府。由於國軍未能收復東北，而終失去全大陸，成爲今日兩個韓國的根本原因。

【五月激變】戰事不利陷膠著

軍事：魯南共軍主力退入沂山、南麻一帶，避戰待機。
張靈甫殉職孟良崮，李天霞革職留任，黃百韜亦遭處分。

社會：緊急方案失效，米價漲至二十萬元以上。
成都形成搶米風潮，聚群衆數千人。
各大學教授要求加薪，學生反對內戰，五四再興學潮。

·解讀《蔣公日記》一九四七年五月三日

大兵團會戰計畫，應在會戰集中準備期間，召集師長以上將領，舉行作戰研討會，溝通戰略思想，使各將領了解全盤戰略構想及其本身任務，尤以外線作戰爲然，才能協調分進合擊，不予內線之敵各個擊破之機會，是爭取會戰主動權的重要步驟。此次徐州司令部發動第二階段，是否事先研討，我不知情，但從日記看，僅下個別指令，顯然不足。我是關內僅有的重砲營長，駐徐州近郊。像如此重要的攻勢，我並未派任何作戰任務，可見優勢戰力未運用也。蔣公親臨徐州，與第一線將領通電話，為時已晚矣。

・解讀《蔣公日記》一九四七年五月四日

邱清泉與胡璉，為關內國軍戰力最堅強的部隊，與優秀的戰場指揮官，剿共以來，進無不勝，或亦譏輕友軍，故蔣公特書誡其驕態。

・解讀《蔣公日記》一九四七年五月七日

新一軍與新六軍是駐印軍，回國為國軍裝備訓練最精銳部隊，都調東北。新一軍已占領長春，原滇軍六十軍亦駐長春，歸鄭洞國指揮。鄭洞國是第一任新一軍軍長，其時，孫立人任新三十八師師長。

中共對於反進剿的戰爭已充分完成，並運用其總體戰的戰略思維，而國軍尚無此想法。諸如：

一、共軍控制區嚴密組織，掌握基層農村，無任何動亂，且能動員支前。而軍事方面機動，既可避免劣勢下決戰，又可乘機各個擊滅分離深入的國軍。在國軍後方，尤其大城鎮，可煽亂反戰、反飢餓社會運動，國際宣傳則使美拒援國軍。

二、國軍不僅在軍事方面累受挫敗，迄未完成任何殲滅效果；而政治、經濟與社會，不僅不能動員支前，反而拖累國軍。

三、蔣公考慮消耗戰略，已察知戰爭短期無法結束，但後方政經情形，更不能支持長期內戰。

四、抗戰與內戰最大之不同，在抗戰為民族戰爭，在民族大義的認知下，人民可受任何苦難而無怨懟，但內戰則不然。

五、中國為農業國家，百分之九十以上為農村。而國民黨既具士大夫習氣，益以官僚習氣，不僅未能控制共區農村，亦未能掌握政府區農村。此為國共鬥爭中，國民黨最大的致命傷。

・解讀《蔣公日記》一九四七年五月九日

中共磨盤打圍之戰法，亦即劉伯承「你到我家來，我到你家去」的戰略。就大軍而言，轉變後方基地，顛倒補給線，本是很困難的，但以共軍輕裝機動，且在戰場上有控制社會（戰爭面）的基礎，才可做到，但國軍不可能做到。

煙台與龍口為山東半島北邊臨渤海的港口，其時駐膠東國軍為五十四軍及第八軍，派兩師占領之，以堵塞東北共軍經由旅順、大連，支援山東共軍。

共軍戰略可使國軍防廣力分，及以大吃小、以多勝少的機動殲滅，蔣公判斷是正確的，但顯然未作預防之道。尤以精銳之師出關，導致關內二個主戰場（陳毅與劉伯承）兵力不足，且備多力分。

・解讀《蔣公日記》一九四七年五月十日

此際主要戰略目標是尋求魯中山區陳毅主力決戰，予以殲滅，故應集中所有兵力，以形成絕對優勢的外線作戰，分進合擊。故日記所示擬派有力部隊（兩個師），由膠濟北進直衝煙台、龍口，實為分散主戰場兵力，並不適當。故日記載「如何」，僅為其考案之一。但就戰略原則言，攻勢發起後，應專注於主目標，不可動搖。

・解讀《蔣公日記》一九四七年五月十一日

東北國軍雖已接收南滿，但旅順、大連兩港，俄仍未交還，且用為補給山東共軍資源的主要策源地，自以早日接收為宜，但俄亦刁難，不同意進駐軍隊。站在戰略思維立場，應先接收，至少不使俄可自由供給中共物資。唯國民黨的黨政人員，一向須在軍隊保護下，才能接收行政權的依賴性，則是國民黨最大的弱點，而難與共黨抗衡。

・解讀《蔣公日記》一九四七年五月十二日

蔣公全心貫注於第二階段，由徐州司令部所指揮發動，對魯中山區陳毅主力決戰之時，第五軍邱清泉取攻勢，占領萊蕪、吐絲口，獲得進展，故蔣公略慰。

運城在晉南，此際並非主戰場。但晉南共軍陳賡向運城圍攻，以牽制山東方面國軍攻勢。而守運城者為青年二〇六師兩個團五千士兵，不同於一般部隊。按知識青年從軍，原為響應抗戰末期，蔣公號召「十萬青年十萬軍」所成立，這些知識兵是為抗日而從軍，今運用於內戰，且被圍有被俘之虞，故蔣公特為擔心。運城若一旦失陷，被俘的知識青年，既感與從軍初願相違，更為上海等大都市大學教授及學生，從事反內戰罷課學潮之最好藉口，此所以蔣公特別關心者。一面鼓勵羅廣文，又一面派空軍支援。今幸擊退陳賡，故蔣公一週來的擔心已紓解矣。

・解讀《蔣公日記》一九四七年五月十四日

此次攻勢以坦埠為主目標，整七十四師為主攻部隊，其右翼整七師及整四十八師，應向沂水取攻勢，以與主攻七十四師靠攏併進。為何轉向東北莒縣攻擊，而與主攻分離？實乃戰略錯誤，不知顧總司令何以作此決定？據我了解，顧的作戰指揮，一向聽從幕僚的意見。

蔣公與參謀次長劉斐（爲章）研究戰局，從未在日記中看到參謀總長陳誠的意見。如此重大軍事行動，理應最高統帥與參謀總長研究，今又與參謀次長研究，在第五軍左翼整七十五師與八十五師改變目標，參謀總長反未在場，最高統帥就決定了，則此次會戰計畫的策定，究由參謀本部交徐州顧總司令執行？抑由徐州策定整個會戰計畫？從大軍作戰指揮程序而言，頗待商榷。

後傳劉斐爲潛伏共諜，則凡與他研究的計畫，均先爲中共所知，豈有不敗之理？

·解讀《蔣公日記》一九四七年五月·上星期反省錄（五月十七日之後）

國軍在對魯中第二階段的攻勢作戰中，整個大軍統帥的指揮程序，從蔣公的直接指揮，參謀總長及參謀本部的功能，以及戰區（綏署或徐州司令部）司令官、兵團司令及第一線軍師長間，對全盤戰略構想與個別任務、對全盤會戰的影響，似無充分了解，自不能協同一致。蔣公個別寫信給第一線軍師長指示，但其指示是否爲戰區司令及兵團司令所了解，從而蔣公的整個作戰指導，「余之意圖與計畫」難以貫徹矣。

孟良崮的失敗，是關內整個剿共戰爭的轉捩點。其失敗原因，亦如已往整二十六師在向城、七十三軍在吐絲口的失敗重演。陳毅在山東中部山區，面對國軍外線作戰態勢，運用了內線作戰的原則，分別在西、在北、在南各個擊破了國軍。

我於二〇〇八年五月二十九日，登孟良崮憑弔戰場，中共立有勝利紀念碑是理所當然。我特別去張靈甫自殺處的小山洞，但洞口寫著「張靈甫被擊斃處」，當時對陪同的人員表示異議，張靈甫是自殺而非被擊斃。就一個軍人而言，不成功便成仁，作戰失敗了，身爲指揮官，如自殺殉職，是軍人武德的至高表現，雖為敵人，亦應受到崇敬，不可污衊。

我在孟良崮思考，張靈甫為何率一個整編師約二萬人，原為向坦埠主攻，既受優勢之敵反擊，為何退到一個石頭山上設防禦陣地？渾為不解。此豈為顧總司令所指定？抑兵團司令湯恩伯所指示？抑自己的選擇？無從了解。如果是顧總司令指定，則顧總司令犯了錯誤，因為遠在徐州，不了解第一線的地形。如為湯恩伯指定，亦然（因湯在新安鎮）。但從蔣公五月十七日日記，「指揮官全權決定攻守動作」，似顯示張靈甫所選陣地是上級指定的。至於是哪一個上級？都是違犯大軍指揮程序的錯誤。

凡作戰，指揮官應負成敗責任，敗則成仁。如孟良崮為張靈甫自選的陣地，則是張的錯誤；縱然是上級的指示，但第一線指揮親至一座純石頭的荒山，如何有水？如何做工事？敵人的砲火打在石頭上益增其威力，自可決定放棄，甚至甘受抗命責任亦在所不顧。因為整個成敗及部下二萬人的生命，遠比個人責任重要，此乃將領至高無上的人格。

從戰略上說，外線作戰一方受內線優勢攻擊時，應順勢撤退，誘敵深入，益增敵被包圍殲滅的機會。我在孟良崮張靈甫將軍殉職處，一再反問，為什麼退到這個石頭荒山無水的高地？諸葛亮訓示馬謖，依山靠水安營紮塞，是兵家千古原則。如果我是當時的七十四師師長，逕向臨沂平原撤退，陳毅是不敢南下追擊的。再俟機北攻，乃至當戰術行動。

・解讀《蔣公日記》一九四七年五月十八日

整七十四師師長張靈甫殉職，對魯中攻勢的會戰計畫已可謂全盤失敗。

蔣公應已了解殲滅共軍主力已不可能，擬透過參政會重提恢復和談，但自馬歇爾離華，國軍攻占延安，國軍軍事挫敗，中共姿態必然更高，故此時和比戰難。但從蔣公有意恢復和談，顯示他過去一向對軍事勝利的主觀期望，已有所覺悟。

問題在無有力的中介，恢復和談是不可能的。馬歇爾不可能再來華；蘇俄若介入必偏袒中共，蔣公亦不會接受；參政會的小黨政客們，更是沒有能力。恢復和談不可能，軍事攻勢已失敗，唯有再從軍事戰略作思考。

政治上，必須從消滅中共，改採共存，國民黨保有大半壁江山，首先軍事戰略基本採守勢。用兵之道不外全軍破敵，當不能消滅敵人時，一切軍事考慮，以不被敵人消滅為第一要義。從由軍事對峙的共存轉而和平，進而和平競爭，以謀最後解決。

「和」不可能，軍事戰略不調整，後果必嚴重。

·解讀《蔣公日記》一九四七年五月二十日

孟良崮之戰後，蔣公與徐州司令部的指導有異。徐州總部則不顧孟良崮之挫折，繼續向坦埠、沂水攻擊，貫徹原計畫。如能一鼓作氣完成使命，亦可稍補孟良崮之失敗。但蔣公則放棄原目標，就地取攻勢防禦，整訓整備，再圖與共軍決戰，特由京飛徐決定緩攻，亦未見參謀總長陳誠的意見。

如果決定今後基本上採取戰略守勢，保存實力（此際國共雙方軍力已近乎平衡，但國軍在經濟、社會及政治方面均處劣境），則停止攻勢是正確，並求另一階段縮短戰線，但蔣公之意仍求決戰，則否定徐州決策未見正確。蓋由於孟良崮之恥，從顧祝同、湯恩伯及全線官兵含悲帶恨，誓雪此仇之精神動力，且圍攻態勢已成，共軍無法避免決戰。七十四師雖滅，張靈甫的犧牲，可能為殲滅陳毅的釣餌，其餘主力，無論就兵力或態勢尚稱優勢，應有成功之算。否則我軍停攻休整，共軍亦趁此休整並調整部署，則有利戰機又失矣。

戰略問題必須看基本態勢，基本態勢有利，不可因局部挫折而放棄原目標。蔣公的考慮，以為整休再戰較穩，四十萬人所形成的態勢和戰機，因二萬人的損失而放棄。整個會戰目標並非正確，至於照徐總計畫續向坦埠進攻，終局如何，則必須一賭。如果立即放棄求共決戰，蔣公決定才算正確。

第一線與後方的關係密不可分且相互影響，亦即第一線之成敗，與後方之治亂成正比。在中共總體戰的策略，必使軍事第一線與後方相呼應，且國民黨居於劣勢。由於第一線軍事受挫，後方的社會動亂，諸如搶米風潮及學生罷課；但中共對其控制區則甚穩定。時至今日，蔣公原期以軍事勝利，補救黨政缺失，將落空矣。

懷德為長春外圍據點，為新一軍新三十師之九十團所據守。自五月十三日至十九日，受共軍二個縱隊五萬餘人圍攻覆沒，項團長陣亡。

東北共軍採取攻勢，占懷德，威脅長春及公主嶺，自係策應關內，牽制國軍。國軍以與關內決戰為優先，已顯兵力不足，哪有能力增援東北！故東北行轅之決策，應縮短戰線，節約兵力，取守勢保存戰力，關內不可能再增援。

·解讀《蔣公日記》一九四七年五月二十二日

蔣公由孫立人呈交虜獲的共軍作戰手冊，如獲至寶，費心研究，擬定《剿共手冊》，乃蔣公一貫作風，非一般高級將領所能及。但如何貫徹訓練，非僅印發可收效果。蔣公雖辦軍官訓練團，但已來不及矣。

蔣公致函顧總司令責備，當然身為戰區指揮官，應負成敗責任。顧將軍之長處，在絕對服從蔣公並受責無怨，而一直為蔣公信賴，並於一九四八年繼陳辭修任參謀總長。實際殘局已成，難於收拾。尤其蔣公引退後，在蔣、李政治鬥爭當中，委曲求全，堅守參謀總長職務，直至最後伴蔣公，同一天離開成都。

全面軍事失利，蔣公歸諸前方高級將領不學無術，其實這是整個軍事教育成敗的問題。黃埔一期僅受訓半年，實際只完成一個排長的教育。北伐時面對軍閥部隊，取得勝利，其實並無重大激烈戰役考驗。但北伐成功後，很快晉升，三十多歲當了師長，直至抗戰勝利，平均不及五十歲。就我所知，這些將領自認作戰經驗豐富，認為陸大教育是紙上談兵。抗戰末期，蔣公為加強高級將領戰略戰術教育，在陸大設將官班，但受訓期間亦僅三個月，且如西北馬家將領，竟有不識字者，帶著參謀來做作業。

一九四七年陸軍總司令徐州司令部的幕僚，諸如參謀長徐祖貽中將為陸大出身，副參謀徐志勛以及主要幕僚均出身陸大，對大軍指揮並非全然無知，但對最高統帥的直接指揮到軍、師，亦有無奈之感。諸如蔣公直接命令何處必須固守，則第一線將領沒有依敵情自主進退之權。所謂「將在外，君命有所不受」，而蔣公則君命太多也，這是蔣公領導的特色。

此際，我駐在徐州近郊，未奉命參戰。孟良崮失敗消息封鎖，一般人毫無所悉。我雖任營長，每週仍與顧祝同見面。我的任務是整理第二次世界大戰的戰史，向他報告，通常每週報告一次，在他的休息室，向他一個人報告，他也提出許多問題，每次約二小時。故顧雖戰情緊迫，對於戰史成敗得失的研究仍很專心。

八十八師與九十一師隸七十一軍（軍長陳明仁），奉命由四平北進解懷德之圍，中途與共軍遭遇戰潰敗，八十八師長韓增棟重傷殉職，殘部回四平街，為共軍圍點打援，與阻援打點戰略之雙重勝利。

從國軍士兵來源而言，大都來自農村。抗戰時期無論前後方，基於民族大義，任何犧牲皆無怨言；但剿共內戰，官兵的政治教育，很難若抗戰之民族大義，知道爲何而戰、爲誰而戰；而共軍在控制區沒收土地，鬥爭有錢的人，極易獲得農民的支持，此所以能實施人海戰術也。

·解讀《蔣公日記》一九四七年五月·上星期反省錄（五月二十四日之後）

自馬歇爾離華後，蔣公主導之進剿計畫，不受任何干擾，但由於戰略錯誤，其結果則是攻則撲空（未能殲滅共軍有生力量，中共「地失人存，有人有地；地存人失，人地皆失」，故避免在不利狀況下決戰），守則覆沒（國軍占領城市多，處處要守，備多力分，死守則守死），致五個月來，軍事情勢極端惡化。

東北戰場與關內戰場，在一九四五年夏迄一九四六年冬，有本質上的不同。關內共黨占領區，已確實掌握社會基層，完成總體戰的戰備整備；而東北在僞滿時代，反共防共滴水不漏。故自日本投降後，就國共兩黨而言，東北基層社會是眞空地帶。國軍以精銳部隊出關接收，共軍在蘇俄支持下初建，無力抵抗，國軍所向披靡，雖在蘇俄百般刁難下，能收復南滿，並克復長春、永吉，進抵松花江南岸，但在此期間，並未殲滅共軍有生力量。

及至一九四七年夏，林彪以北滿爲根據地，且在蘇俄支援下整備戰力，共計有五十七個師旅，兵力共四十五萬餘，各型火砲二百餘門。

共軍在關內，於一九四六年秋，即已殲滅國軍整編師級單位（整三師在魯西定陶，師長趙錫田被俘），而在東北懷德之戰，是國軍的一個團級單位第一次被圍攻覆沒。

一九四七年，國共雙方在東北戰場已達兵力相伯仲情勢，而國軍從山海關經錦州、瀋陽、四平、長春，一條長蛇似的戰略部署，形成一個「入」字形的戰略態勢。

大軍作戰的基本原則是，作戰正面與後方補給線應成「T」字形。如果大軍左側背暴露則爲「入」字形，右側背暴露則爲「人」字形，在軍事戰略部署都應避免。大軍是沒有置之死地而後生的，一旦補給線被切斷，圍困日久，不戰自滅。

·解讀《蔣公日記》一九四七年五月二十五日

吳貽芳博士當時應是金陵女子大學校長，亦爲參政會會員，其見蔣公說「參政會和平運動空氣之濃厚」是眞心話，亦係別人所不敢說的。吳博士應是反共的知識女性，可謂有道德勇氣。

此際的和平運動應說是適時的，但中共不會接受。蓋此際蔣公仍不忘解救共區人民，其實政府區人民日漸困苦，政府財政收支不能平衡，靠印發鈔票，形成惡性通貨膨脹。物價，尤其是攸關人民生活最基本的糧食，非依政治方法管制物價所能奏效也。

·解讀《蔣公日記》一九四七年五月三十日

東北行轅主任熊式輝，面臨共軍即將發起的攻勢，赴京求援。而關內正陷魯中攻勢挫敗，已感兵力不足，自無援軍可派。蔣公乃親赴瀋陽，重行規定，歸由熊式輝負軍事全責。而杜聿明此際病臥在床，等於東北行轅與保安司令長官部合而爲一，但對東北整個軍事戰略部署，並無重大改正。

·解讀《蔣公日記》一九四七年五月三十一日

自抗戰勝利，接收東北的高級人事部署，從歷史事實看，應非正確。東北行轅主任熊式輝為江西人，杜聿明為陝西人，均與東北無任何地緣及歷史淵源。無論就政與軍而言，張學良自是主持東北接收的適當人選。無如蔣公對張在西安事變一直不能釋懷，從而對原東北軍將領，亦不能寄與重任，對東北人的號召力無形削弱。

東北行轅與東北保安司令長官，似有政軍分離的意味。熊式輝與杜聿明形成二元指揮，抑權責不清，加以經國先生被任為東北外交特派員，實際直接對蔣公負責。此際共軍林彪整建完成，戰力與國軍相若，而國軍備多力分，共軍則充分機動，已可發動其機動攻勢。九十團在懷德被殲，八十八和九十一師在向懷德解圍途中，與共軍發生遭遇戰挫敗。不習慣於遭遇戰，亦為時常被伏擊的弱點。

此際就全國戰略態勢，東北應取戰略守勢，而以不放棄南滿為主旨。故從與廖耀湘談話，對組織地方自衛能力，而以少數兵為民衆自衛之中堅，其商榷處有二：

一、國民黨及地方政府，組織民衆自衛之能力及成效，不可能與共黨組織相抗衡。

二、所謂以少數兵力為民衆自衛之中堅，此少數部隊是地方部隊還是正規軍？如由正規軍以連營為單位，分駐各鄉鎮，無形中又是分散國軍機動戰力，反易被共軍機動集中優勢，一個營一個連的殲滅，故此策難以收效。

三、如以確保南滿採取戰略守勢，必須縮短戰線，改正作戰正面與補給線為T字形，並放棄孤懸北滿的吉林及長春。

四、蔣公此行對此並未改正，仍就原態勢取守勢。

・解讀《蔣公日記》一九四七年五月・反省錄

全面內戰展開，不能速戰速決，戰亂延長，經濟建設無從起步，致生產萎縮，稅收枯竭，政府收支不能平衡，印發鈔票救急，形成惡性通貨膨脹。寄望美國貸款以收縮法幣、通貨落空，物價飛漲，絕非政府緊急措施，或管制物價所能收效。

軍事、政治、經濟、社會必相互影響，當軍事失敗時，隨而政治、經濟、社會情勢惡化，乃自然之理。

行憲政府選出前，國民參政會亦如抗戰期間行使職權，但共黨已退出。

抗戰雖苦，無人膽敢反戰，反以漢奸論處。內戰為何而戰，一般人民對共產黨之認識不足，何況中共又以農工階級利益為號召，而中國百分之九十為農民，故一旦軍事失利，全國人民既已經八年抗戰之苦，渴望和平整建家園，故學潮、工潮極易為中共所運用。此際在軍事戰場及政治、社會兩條線上，中共已居主動優勢地位，兩年變化是很快很大的。

【六月均勢】共軍壯大勢均分

軍事：俄軍砲兵協助作戰，遼東普蘭店陷於共手。

四平街空前劇戰，國共雙方戰力至此趨於平衡。

經濟：法幣發行已增至八萬餘億，經濟問題嚴重，無法收拾。

社會：各地學校清共工作皆有衝突互傷，武漢大學死亡學生三人。

・解讀《蔣公日記》一九四七年六月三日

蔣公與參謀總長陳誠間之歧見，在本日日記中表露。我以客觀立場評析，主因當爲蔣公對進剿作戰計畫指示過多，干預過細，將領不能不服從，陳誠亦然。當戰事受挫，參謀總長責無旁貸，難免對蔣公抱怨，這是陳誠的個性。顧祝同則不然，面對蔣公責難，絕無怨言，這乃兩人不同處，但百分之百忠於蔣公，則無二致。

研究從華北戰場再調一個軍（十六軍）從保定增援，又涉及整個戰略問題。今日幾乎每個戰場都覺兵力不夠。問題是，主戰場在關內抑在東北？主戰場自應在關內。

此際在軍事戰略上，不是增兵東北的問題，而是在東北縮短戰線，節約兵力的問題。

．解讀《蔣公日記》一九四七年六月四日

學潮亦由清除學校內共黨分子而引起，經此教訓以後，對學校潛伏共黨或異議分子（未必全是共黨），用寬和方針。

政府來台後，鑑於大陸失敗教訓，即以不容學潮發生，爲安定台灣第一步。

．解讀《蔣公日記》一九四七年六月五日

蔣公幾以全部精力用於軍官訓練團，昨日聽取沂蒙山區第一線軍、師長二十餘人個別談話，蔣公自覺得益者大，今日在軍訓團超過七小時以上，可見他期望之殷。

到台灣後，蔣公重視並親自主持軍官團訓練，爲蔣公治軍的獨特風格，八十歲時亦然。

．解讀《蔣公日記》一九四七年六月．上星期反省錄（六月七日之後）

普蘭店位於遼東半島，旅順以北，爲日俄戰爭古戰場，亦進軍旅大要點。此際旅順仍由俄軍占領，故協助共軍攻占，所以鞏固對旅大之控制，以協助共軍。俄軍一直只願我以行政人員接收旅大，而反對我國軍與行政人員同時進駐。蔣公則以國軍不能進駐，寧願不接收旅大也。

我當時駐在徐州近郊，爲關內僅有一個一五五重砲營，迄未參與沂蒙山區進剿任務。而蔣公親自主持軍訓團，徐州司令部有無人員參加，不悉。我當時是一個中校營長，無資格受訓，故第三期軍訓團應爲團長以上軍官參加，蔣公確費心力極矣。

・解讀《蔣公日記》一九四七年六月十二日

蔣公迫於情勢擬採戰略守勢，但內心似有矛盾。

一、戰略守勢是否應公開宣傳？值得商榷。

二、似在取守勢以前已打通四平、長春鐵路等區，須先採取攻擊行動，是否為守勢必守之據點？

三、縱此攻勢成功後採取守勢，由於並未協議停戰，共軍不會理會。

四、其實此際既要守勢，唯有放棄若干據點，縮短戰線，節約兵力，而非打通孤懸都市之交通線。

五、長春駐軍六十軍既不穩，戰略守勢之前，就關外而言，立即放棄孤懸的長春。

六、法幣通貨膨脹，美國貸款無望，如何收支平衡、發展生產、增加稅收，是根本問題，非改革幣制可收效也。

・解讀《蔣公日記》一九四七年六月二十一日

用兵亦如用錢，每一個用兵的人都覺得兵力不夠。自國軍進軍東北以來，最精銳的新一軍和新六軍都用在東北，截至一九四七年五月，國軍在瀋陽、長春及吉林者，八個軍（七十一、N六、九十三、五十三、N一、六十、五十二、K一、五十四D、二〇七D）等主要部隊。而五十三軍原隸北平行營，亦係應熊式輝要求，蔣公不顧李宗仁反對而增調東北者。

由於國軍自進軍以來，未殲滅共軍有生力量，僅占領各城市，而共軍林彪，此際已發展正規野戰軍四十二個師以上，已居於優勢，且有機動集中能力；而國軍駐守各地，相形之下，處處兵力薄弱。自年初以來，共軍取攻勢，而以現在對四平街的圍攻，規模最大。

華北戰場，共軍晉冀察野戰軍區司令員聶榮臻，於五十三軍調往東北後，對平津採取襲擾攻勢，而已攻陷津浦路滄州。蔣公指北方將領協調不周，應係指十一戰區孫連仲及十二戰區傅作義。

蔣公此際已深知國共雙方軍事實力漸趨平衡，尤以在東北擬取戰略守勢。戰略守勢的基本目的，在保存戰力而非保有都市。共軍攻擊四平街，尤在慘烈進行中，其目的即在切斷長春與吉林國軍的補給線。既與孫立人（時任東北保安副長官）討論東北戰局，而又擬令長春、吉林國軍固守，實是戰略思維的矛盾。大軍作戰不適用置之死地而後生的原則，蓋萬人以上之大部隊，其持續戰力及部隊生存力，須賴補給線之暢通。一旦補給線被切斷，遭受圍攻或者圍而不攻，則裝備再精、訓練再強的部隊，亦必因補給斷絕而戰力枯竭，不攻而滅。

此際東北之基本戰略形勢爲「入」字形，從山海關到長春約八百公里的補給線，而其左側均暴露在共軍威脅之下。無論是戰略或戰術，固守之目的，在牽制或拘束敵人以待援，倘不能達成牽制或拘束敵人有生力量時，則固守毫無戰略及戰術意義。

若以政治意義而言，謂守住長春則中央領有東北，亦難言務實。

自國軍於三月攻略延安，和平談判之門已完全關閉，實際已是全面戰爭。由於經濟崩潰、軍事攻勢失利互爲惡化影響，蔣公提出明令討伐共黨，實行戰時體制。姑不論其實際效果如何，由於內戰終非抗日可比，在精神動員上，看不出明令討伐與實際軍事形勢有何助益。蓋共黨以其占領嚴密控制基層農村，發揮其動員功能。國民黨對基層社會，尤其是農村，掌控能力非常薄弱，非一紙動員戡亂令所可收效也。

·解讀《蔣公日記》一九四七年六月二十四日

對熊式輝之個性既早知，爲何委以接收東北大任？實蔣公當初未顧及東北地緣，及號召能力之原因。

軍事挫敗，高級將領固難辭其咎，但戰略決定如錯誤，則非第一線將領所能挽救。

·解讀《蔣公日記》一九四七年六月二十五日

軍委會改組成國防部後，撤換了原海軍總司令陳紹寬，而參謀總長陳誠兼任海軍總司令，實際由桂永清以代總司令身分負責。蔣公原指示占領渤海口長山列島，以切斷遼東半島與山東半島共軍聯絡，詢問桂永清登陸準備，彼竟茫然不知，故蔣公大怒。以桂乃黃埔一期學生，蔣公對學生責罵習以爲常，並不影響對桂之信任與重用。來台後，桂繼周至柔爲參謀總長。

·解讀《蔣公日記》一九四七年六月二十九日

青年團原爲培養年輕一代黨員，但因與黨對立，故決定黨團合併。

·解讀《蔣公日記》一九四七年六月三十日

蔣公主張明令討共以利總動員，其實欲達總動員之目的，從精神動員到人力與資源動員，此際均在無能爲力的地步。就精神動員而言，內戰與抗戰不同，益以中共及國際宣傳，均不利於內戰的精神動員。至於人力與資源動員，由於政府機制和社會組織均臨呆滯狀態，實非一紙動員令所能收效也。

二次大戰結束後，東歐各國均由聯合政府，過渡到共產政權。美國為鞏固巴爾幹及近東各國反共政府，乃由國會通過援助法案。易言之，美只援助歐洲反共，而不援助亞洲反共。

一年半前，美國允諾借貸五億美元的方案，由於馬歇爾調停失敗，美政府採取消極態度，對外貿易銀行宣布限期已到，原承諾無效，而其董事長則為高斯。高斯既親共，馬歇爾消極貸款談判未成，國內惡性通貨膨脹無法遏止，經濟瀕臨崩潰。蔣公日記「借與不借，對我實際經濟與財政問題，並無重大利害」，實乃無可奈何而圖自立自強的心態，實際影響是很大的。

反觀國內，四平街之戰是國共內戰的分水嶺，是共軍在東北戰場的第四次攻勢，亦是共軍阻援打點戰略失敗的一次。當時，林彪的總兵力共四十五萬餘，各型火砲二百餘門。

國軍四平守備兵團，為七十一軍軍長陳明仁，以八十七、八十八、九十一、五十四共四個師為主。

北進兵團，杜聿明兼轄一四六、九十三、五十三、K一及二〇七D共九個師為主，並有砲十二團兩個營（一五五美式榴彈砲）。第一營營長唐象煥，參與解危作戰有功。

南進兵團，以潘裕昆之新一軍五十D、N三十八D、N三十D三個師為主。

砲十二團，在印度成立，為全國僅有一五五榴彈砲。共三個營，第一、三營於三十六年初開東北，我為第二營營長，駐徐州，歸顧祝同指揮。

此際，國軍在東北由於備多力分，共軍整訓已成，在東北已發動三次小規模的攻勢。四平街之戰是國共雙方自交戰以來，動員兵力最多、規模最大、最慘烈的一次會戰。國軍達成解圍之目標，可算打成平手。今後無論關內關外，基本上，國共雙方戰力已趨於平衡，而共軍則採取攻勢。

蔣公因軍事情勢由危轉穩轉安，故親自主持軍官團訓，費盡心力，一向如此。即來台以後，一切從軍官訓練開始，重建軍力。

【七月游擊】共軍離巢四流竄

軍事：國軍攻占沂水、南麻，共軍分向新泰及台兒莊方向竄擾，
劉伯承從冀南渡過黃河攻占鄆城，與陳毅相策應。
魯中搜獲共軍之美製砲彈與步彈數千箱之多。

外交：美國進出口銀行董事長高斯刁難，
杜魯門總統特別代表魏德邁銜命施壓。

政治：國務會議通過動員令，實行徵糧徵兵計畫。

·解讀《蔣公日記》一九四七年七月·本月大事預定

蔣公習慣每年每月每週均有預定大事，其非當月當週所能完成者，亦重複記述。他的公務與生活，一切均在預先籌計中。

蔣公應已省察剿滅共軍爲不可能，擬採戰略守勢，以江南爲建國基礎，但從未提示長期的後方經濟發展，與建設計畫。諸如經濟管制、糧食配給等，均屬戰時應急措施。

從軍事思維看，仍猶豫於全盤攻與守，何處爲攻？何處爲守？尚未形成定見。

·解讀《蔣公日記》一九四七年七月二日

一城一地之進退，須最高統帥核定，並不符大軍指揮原則。最高統帥部只應決定各戰區任務，其執行，尤其第一線的進退，應由戰區指揮官全權負責，最高統帥不宜直接指示。

·解讀《蔣公日記》一九四七年七月六日

五月初對沂蒙山區全面外線進剿，因張靈甫在孟良崮被殲，徐州總部決定仍依原計畫繼續攻勢，使張靈甫的犧牲發生戰略釣餌作用。此際共軍主力集於孟良崮地區，乘勢續攻，則陳毅無暇調整部署，可能收殲滅之效。但蔣公親赴徐州，指示暫停攻勢，雖我軍可調整整補，但亦予共軍以調整部署之時間。

這又是一個大軍指揮的基本問題。基本上，外線作戰會戰計畫既定，應依原計畫一意貫徹，絕不能因部分不如預期，改變主攻方向，由主動爲被動。

六月中旬再興對魯中攻勢計畫，初期進展順利，且已占領南麻，自應一意續向沂水攻擊。而徐州總部判斷共軍主力南移，乃變更主攻路線，在戰略上似確實不宜。而共軍依其機動奔襲本能，慣行「你到我家來，我到你家去」，轉被動爲主動的策略。近日冀南劉伯承渡黃河重返魯西，以徐州總部判斷，共軍主力由沂水南移蒙陰，而徐州總部已下令轉移主攻方向，最高統帥得知，又令照計畫向東攻擊沂水。顧上將個性絕對服從，且對蔣公責斥無怨，不得不下令部隊回轉向東。大軍作戰，忽東忽南，轉南又回東，使第一線指揮官及部隊疲於奔命，且貽誤時間，反易爲敵所乘。

將近兩年以來，國軍進剿行動，在最高統帥與戰區總司令及第一線指揮官之間，存有指揮權責不清問題。

・解讀《蔣公日記》一九四七年七月七日

馬歇爾反對蔣公軍事剿共，調停失敗回美後，對中國內戰採取觀望政策。他的意見在調停期都表示過了，現在面對國軍挫敗，一直在他預料中，自不會表示任何意見，使美國再涉入中國內戰。

・解讀《蔣公日記》一九四七年七月・上星期反省錄（七月十二日之後）

自剿共以來，毛澤東以人爲對象，而蔣公雖意在殲滅共軍，而指示則在攻地與守地。共軍一意照其戰略思想「人在地失，有人有地；地在人失，人地皆失」。國軍雖攻取延安，及此次魯中攻占沂水、南麻，但均係撲空，共軍有生力量避免決戰又成功了。

・解讀《蔣公日記》一九四七年七月十八日

整六十六師長爲宋瑞珂。我的同班同學耿若天，於陸軍大學十九期畢業，在六十六師任砲兵指揮官，參加了羊山集之戰。耿將軍現年九十七歲。特將其所作之〈羊山集戰鬥經過簡史〉附錄於後：

附錄：羊山集戰鬥經過簡史　耿若天將軍撰

羊山集整六十六師，於七月十二日發現敵情，爲劉伯承之先頭一部。十三日緒戰，主力擊破我整三十二、整七十師後，舉全力日行百里，夜奔八十（均華里）南進，圍攻羊山集整六十六師。

我軍兵力為三個步兵團、另三個砲兵營；共軍為四個縱隊、另三個獨立旅，總計四十八個步兵團、砲兵，占優勢。十四日入夜發動強攻，人海波浪式衝鋒，連續數夜，強攻不下，且傷亡慘重。遂一面繼續進攻，一面攻擊築城，強徵民伕數萬，先掘陣前運動交通壕，由交通壕再掘環繞我軍陣地塹壕，塹壕上密築機關槍掩體，防我軍突圍，及火力支援其人海猛衝。如此塹壕，環環向前推進，最後逼近我陣前數十公尺，跳出塹壕，即發起衝鋒，火力掩護爆破，爆破為衝鋒兵力開路。為避開我空軍及砲火，進攻均在夜間。拂曉後，主力後撤周邊村落休整，入夜再興攻擊。

本戰鬥，整六十六師自然亦僅攜行糧彈，唯幸有整三十二師，留守於此兩大卡車彈藥，算是天意。但至十七日仍彈盡糧絕，申請空投。十八日開始空投，因係高空，及防地彈丸，九成以上飄落敵區。初則向集內居民徵收極限存糧，繼殺牛宰馬度日。最可靠仍是「因補於敵」。拂曉後戰火暫停，於陣前共軍堆積如山之屍體，搜取械彈及攜帶口糧。最悲慘是席地終日呻吟之萬餘傷患，最難解決是集內近兩百戶居民，已終日斷炊。血戰至二十五日，健存者，已不足千人。

二十七日，陳毅兩個縱隊，到達戰場，入夜參加劉伯承部，發動最後總攻。血戰至二十八日，終告油乾燈熄，上校以上，僅整十三旅旅長羅賢達、師砲兵指揮官耿若天，另百餘下級官兵，突出重圍。西渡黃河後，化整為零，晝伏夜行，採高粱稈端生高粱充飢，通過中共冀南老解放區，進入豫北王仲廉防地，繼轉進商邱，收容整補。

本戰鬥，我軍傷亡約三萬人，共軍傷亡約八萬人，共軍自承為五萬人，唯其動員五萬擔架，向黃河西岸運送傷患，加上其陣亡，似仍約八萬人。

小插曲：羊山集戰鬥，至糧盡彈絕時，整十三旅於羊山集西關挖掘塹壕，無意中掘出日軍埋藏之山砲、野砲彈三百餘箱，使本戰鬥多支持一週之久；因整六十六師之山砲、野砲，均爲抗戰勝利後接收自日軍。

·解讀《蔣公日記》一九四七年七月二十六日

共軍陳毅以第二、第六、第七等三個縱隊圍攻臨朐。

如何處置？理應由徐州司令部顧祝同負責，但看日記所載，似由蔣公直接指揮。而蔣公對臨朐先聞撤退，後又聞未退，故始而令第九師由沂水赴援，繼而又令第九師停止待命。大軍指揮行止不定，最爲犯忌。蓋師以上部隊命令轉達，使下級了解行動目標，如果時行時止，命令傳達不周，掌握不易，先得令者停止，未得令者續行，部隊極易陷於混亂。故大軍指揮，師級以上行動，一天只宜接受一個命令，其故在此。戰略單位的行動非隨時可變也，應由第一線指揮官獨斷決定。

·解讀《蔣公日記》一九四七年七月·反省錄

自年初關內全面剿共攻勢以來，基本均未能達成殲滅中共野戰軍的目標。國軍無論在戰略及戰術上，與共軍相較，均有嚴重缺點。

就戰略主目標而言，目標不專一，同時希望達成兩個以上戰略目標，致主力戰場均未能徹底集中優勢兵力。

就關內野戰軍主力而言，應爲陳毅與劉伯承。至三十六年，陳毅部爲十個縱隊、三十個師爲主，且以東北旅順、大連（俄迄未交國軍）爲其主要補給策源地。而劉伯承則有五個縱隊，另太岳軍區及太行軍區，共約二十個師的兵力，且在中共長期經營的冀魯豫地區，就地補給的能力很強。

共軍縱隊級（相當於軍）在其控制區內機動，幾乎無需固定的補給線而就地補給，且有全面情報封鎖與全面的情報布建。而國軍雖空優，但共軍大部隊夜間機動，國軍除空偵外，不易及時獲得其機動之戰略性情報。

魯中與魯西一直爲關內主戰場。對魯中戰場年初第一階段攻勢，因七十三軍及整四十六師吐絲口之失敗而受挫。五月間攻勢，因張靈甫孟良崮之失而中止。六月攻勢再興，順利占領南麻、沂水陳毅老巢，但其主力十個縱隊，以兩個縱隊向西南、三個縱隊向西、五個縱隊向北，分別突圍成功，轉內線爲外線，且向南麻（整十一師）及臨朐（整八師）反撲，幸未得逞。但其西竄之五個縱隊，與劉伯承東渡黃河，重回魯西，轉被動爲主動，形成另一個主戰場，圍殲羊山集整六十六師得逞。

陝北雖攻克延安，稍具政治意義，但戰況膠著，戰略上形成兵力閒置。

就戰術而言，國軍在抗戰時期因無空優，多能以夜間機動達成持久戰略。而剿共以來，因享有空優，反不習夜間機動，而共軍則夜間奔襲見長。

戰術的部隊掌握，爲達成戰略任務的主要憑藉。國軍依恃空優及武器優勢，而指揮掌握，從戰略戰術思想、每次作戰構想及通信、指揮，尤以各級指揮官的戰術素養均屬不佳，致習於陣地戰與防禦。至運動戰，尤其在共黨控制區內的遭遇戰，均居逆勢。

共軍在其共黨控制區內，戰術上亦集散自如，面對優勢國軍進入時，可散而不見蹤影，國軍形成撲空。一旦國軍深入孤懸，又迅而集中優勢兵力圍攻。

【八月國辱】美使驕橫辱中華

軍事：魯西剿務不順，羊山集得而復陷。
陝北榆林被圍，蔣公親飛延安指揮。

外交：魏德邁使團驕橫，官邸茶會對我政府首腦嚴厲訓詞，
離華聲明文字侮辱。

社會：宋家孚中、孔家揚子公司違章舞弊，私批外匯。
《中央日報》誤載金額，中外震驚。

·解讀《蔣公日記》一九四七年八月七日

此際戰局重點仍在劉伯承主力的動向，作戰次長劉斐（為章）與蔣公的戰略判斷有差異。就戰略判斷而言，對敵行動應就其對我危脅的行動加以重視。此際劉伯承既陷於魯西，有被圍殲之危機，其正當戰略行動為採「我到你家去」，變敵人的後方為前方，是劉伯承的高著，故嚴防其向隴海線以南竄擾的判斷是正確的。

榆林原屬北平行營，甘陝綏總部鄧寶珊新二十二軍，及二十八旅（徐保），及十一旅共四個團，共軍彭德懷以一、二、三等三個縱隊圍攻。蔣公指示整三十六師鍾松，由靖邊經橫山北上增援。

此際主戰場既在魯西，蔣公卻又飛往延安指示陝北作戰，其實此際陝北戰場形成膠著，與整個戰局影響不大，且兵力閒置，有損主戰場的作戰，今主戰場勝負未決，蔣公以最高統帥飛往支戰場，實為同時看兩個目標矣。

・解讀《蔣公日記》一九四七年八月九日

整十師羅廣文（轄第十旅、第八十五旅），一九四七年二月即編入陸軍總司令鄭州指揮所（主任范漢傑）序列，由隴海線民權北進。七月二十日抵曹縣，七月二十五日抵寶峰集，八月七日五家營（鄆城南）。

問題發生在：

蔣公之意，羅廣文整十師抵鄆城後是否南下，視敵情而定。其戰略意義，徐州總部是否明瞭與認同？徐州總部因何即令其南下？蔣公又因何急令制止？最高統帥與戰區司令之間，顯然對部隊運用與第一線情況變化發生差異。

徐州總部固知蔣公指示，但蔣公必須指示其用意所在，並與徐州總部溝通觀念。

徐州總部既認同蔣公指示，今又擅自改變，必有判斷與意義，應向蔣公報告。

就大軍指揮而言，全盤及全程戰略構想的確定，與所有參戰師長以上指揮官的了解，是會戰勝利的基礎；而第一線從戰區到軍、師、旅，都應有在其任務範圍內的獨立專行權，不可凡事待上級命令。至於戰區下令行動，最高統帥發覺改正制止，在大軍指揮而言，是不當的。

王鐵漢爲九一八事變時北大營的團長，爲東北軍優秀將領。惜在接收東北作戰初期，其四十九軍反在蘇北作戰。

·解讀《蔣公日記》一九四七年八月十日

蔣公飛臨延安，以共黨未死守該地，而胡宗南部未及一週即攻克爲得計。其實毛澤東一貫的戰略思想，是以人爲目標，所謂「人在地失，有人即有地；地在人失，則人地皆失」。

蔣公雖以殲滅共軍有生力量爲思想，但其所關注者則是地的得失，故在日記中以攻占某城某地，且亦指示某城某地必須堅守。是以自剿共以來，無論關內、關外，國軍占領了很多重要城鎮，但黨政不能在地生根，必須國軍保護，故占領城鎮越多，包袱越多，部隊不能機動集中，致被各個擊滅。中共雖失延安，但有生戰力仍在。即以魯西爲例，原爲劉伯承共區，國軍曾年初攻占，但其地方組織仍在，劉伯承又能渡過黃河，移師魯西，策應陳毅。

·解讀《蔣公日記》一九四七年八月十二日

伏擊與狙擊不能守株待兔，必須發揮運動戰，尤其遭遇戰的特長，對竄逃中的共軍，在離開其共區後的運動戰中，才能衝散敵軍而收殲滅之效（在老共區衝散的共軍，可就地隱藏於民間，非共區則不可能做到）。共軍衝向隴海路，乃向其老共區大別山區重整。國軍缺乏旺盛的運動戰士氣與掌握能力，是戰術行動的致命弱點。

·解讀《蔣公日記》一九四七年八月十五日

自年初馬歇爾離華後，美國政府對於國共內戰，基本上採取觀望態度，故貸款問題拖延未決。

開年後，蔣公可放手對共軍全面進剿，再不受馬歇爾調停的干擾。不幸進剿以來，累遭挫折，大多不出美政府及馬歇爾所預料。蔣公對內、對美，都陷入困境。

此際，馬歇爾派魏德邁以總統代表身分來華，以其過去與蔣公友好關係，及對中國的支持，應係表示美國政府對蔣公，尙心存支持之可能，故蔣公對魏德邁的備忘錄，親自費心審核。從召見司徒雷登所言，蔣公對美貸款的條件似乎不能接受。

·解讀《蔣公日記》一九四七年八月二十日

蔣公主政以來日理萬機，焦思苦慮，無論黨政軍經之重大政策，從決策到執行，似無可信而得力的助手，一是皆以執行他的指示而已，分憂分勞者幾不可得。這是蔣公一生領導風格所使然，而非毛澤東則有周恩來與朱德可比。

馬歇爾離華後，國軍全面進剿，雖無外交壓力，惜連受挫折，美援條件更苛更嚴，其派魏德邁來華了解眞相，應係對華政策尙存支援之思考，應非絕望放棄之意。但從蔣公與魏談話內容來看，魏所提備忘錄自是代表美國政策，蔣公以其一貫的民族自尊，故魏德邁並無成果可言。

·解讀《蔣公日記》一九四七年八月·反省錄

馬歇爾派魏德邁來華與蔣公談話，幾可以「決裂」二字視之。馬歇爾派魏德邁之動機可

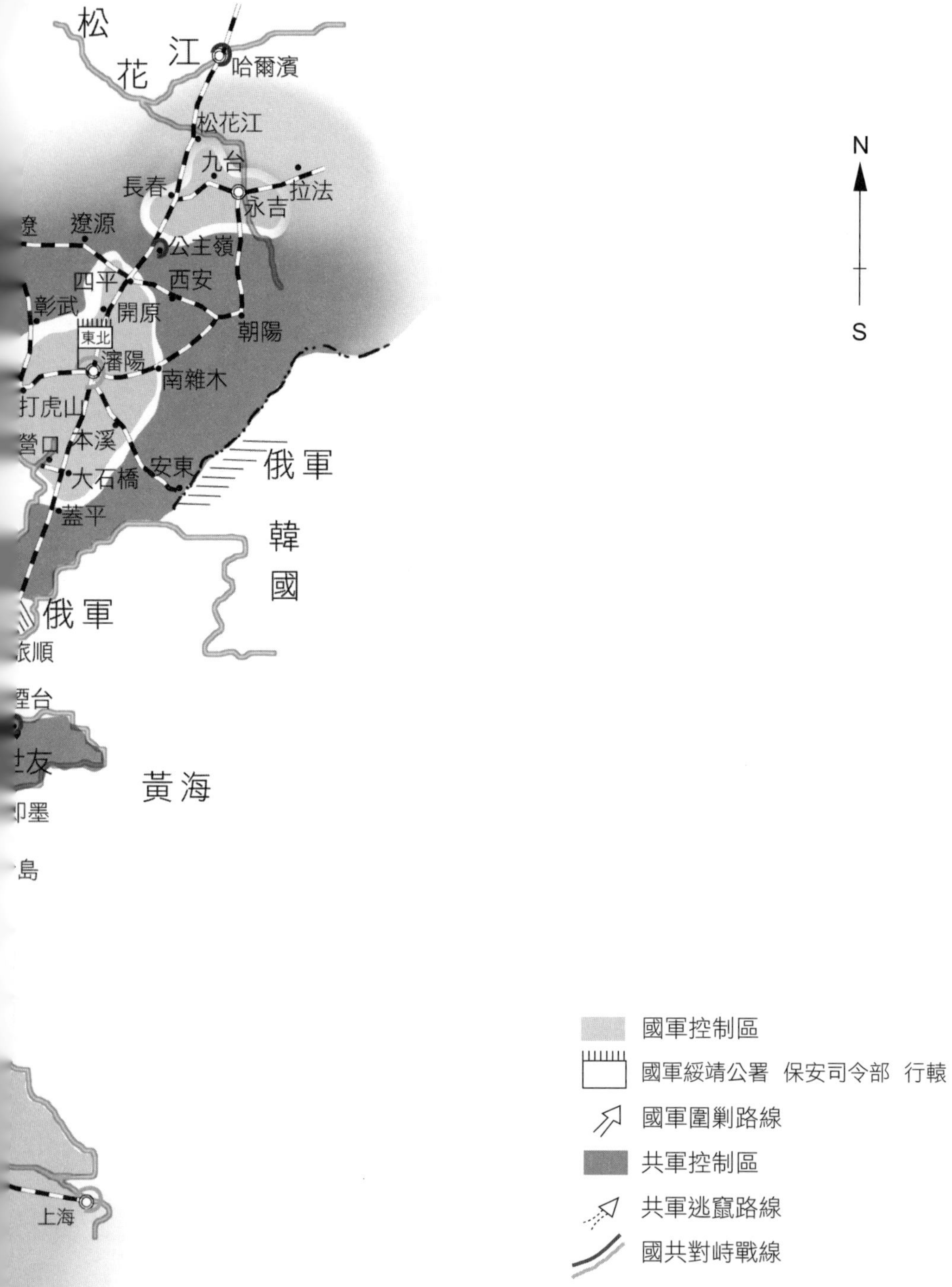

圖片來源：國防部史政編譯局（郝柏村提供）

國軍被隔分離作戰態勢圖
（1947年8月上旬）

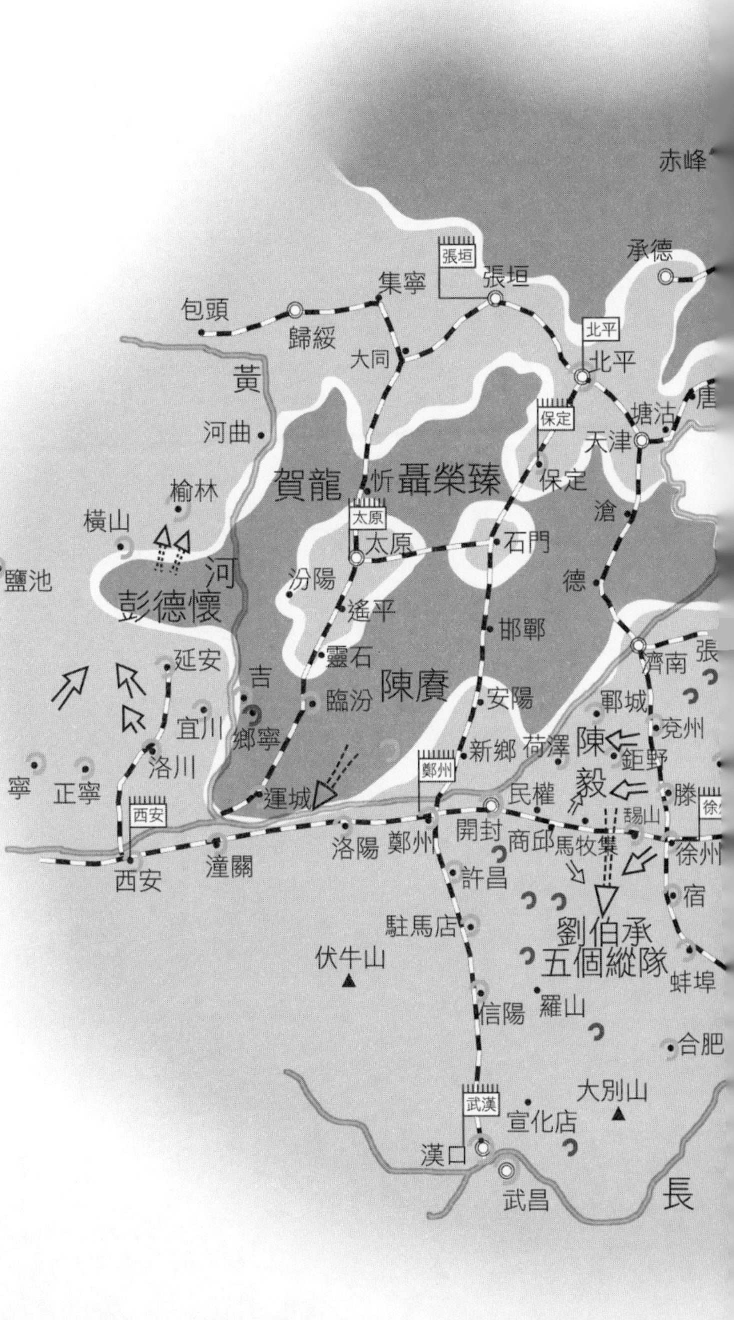

推測如次：

一、蔣公堅持剿共，半年以來未達成速戰速決、殲滅共軍主力的目標，且遭受嚴重損失與挫敗，試探是否重啓和談之可能性。

二、蔣公不僅軍事失利，經濟危機更嚴重，急需美國的貸款與援助。

三、基於美國家利益，不能放棄中國，使淪入共黨統治。迫使蔣公放棄權力，另支持與美合作的領導人。

四、魏德邁指中國貪污與無效，實即指蔣公領導的政府無法有效運作，更無可能消滅中共，故對貸款提出苛嚴條件，亦即完全干涉內政。蔣公素以民族自尊爲念，故談判破裂，魏德邁的使命亦完全失敗。

五、魏與蔣公在抗戰末期相處甚得，此行態度完全相反，自爲馬歇爾授意。唯蔣夫人仍時時感念魏德邁的友情。我於一九八九年七月二十八日，以參謀總長身分，第四次訪華府，蔣夫人特以昔日合照及禮品，囑我親訪年邁的魏德邁，於其華府近郊獨院樓房，僅老夫婦居住，雜草叢生。爲接待我，特請工人剪除了雜草。我與魏德邁會談約一小時，轉達蔣夫人問候之意。魏對蔣公的人格、毅力與遠見，仍極爲讚佩。

【九月混戰】共軍飄忽亂目標

軍事：王耀武謊報共軍在東阿渡河，情勢研判錯誤。

潼關、西安形勢嚴重，運城人民跪臥道旁，

哀求勿調國軍，兵力被共牽制。

第五十七師在沙土集突圍，被共解決。

外交：俄抵制對日和約，美俄關係緊張。

內政：召開國民黨四中全會及黨團聯席會議。

・解讀《蔣公日記》一九四七年九月・上星期反省錄（九月六日之後）

魏德邁於半年來剿共不順，而經濟危機嚴重之際，銜杜魯門之命來華，其目的似仍圖挽回中國，免於全面淪入共黨統治爲目標，而願依援助希土法案提供援助，但其條件則爲蔣公交出權力，無異爲反蔣、倒蔣之行。故除談判無結果，蔣公甚至拒絕魏德邁的宴會。

魏德邁只是傳話的人，其實是馬歇爾的意志。馬歇爾在華一年，與蔣公同屬二次大戰的英雄，不幸相處形同冰炭，故乘蔣公軍事頓挫、經濟危機之際，以倒蔣而達到維護美國遠東利害之目的。不以助蔣反共，而以倒蔣反共，其目的與手段完全矛盾，中美關係降至冰點，終致蔣公的不幸、中國的不幸、美國的不幸，三敗俱傷。

蔣公以馬歇爾與魏德邁均係美國陸軍，而認定其為軍閥，亦即美陸軍有統制中國的思想。此乃蔣公誤植日軍陸軍與美國陸軍的想法。美國軍隊完全為文人領導，馬歇爾雖係陸軍出身，但其為國務卿，乃建議並執行杜魯門民主黨政府的政策，而美國政府的政策，非陸軍所能影響也。

·解讀《蔣公日記》一九四七年九月十六日

魯西為中共經營已久之控制區，國軍雖曾占領，但未能剷除共黨基層社會的控制力。自一九四六年冬至一九四七年秋，國軍有第三師、六十六師、五十七師三個整編師，計九個旅、十八個團的兵力在此地區全軍覆沒。共軍進出自如，而國軍圍剿無顯著戰果，未見俘虜團長以上指揮官，未見繳獲武器的數量，蓋共軍如來不及撤退，為避免決戰，可就地隱藏於民間，或待機於夜間結集行動，或俟國軍進駐，就地結集，圍攻反撲。

國軍魯中攻勢雖占陳毅老巢沂水、南麻，而陳毅主力除一度反撲南麻未逞，又轉向魯西流竄。胡璉十一師為國軍戰力堅強部隊，在南麻使陳毅碰壁。面對陳毅主力竄魯西，乃令第十一師亦轉用魯西。

·解讀《蔣公日記》一九四七年九月十八日

宋子文任廣東省主席，有確保最後政治基地的意義。日記中所謂「勉強」，或係指廣東將領或政客有不同意見。我一九四八年任一九六師參謀長時，宋主席曾親校，對我師頗為讚賞與支持。

本日日記亦談到薛光前報告美援希臘反共，而實際則由美軍方主控一切，使希臘政府形同美國附庸。此所以魏德邁上月來華考察，與蔣公談判美援條件，蔣公完全不能接受，決定不再向美貸款，並認為馬歇爾等為軍閥。

·解讀《蔣公日記》一九四七年九月二十日

時機是戰略的重要因素。從歷史過程看，蔣公此時不力促與日和約簽定，是外交戰略的失策：

一、此時簽訂和約，必明定台灣回歸中華民國主權，則免在舊金山和約中被排擠，以及中日在台北簽訂的和約中，日方依舊金山和約，只宣布放棄台灣主權，成為台灣地位未定論的藉口。

二、如於一九四七年俄不參加對日和約，對我不但無損，反而有益。若如蔣公預言，遠東和平因之破裂，中國不能獨力當其衝。其實當時國內沒有和平，何能企求國際和平？而國內戰爭，俄國支持中共為主要因素。

三、俄參加對日和約如起衝突，必為美俄間衝突，則反共內戰必與美俄衝突合一，對我有利。

四、縱不致美俄直接衝突，俄又何能加害於我更甚於今日者？

・解讀《蔣公日記》一九四七年九月上星期反省錄（九月二十日之後）

胡宗南主力攻取延安後，未能殲敵回師，而膠著於陝北，致西安空虛。晉南共軍陳賡部渡黃河，陷豫西盧氏，攻潼關，這是流寇戰略之實踐。

魯西為中共經營很久的控制區，其野戰軍撤退而地方組織仍在，國軍進入共區，共軍為避免決戰，可就地分散隱藏，故國軍一面似乎見不到敵人，而其實到處是敵人。其所謂就地隱藏的殘部，可隨時配合其主力部隊，重新結集成軍，這就是「人在地失，有人有地」。蓋國軍進剿以來，以占領城市為戰果，而未以繳獲共軍武器為戰果，僅魯西戰場，國軍三D、六十六D、五十七D三個整編師全軍覆沒。整體而言，共軍愈戰愈強。

・解讀《蔣公日記》一九四七年九月二十二日

蔣公在本日日記已察及：

一、共軍投誠者寥寥無幾。

二、共軍被俘甚少，即在控制區可就地隱藏，故俘虜少，繳獲武器則少。

三、實則戰果是空虛的。

其實此非僅共軍組織嚴密與掌握確實，而更重要者，為其地方共黨組織控制社會基層，其軍隊退了，地方政權仍在，而國軍黨政始終無法打入。

・解讀《蔣公日記》一九四七年九月二十四日

閻錫山在中原大戰後，仍保有兵權，固保山西，成為割據狀態。他為確保山西，其交通建設如正太路（正定至太原）、同蒲路（大同至晉南），均採窄軌而非準軌。其對山西基層經營，亦有其特定手段，總之不容中央勢力介入。抗戰後，曾由薄一波負責籌組犧牲同盟，由薄牽而投共（薄原爲共黨在閻部潛伏分子）。閻還是鬥不過中共。抗戰勝利後接收太原，但晉南則靠胡宗南部與中共對抗，晉北大同亦久受賀龍圍攻。閻經營山西數十年，此際僅有太原，故對臨汾（太原南）接防都無力承擔了。

・解讀《蔣公日記》一九四七年九月上星期反省錄（九月二十七日之後）

國軍外線作戰攻勢，不能併進合圍，中央突破攻勢，不能拘束或壓迫敵軍於地障，均未能達成殲敵效果（虜獲武器多少，是殲滅戰的主要證據）。

共軍輕裝，夜間機動能力特強，尤其在長期控制區內，軍雖退而地方政權仍在；國軍在新占領區，無法建立有效持久之地方政權，故共軍無論大部隊或小部隊，均有鑽隙機動之能力。

凡戰機動力強者，多能立於主動地位，此共軍之優點也。

・解讀《蔣公日記》一九四七年九月二十九日

中美關係自爲反共成敗的重要因素。自馬離華，國軍全面進剿以來，軍事攻勢未能達成目的，且受重大損失，美國冷嘲熱諷，蔣公已很難堪。而馬派魏德邁來華，是站在美國利益，力圖中國不陷入共黨統治。唯其援華條件，必係要求蔣公釋出權力，以掌控中國內政，自爲蔣公所不能接受，寧可不要美國貸款。

魏德邁雖自夏威夷來函表示擁蔣，而昨夜司徒大使傳達馬意，我猜所謂高壓，「要蔣釋出權力甚或下野」；所謂「威脅」與「恫嚇」，不外斷絕一切援助，甚至另覓親美人士籌組政府。

·解讀《蔣公日記》一九四七年九月·反省錄

從日記看，對陳毅及劉伯承的進剿，都是顧總司令的責任。戰務是繁忙而費心，他仍有閒情，每週聽取我的戰史報告，完全看不出他煩憂的情緒，這也是大將難得的風度與修養。

我在徐州近八個月，國軍發動如此重大的攻勢行動，關內唯一的十二門一五五重砲，卻未使用於主戰場。

砲十二團第一、三營，早於今夏緊急增援東北，用於解四平街之圍。東北戰場自四平街解圍後，三個月以來，關內國軍攻勢激烈，而關外反成休戰狀態。日記每日所提，均係關內剿務。

陳誠以參謀總長兼任東北行轅主任後，在關內僅有的一個重砲營，亦奉國防部令調往東北，顧總司令不能強留，我乃率本營由徐州，經津浦路鐵運至南京，再鐵運至上海。由美國二萬噸級自由輪海運東北，在葫蘆島港登陸，到錦州。由於北寧路錦州瀋陽段，每夜均遭破壞，我的砲即停在鐵路車上，達兩個星期才修通。我在鐵運瀋陽途中，還見到部分鐵軌被拉立起來了的景象，可見東北此際，中共勢力已能動員民力，於夜間破壞由山海關到瀋陽的重要補給線。

陳辭修上將是抗戰勝利後，蔣公手中的王牌，今又兼任東北行轅主任，坐鎮瀋陽，可見東北之重要，亦可見蔣公得力助手的短缺。

從日記看，蔣公等於直接指揮參謀本部及各戰場，故陳參謀總長常駐瀋陽，無礙於參謀本部全盤的作戰指導。

【十月再戰】共軍全面起攻勢

軍事：第四十五師收復煙台，

第六十四師黃國樑師長被圍，苦戰十日以上。

共軍全面進攻，國軍十二個團被滅。

外交：美國浦立德發表訪華報告。

經濟：上海物價暴漲，美金黑市作祟，經濟惡劣日甚。

・解讀《蔣公日記》一九四七年十月二日

關內陳毅與劉伯承主力雖失去老巢，但採取流竄戰略，分散襲擾。此乃由於國軍攻勢未能捕捉其主力，予以殲滅之故也。

其實此際無論關內關外，共軍已採主動攻勢。

東北自四平街解圍後，雙方調整，暫呈休戰狀態，無重大軍事行動。但自十月開始，陳誠抵瀋陽坐鎮，共軍已開始攻勢。開原在四平與瀋陽間，法庫在瀋陽西北約百公里，爲瀋陽外衛。

我於此時率砲十二團第二營，由葫蘆島登陸到錦州，正因北寧路被破壞，在列車停了近二週，才搶通錦州、瀋陽間鐵路，運抵瀋陽。

冀東三個師仍未出關，應係指五十三軍，蓋李宗仁原反對該軍調增東北也。

·解讀《蔣公日記》一九四七年十月·本星期預定工作（十月四日之後）

國軍軍官向有小廚房習慣，尤以高級將領爲然，不如共軍不分官兵，甚至沒有官兵之分的名義。司令官稱司令員，通信兵稱通信員，甚至毛澤東在文革時期取消官階。國軍小廚房習慣，到台灣才根絕。

日記亦提及國軍空缺現象，由於補給沒有制度化，完全由軍師級將領包辦。由於行政經費不足，正規的的國軍乃規定連長可占幾個缺，營、團長以上皆有規定。至於割據型的軍隊則占缺情形嚴重，號稱一萬人，實際也許只有五千人，故戰力評估不實。吃缺現象，直到台灣建立補給發餉制度後，才根絕。

·解讀《蔣公日記》一九四七年十月九日　由北平飛南京

國防部長怕負責，乃指白崇禧。他應有戰略思維，不同意蔣公。前曾有怨言，不爲蔣公所諒，但依制度，國防部長並無指揮三軍之權，只有旁觀了。

·解讀《蔣公日記》一九四七年十月十二日

指定各師專對某一共軍單位（應以某一縱隊爲單位）專剿，這是蔣公的戰略新思維，亦即以有生力量爲目標，而非以城鎮或某地爲目標。這種思維可能一改過去攻勢撲空的現象。

按：當時一個整編師的戰力，足可對抗共軍一個縱隊，如果每一個整編師，能咬住共軍一個縱隊，纏住共軍，則國軍再以其他兵力形成優勢，逐次殲滅縱隊級的共軍，可避免一個整編師，常被三個以上縱隊圍攻的現象。

由於過去以城鎮爲攻擊目標，共軍退卻了，國軍占領了城鎮，就算任務達成。待上級命令下一次行動，則原接戰之共軍又不知去向了。

要實施以有生力量爲攻擊目標，必須具備兩個條件：

一、我軍機動力必須與共軍相伯仲，否則咬不住共軍。

二、專對某一番號，其進剿路線常操在共軍，共軍可在其控制區內打轉，無虞補給線問題（可就地補給），而國軍不可能在共區就地補給，必須以空運補給充分，才能專對某一番號之縱隊追剿。

而國軍的弱點正是機動力，尤其是夜間不如共軍，故不易咬住共軍。接戰與否的主動權，大多在共軍手裡。

・解讀《蔣公日記》一九四七年十月十九日　在青島

此時，我已駐在瀋陽鐵西，待命參戰。

・解讀《蔣公日記》一九四七年十月二十日　在青島

剿共軍事進進出出，國民黨所派縣長不能就地生存，只能隨軍進退，這是國軍不能在老共區的致命傷。

蔣公常在日記中思考此一戰術問題，其實這不是最高統帥的事，不過，蔣公領導性格，是大小事都會管。

·解讀《蔣公日記》一九四七年十月三十一日　在牯嶺

蔣公已自覺其聲望與民衆愛戴之情下滑，在北平如此，在牯嶺亦如此。

【十一月危境】國軍失據陷被動

軍事：共軍建立大別山巢穴，國軍被俘高級將領日增。不願放棄石家莊，劉英奉命死守。

經濟：米價每石八十萬元以上，美金黑市至十三萬元兌換美鈔一元。

內政：收復區再陷，還鄉黨員及鄉民再受清算。

・解讀《蔣公日記》一九四七年十一月一日　在牯嶺

蔣公戰略思維仍以占領要地爲目的，而毛澤東則以殲滅國軍有生力量爲目標。自年初全面進剿以來，雖進占魯中、魯西及膠東，但未能殲滅共軍主力，甚至共軍能於十月份發動全面攻勢（從東北、華北到西北）。

・解讀《蔣公日記》一九四七年十一月上星期反省錄（十一月一日之後）

十月份被俘軍、師、旅長以上二十餘員，證明共軍以殲滅國軍有生力量、「傷十指不如斷一指」的戰略成功，是國軍很嚴重的軍事失敗。

・解讀《蔣公日記》一九四七年十一月六日

原在共區被清算鬥爭，逃離家園到江南的小地主或國民黨人員，於國軍進剿收復時，紛組還編團回鄉，原期國軍保護，建立地方政權，但當共軍回竄原共區時，此際不及逃出之還鄉團，遭受再清算鬥爭公審之慘烈，無與倫比，日記所指即在此。

・解讀《蔣公日記》一九四七年十一月七日

由於進剿不順，經濟情勢日惡，隨之政治、社會，尤其未受軍事影響之江南，亦顯動亂與不安。

此時在外交上，不僅美國輿論，尤其馬歇爾旁觀冷諷，採取蔣不倒則不援華政策，而國內非中央嫡系軍頭，一向是見風轉舵、投機取巧，眼見嫡系部隊，連連遭受整編師及軍級的全軍覆沒，亦採取觀望而伺機投機。

陳誠為抗戰勝利後掌軍事實權，且亦蔣公一意培養的接班人。無奈雖小蔣公十歲，但其健康不佳，而其他蔣公信賴之幹部，除服從其命令外，難當分勞分憂之任。

國內情勢方面，白崇禧建議放棄石家莊、長春與吉林，由於大半年的國軍攻勢無成就，共軍除六月在東北四平街發動攻勢，雖未得逞，而十月在關內全面發動攻勢，整個軍事情勢，國軍已採戰略守勢，既不能消滅共軍，則應確保不被共軍消滅。縮短戰線，放棄孤懸的城市，是必要的戰略措施。白崇禧的建議是正確而有道德勇氣的，惜有反蔣紀錄，不爲蔣公所信任。

・解讀《蔣公日記》一九四七年十一月八日

行憲第一屆國大代表選舉，是一九四七年的重大政治任務。由於剿共軍事不利，有人主張暫停選舉，但蔣公堅持，這是很重大的正確決定。蓋如不成立依憲法產生的政府，一九四九年中央政府遷台，如仍爲訓政時期，則有統治的正當性問題，影響今日台海兩岸關係，及所謂台灣地位未定論更無法澄清矣。

・解讀《蔣公日記》一九四七年十一月十四日

自全面剿共以來，實際都是蔣公親作戰略決策，與指揮第一線到師級，參謀總長又派往瀋陽兼任東北行轅主任，且健康不佳，等於蔣公自兼參謀總長。

此外，美械的預備隊只是被動的增援據點，亦自陷於戰略被動。

・解讀《蔣公日記》一九四七年十一月十五日

司徒大使見蔣公，表示待時候教。所謂待時，判係待蔣公下野或釋出權力。

・解讀《蔣公日記》一九四七年十一月上星期反省錄（十一月十五日之後）

馬歇爾離華後，蔣公原期放手全面進剿，以軍事勝利，迫中共接受蔣公的和平條件，亦期盼以剿共軍事勝利，解決經濟及政治危機。

由於估判錯誤（低估共軍能力，高估國軍能力），益以中共在其控制區內，完成總體戰爭面的基礎，不需野戰軍保護，乃以黨政掩護軍事，野戰軍可完全機動。一旦優勢國軍進入，初期避免決戰，或撤退，或就地隱藏，伺機集中優勢兵力，反撲圍殲孤懸之國軍，實施其阻援打點戰略。

進剿以來，蔣公所重視者為占領城市，但國民黨政要依恃國軍保護，軍隊到哪裡，黨政才能跟到哪裡；國軍撤退了，黨政就存在不住，而產生還鄉團遭報復清算的慘劇。

國軍大軍必須依賴後方補給線，由於不能控制戰爭面，其補給線愈長，則受威脅愈大。而共軍則相反，在其控制區內，則全面都是動員補給線，縱其老巢被攻陷，倉儲有損失，亦非其致命傷。

大軍（師以上）作戰，不能置之死地而後生。一旦補給線被截斷，其生存力便指日可數，縱不經慘烈戰鬥，亦可致被圍部隊於死命。

共軍野戰部隊輕裝機動，由於無空優，特長於夜間鑽隙奔襲，只要攜數日口糧，可以大軍實施流竄的戰略，竄回其原控制區，或變國軍的後方為前方，顛倒作戰正面，由魯西轉到大別山區。

十個月來，關內共軍主力劉伯承與陳毅均係採用此戰略，不但使國軍外線攻勢失敗，且待機反撲，圍殲國軍整編師及軍級全軍覆沒。

國軍占領城市越多，包袱越多，兵力越分散，共軍更容易反撲。自十月後，無論關內、關外，國軍反居於內線守勢了。

國軍由占領城市撤退，甚至民眾請求國軍勿退，這可能都是隱藏共幹策動，以牽制國軍兵力的巧妙方式。

由於軍事不順，不僅馬歇爾冷酷嘲諷，而國內割據軍頭亦存觀望。這些割據軍頭本質是反共的，但他們向以保存實力，既不容許共軍侵入，亦不歡迎中央軍進駐。胡璉將軍曾說，這些軍頭認爲「有共有我，無共無我」，故在一九三五年中共從江西北逃期間，途經貴州、四川、甘肅、寧夏、陝西，他們都對毛澤東「請早走也」，放他們走，並不服從蔣公堵截的命令，同時也不歡迎中央部隊藉追剿進駐。

蔣公曾有某師專對某共軍縱隊作目標之構想，但欲以某師專對某共軍，必須要保持接觸才可。由於共軍機動力強，可迅速擺脫接觸而不知去向，此一構想亦難以實施。

・解讀《蔣公日記》一九四七年十一月二十日

蔣公鑑於第一線軍師作戰不力，尤以解圍部隊常被阻，顯示進攻不力，故派督戰組至第一線，其實是對第一線軍師長無信心，亦對軍師長自尊心的傷害，未必有「督戰」效果。

・解讀《蔣公日記》一九四七年十一月二十一日

自進剿以來，關內部隊以第五軍及整十一師（即第十八軍）戰力最強，所向無敵，而邱清泉及胡璉亦爲國軍最傑出將領，故蔣公對此二將寄望甚殷，常親寄長函。惜終因整個戰略錯誤，獨木難撐大廈，邱清泉終於徐埠會戰失敗自戕，而胡璉脫出重圍來金門，成就古寧頭大捷，及指揮八二三砲戰，確保台灣、金、馬安全，二將皆不失蔣公厚望。

國軍原有國民黨黨部，規定軍官入黨，其效果並不顯著。蓋國軍並非如共黨，以黨指揮軍。馬歇爾來華調停，以國軍有黨部，非軍隊國家化之軍隊，不符美國建軍精神，故要求國民黨黨部退出軍中，以顯示國軍非國民黨軍隊，但馬並未要求共軍政委退出共軍。

・解讀《蔣公日記》一九四七年十一月二十八日

華北自抗戰勝利，由李宗仁任行轅主任，統第十一戰區孫連仲，後改保定綏署及十二戰區。傅作義後改張垣綏署，爲統一指揮河北、察哈爾、綏遠及熱河四省剿務，統編保定及張垣兩綏署，爲華北剿總。孫連仲（仿魯）與傅作義（宜生）原爲同位階，蔣公囑孫連仲自動推傳任總司令，其故在此。

・解讀《蔣公日記》一九四七年十一月本星期預定工作（十一月二十九日之後）

自內戰以來，毛澤東以人（有生力量）爲目標，而蔣公則以地（占領城市據點）爲目標。現在，蔣公總算終結失敗教訓，想通了。卻又嚴令各部隊清剿日程擴充地區，如重視擴充地區，實質又以地爲目標。

曾有嚴令收復區縣長與縣城共存亡的指示，現在也想通了，對收復區縣長的任務有新思維。

問題在，老共區共黨分子在社會基層，尤其農村深耕，他們不隨軍進退，並且掩獲軍隊。國民黨員在敵後時代都被共黨趕出，而現在以黨無鬥志，根本不可能在短期內在農村生根，而軍隊時進時退，既不消除共黨既有組織，亦不能在收復區生根，此致命傷也。

・解讀《蔣公日記》一九四七年十一月・反省錄

蔣公與馬歇爾的關係，從日記所載，認馬爲美國軍閥，自爲情緒反應。但馬對蔣而言，實已勢不兩立，對蔣公、對中國自極爲不利。

一、最近兩月，軍事重點仍在華東與中原戰場劉伯承與陳毅兩股。面對國軍對魯中、豫北、魯西的攻勢，陳毅、劉伯承及陳賡各股大膽執行流竄戰略，顛倒作戰正面，使國軍的後方變為前方，而我兵力則被牽制在原共區。

二、共軍由於在魯西及大別山區、豫西伏牛山區有社會基礎，且其輕裝機動，可以地方政權就地補給無虞，其戰鬥生存力，其面的補給動員基礎，在戰略上，國軍無法斷絕其大軍補給。

三、此際仍未放棄占領城市的思維，諸如陝北的榆林、晉南的運城，其得失已無關大局。

四、在軍事上，蔣公應思考：如消滅共軍絕不可能，而如何不被共軍消滅，保存軍事實力，為主要的戰略思維。

【十二月詭變】美俄互爭中國利

軍事：萊陽一團兵力被圍一週，二百餘名官兵死守據點。蘇北、山東、河北、皖、豫東及山西太行山區，均成為共黨根據地。

外交：馬歇爾擬利用張群倒蔣。俄武官與經國密談，示意將聯我、助我、擁我。

經濟：米價已漲至百萬元。

・解讀《蔣公日記》一九四七年十二月一日

馬歇爾擬利用張群倒蔣，可見蔣馬勢不兩立之勢。唯張群爲蔣公至友，忠誠不二，不爲馬所動。其實此除蔣公退居第二線，以忠誠可信的張群在第一線，重修與美馬關係，在政治戰略上是正確的，並可避免以後與桂系的衝突，大陸可保大半壁江山，可惜。

・解讀《蔣公日記》一九四七年十二月四日

俞大維時任交通部長，但與馬歇爾及魏德邁（亦係留德）相處甚得，故馬歇爾離華後，有關軍事的對美交涉，仍由俞大維負責。

俞大維具有深厚的戰略修養，惜剿共期間未介入軍事。來台後常對我說，如由他在抗戰勝利後，任國防部長而非交通部長，會提出正確的戰略思維，大陸軍事不致崩潰。

・解讀《蔣公日記》一九四七年十二月五日

蔣公常思考戰術問題，而手擬剿共手冊。其實身為最高統帥，此際最重要者，已至檢討進剿戰略的最後時機，否則，危局只有日趨嚴重。

中共士兵都來自農村，且多為佃農與貧農，在地方鬥爭地主，掃地出門，而貧農分地分田，號召參軍，故其政治宣傳及士氣，先天居於優勢，尤其取得局部、分區殲滅國軍整編師級單位以後，其勢益張。而被俘國軍官兵，從釋放高級將領，及遣送不願收編者回家，均為打擊國軍士氣的王牌。

國軍抗戰期間，以戶口調查未完成，兵役制度弊端叢生，仍可以民族大義號召。今日內戰，士兵仍來自農村，雖知識未開，但先天上並無仇共心理，故提振士氣先天上，即居不利地位。此所以馬歇爾堅主軍事剿共必敗，而與蔣公勢不兩立。

・解讀《蔣公日記》一九四七年十二月八日

共軍自建軍以來，其基本領導方式，黨委不僅負責思想教育，且以其黨指揮槍的傳統政委地位，與指揮員同等的二元領導（軍事專業與政治專業）。其兵源來自農村貧中下農民，易為窮人翻身所誘。而其軍民關係，則以所謂三八作風（三項紀律、八項指示），以不擾民而助民，號稱人民軍隊為主旨。而部隊內領導方式，以群衆紀律代替服從命令。故其內部批評鬥爭，不容指揮官腐化，做到官兵平等。

國軍習以開明專制、絕對服從，以代替群衆紀律，但自北伐後，升遷太快，將領驕奢，四大公開（人事、行政、財務、獎懲），未徹底實踐。

·解讀《蔣公日記》一九四七年十二月九日

「無地不可守之實例」，似顯示蔣公此際戰略仍重視守地，以鼓勵守軍堅守陣地之意，與共軍以有生單位為目標之思維是矛盾的，亦不符機動戰略原則。

自十月，共軍採取流竄大戰略，以孤立分割國軍，不放棄占領地區。共軍採阻援打點，國軍則形成被圍與解圍的循環。

·解讀《蔣公日記》一九四七年十二月十二日

自抗戰勝利後，經國先生以留俄十餘年的深刻了解，蔣公倚為折衝對俄關係之實質推手。既任東北外交特別員，並親赴莫斯科，代表蔣公會晤史大林，迄仍保持與俄武官之連絡。

由於經國先生的關係，我判斷蔣公在雅爾達被羅斯福出賣後，甚有居於美俄之間，具有舉足輕重之意，但自俄不守信義，違約助共，蔣公對俄幻想已滅。但馬歇爾調停失敗，反以倒蔣再援華為美國之策，蔣公實陷於兩頭空的苦境，故俄武官又試圖以與毛共妥協，倒向蘇俄，同共反美，蔣公似未接受。

另外蔣公屢為民主政治奮鬥，但領導風格上，常被左派誣為獨裁者，他對此深以為辱也。

·解讀《蔣公日記》一九四七年十二月·上星期反省錄（十二月十三日之後）

膠東萊陽守軍，為整五十四師之一個團，團長胡翼　固守至換防，僅餘二百餘人，仍死守核心據點，共軍未逞而退。胡團長後來台，升至陸軍中將，曾任金防部副司令官。

·解讀《蔣公日記》一九四七年十二月十四日

蔣公與高級將領子女聚餐並不多，陳辭修子女應係特例。蓋陳夫人譚祥女士，與蔣夫人相處甚親。

·解讀《蔣公日記》一九四七年十二月十五日

運城在晉南，汾陽在平遙西，均為西安綏署責任區。

俞大維時任交通部長，是具有科學、兵學與哲學之全才，來台任國防部長，常對我談及，很懷念蔣公對他的信任與倚重，但抗戰勝利後任命他做交通部長，而在馬歇爾調解期間，負蔣、馬間傳話之責。

俞先生精通英文與德文，且係曾文正公的外曾孫，對中國傳統儒學思想亦深具基礎。曾慨嘆抗戰勝利初期，未任國防部長，若然，以他的戰略素養與蔣公的信任，提出若白崇禧的建議，蔣公會重視。

蔣公本日記，乃對俞大維的肯定。蓋在日記中，蔣公很少提出滿意的高級文武幹部。在日記中以責訓爲多，而對俞則例外。俞先生懷念蔣公與辭修上將，故遺囑海葬前，先上直升機，繞陳辭公和蔣公陵寢上空一匝。

蔣公所思常以手令下達，但是否能行或貫徹，可能無下文。蓋日下數十通，實係蔣公領導風格。

·解讀《蔣公日記》一九四七年十二月十六日

萊陽固守或突圍原不重要，但如謊報軍情則非常嚴重。蔣公直接指揮軍、師，必致架空戰區司令權責，而形成戰略構想不完整，而謊報軍情必使統帥判斷錯誤，爲軍中大忌。

從日記看來，此際蔣公仍在意城池的得失，與毛澤東不在意地的得失、不打無把握的仗，正相反。

·解讀《蔣公日記》一九四七年十二月十七日

由於大陸剿共情勢不利，美國部分官員判斷，共黨可能席捲整個大陸，預留台灣免入共黨接收的外交陰謀，不知是否爲馬歇爾暗中指使。

·解讀《蔣公日記》一九四七年十二月十八日

此際，砲兵十二團全團駐在瀋陽鐵西原工業區，我任第二營營長，配屬第九兵團廖耀湘，隨時準備參加作戰。

·解讀《蔣公日記》一九四七年十二月二十一日

此際，關外與關內形勢不同。關內共軍化整為零，分散竄擾，避免決戰，使整個冀魯豫皖陝晉為戰場；而關外則採取正規的冬季攻勢，尤其主攻在遼西，為長春、四平、瀋陽、錦州之左側背脆弱敏感地區。

蔣公想法，為以「下駟對中駟、中駟對上駟、上駟對下駟」的戰略思維，關鍵中、下駟達成牽制敵人之能力，而不為敵殲滅為前提，國軍士氣普遍低落時，尤難。

·解讀《蔣公日記》一九四七年十二月二十二日

不放棄若干城市，無法集中兵力，形成重點主義。

國民黨軍政制度不能與中共鬥爭，非始自今日。抗戰開始後，在敵後地區，國共摩擦階段皆敗北，致蘇北、山東、河北、皖北、豫東及山西太行山區，均為共黨的根據地。

·解讀《蔣公日記》一九四七年十二月二十三日

從日記看，萊陽為膠東重要之後勤補給的彈藥庫，補給基地是重要的戰略整備，而五十四師的主力則在海陽，致僅以一團兵力固守而失陷，可知膠東兵團司令與聯勤總司令郭懺，對於膠東補給基地的設置，乃應膠東指揮官的戰略構想結合，非聯勤總司令可擅自決定也。抑膠東司令范漢傑，忽視此一彈藥庫的重要性？

·解讀《蔣公日記》一九四七年十二月二十四日

此際，整個戰局的重點在東北與華中。

蔣公此際既思集中兵力，採重點主義，但在措施上與此想法相矛盾，而是寸土必爭、城市必守。其實，榆林與運城之得失，對大局無助矣。

·解讀【剿共檢討】一九四七年剿共重大事項戰略檢討

蔣公於一九四七年終，重記此一月七日與馬歇爾談話，其堅決反對英俄，尤其是俄國，與美共同介入國共問題，而認為干涉中國內政。

一、蔣公以為只要美國中止調解，但仍須援華，則放手進剿，必可取得軍事決定性勝利。無奈事與願違，而美援斷絕，經濟崩潰。故一九四七年，實為蔣公自抗戰勝利以來，最痛苦的一年。

其實，自雅爾達密約以及馬歇爾來華，在在顯示中共問題，實際為國際問題之一。蔣公以民族自尊為首要考慮，堅持國共問題為內政，但在戰略上未必明智。

二、蔣公如自始不存對俄守約的幻想，根本應堅持不接受雅爾達密約規定，而由中國自主與俄簽訂條約，則俄於對日宣戰後，公然進軍東北，援助中共，為繼日本對東北的侵略者，毛澤東無異於溥儀與汪精衛，則反共為基於民族大義，反侵略的戰爭，人民雖苦，尚有民族精神可恃。

三、對雅爾達密約，蔣公該堅持時未堅持；但接受馬歇爾來華調停終失敗，則為該妥協時不妥協，同為戰略錯誤。

附錄：一九四七年幹部資料，及剿共陣亡、被俘之師旅長

許靜芝

張壽賢
裴毓棻　豫南　青島海校五期
湯惠蓀　地政署副　蕭錚　鄭震宇
李振翩　湘鄉　軍醫署疫苗製造所長
徐澄宇　中大教授　文學
江　杓　墨初
徐中禹
黃國楨　黔　黨主委　李天行　黔　團
胡長怡　豫　團幹長軍校　楊爾瑛　陝團幹長
劉博崑　嫩江支團長　遼寧軍校
張慶恩　察省委　調統局
胡受謙　甘四區　天水專員講武堂畢業
解天頤　佳木斯　合江省黨委
楊化之　松江華河縣常委
謝仁釗　羅才榮
汪　波　安瀾　第八師副師長
高吉人　第五軍副軍長　優秀
宋邦偉　五十四師師長　優秀　安徽
羅賢達　建三　整六十六師十三旅長　軍校五期
李　鴻　新三十八師師長　鄧士富　新三十八師副

李　濤　新二十二師師長　劉建章　副新二十二師
唐守治　新三十師師長　文小山　新三十師副
孟廣珍　前青年軍副軍長
方懋楷　二〇二師參長　軍校七
張山千　同上一旅長　士官二十四期
欒在中　二旅參長
曹　鈞　四團團長
趙雲飛　二〇六師一旅旅長
楊宏光　伯誠　第一集團軍副總　保六
李棋瑞　二〇六師　團長　陸大十八期　可
王雄飛　三〇三師　團長　陸大十七期　不行
劉舜元　保定保安第九團長　軍校十二期　可　河北雄縣
田鶚雲　五軍二百師副　軍校六期　可
樓兆元　第四分校主任　可
陳書麟　海軍軍務局參謀
王廣法　察省　張鍾秀　熱河　軍務局
蔣勻田　盧廣聲　楊光揚
胡海門　張東蓀　梁秋水
湯薌銘　石志泉　戢翼翹
伍憲子　李大明　徐傅霖

曹振鐸　整七十五師師長　軍校四
周慶祥　同副師長　同上
陳鳴人　新一軍　新二十八師副師長
龍天武　新六軍十四師師長
羅友倫　二〇七師師長
劉建章　十三軍八十九師長
劉鎮湘　六十四師　一五六旅長
王伯勳　八師一〇三旅長
江　濤　整七十二師新十五旅長　川軍二十軍教育團
陳克任　九師九旅長
汪安瀾　二一二旅長
周文韜　八旅長
李志鵬　三十六旅長
杜　鼎　七十四師五七旅長
段　澐　二十八師長
楊　蔚　豫警務處長
谷炳奎　十師十旅
騎兵　朱鉅林　胡遇泰　呂紀化

以上爲蔣公於一九四七年終，日記後所記幹部的名字。軍事幹部占大部分，可見國家領導人，在腦海中不知要輸入多少人名資料及其考核，故識人而記得住，爲領袖的特長。

日記中提到劉舜元，是我十二期同期步兵科同學。這是蔣公在大陸期間，考核軍事幹部最年輕的一代（當時劉舜元在三十歲左右）。

人名上加雙圈，乃表示優秀、可培植，亦有註「不行」者，則不擬再重用。

剿共陣亡與被俘之師旅長

朱志席	整六十九師九十九旅長	一九四六年八月二十四日　蘇北黃橋陣亡
梁彩林	整二十五師一八七旅長	一九四六年八月二十七日　黃橋被俘
趙錫田	整三師長	一九四六年九月六日　魯西被俘
黃正成	整一師一旅長	一九四六年九月二十四日　晉南浮山被俘
劉廣信	整六十八師一一九旅長	一九四六年十一月一日　鄄城被俘
李正誼	第二十五師長	一九四六年十一月二日　輯安附近被俘
楊顯名	整四十一師一〇四旅長	一九四六年十一月二十日　長垣被俘
戴之奇	整六十九師長	一九四六年十二月十八日　宿遷陣亡
蔣修仁	整二十六師四四旅長	一九四七年一月四日　向城陣亡
謝懋權	整七十師一四〇旅長	一九四七年一月七日　金鄉被俘
馬勵武	整二十六師長	一九四七年一月十日　嶧縣失蹤
李步青	整五十一師一一四旅長	一九四七年一月十日　嶧縣被俘

李玉唐	整五十一師一一三旅長	一九四七年一月十六日　棗莊被俘
周毓英	整五十一師長	一九四七年一月二十日　棗莊被俘

此表爲蔣公於一九四七年終日記，親錄的剿共陣亡與被俘之師旅長名單，僅至一九四七年一月。

其實截至一九四七年年終，國軍之軍、師、旅長剿共陣亡與被俘者，應增列以下名單：

李仙洲	第二綏署副司令（中將）	一九四七年二月二十三日萊蕪被俘
韓　濬	七十三軍軍長	一九四七年二月二十三日萊蕪被俘
李守正	四十九旅旅長	一九四七年四月豫北被俘
楊文爍	整七十二師師長	一九四七年四月二十六日守泰安被俘
張靈甫	整七十四師師長	一九四七年五月十七日孟良崮自殺
韓增棟	七十一軍八十八師師長	一九四七年五月二十二日增援懷德陣亡
趙　琳	七十一軍九十一師師長	一九四七年五月二十二日增援懷德途中覆滅　逃出
宋瑞珂	整六十六師師長	一九四七年七月二十八日羊山集覆滅　失蹤
段霖茂	整五十七師師長	一九四七年九月九日魯西沙土集被殲
羅列戎	黃三軍軍長	一九四七年十月二十一日保定清風店　被俘

劉　英	三十二師師長	一九四七年十一月十二日守石家莊被殲　陣亡
李楚沄	整三師師長	一九四七年十二月二十七日在平漢線西平被殲　撤職

載至一九四七年，概略統計國軍旅長以上，亦即將官，被俘失蹤或陣亡者二十六人：被俘者十四人、陣亡者六人、其餘失蹤者六人（可能被俘、陣亡、逃出）。

概估全軍覆沒的五十個旅，以六千人一個旅計，約三十萬人。而更重要者，爲五十旅的武器全被共軍虜獲。

而國軍自進剿以來，東北進抵松花江，西北則攻克延安，華東雖進抵陳毅老巢，華北雖曾一度進入魯西、豫北，但全國未俘獲一個團長以上指揮官，更未徹底殲滅共軍一個團級以上單位，亦未俘獲共軍武器裝備，則成敗已定。故共軍自一九四七年十月，全面採取攻勢戰略。

第四部

國民黨節節敗退：一九四八年

這是我親自參加的一次戰役。

我進入盤古台村子，老百姓在驚恐中甚為友善，談到共軍已將遺體澆了水結硬，用大車拖走了。我仍見壕溝內少數遺屍，都是面色紅潤的小伙子，內心極為沉痛。這是蔣公日記所載，我親身參與的一次，也是在東北戰場共軍阻援打點最成功的一次。回到瀋陽，新三軍曾舉行一次作戰檢討會，認為解圍未成，由於新五軍（陳林達）潰敗太快。但就新三軍而言，已使當面敵人萬餘傷亡，我當時對這個數字存疑。

我不知道在去年一年進剿戰役中，第一線有關共軍的傷亡報告，是否影響蔣公整個戰果得失判斷。

【一月冬寒】敗戰連連東北危

【二月度歲】殘年急景人心亂

【三月擾攘】國大代表亂殿堂

【四月選戰】總統大選意外多

【五月內鬥】內閣改組糾紛起

【六月失算】豫東會戰風雨來

【七月馳援】共軍機動難捉摸

【八月改革】米珠薪桂物價高

【九月打虎】上海經管揭黑幕

【十月苦戰】瀋錦會戰失先機

【十一月慘敗】軍事經濟兩潰敗

【十二月倒蔣】桂系奪權逼下野

解讀一九四八

一、一九四八年是剿共戰爭，政治、經濟、軍事全面崩潰的一年。

二、政治失敗，蔣公在一九四八年反省錄中已明示，但中華民國憲法正式實施，並於五月二十日起組成行憲政府，結束國民黨的訓政時期，奠定政府遷台後的合法性與正當性，為大失敗中唯一的成果。

三、經濟失敗，從上海的經濟管制到金圓券發行，全面失敗。

四、軍事失敗，主要是由於戰略錯誤。

（一）剿共作戰一直是蔣公親自決策，兩任參謀總長陳誠與顧祝同，只是執行蔣公的決策而已。

（二）蔣公的軍事戰略，似乎種因於：

1. 將剿共戰爭視為抗戰的延續，殊不知，抗戰是民族精神與民族大義的無形力量，而剿共戰爭不能沿用民族大義。

2. 蔣公對抗戰期間淪陷區的國共鬥爭，國民黨完全失敗的原因，未重視與檢討。

3. 從一九四五年到一九四八年一月，國軍逐次被殲的錯誤一犯再犯，雙方士氣消長更懸殊。

4.至一九四八年一月，國共不但兵力平衡，而國軍戰略態勢，已由外線轉爲內線，居於不利。

5.在兵力無優勢，戰略態勢不利狀況，而堅決決戰，是嚴重的戰略錯誤。

五、蔣公曾思及，不但速戰速決無望，而殲滅共軍已不可能，而圖採戰略守勢，但又堅持固守已有的據點，更予中共各個擊滅的機會。大兵團無補給線的城鎮固守，必敗無疑。

六、試以「事後的先見之明」，按一九四八年一月以後的軍事情勢，應作如下的思考：

（一）避免決戰，保持與共軍平衡的戰力，作和談支撐。

（二）集中兵力固守黃河以北，以港口爲補給基地的重要據點，因中共無海軍，海上補給安全可靠。

（三）就東北戰場而言，夏季以前即應放棄長春，秋季以前放棄瀋陽，而以營口港與葫蘆島、秦皇島港爲基地，形成半徑三十至五十公里的弧形防禦陣地，牽制林彪部隊入關。所餘部隊撤至江淮間，支援徐州剿總。

（四）就華北戰場言，應以塘沽港爲中心，至少確保天津，或能保有平津走廊，牽制華北共軍南下。

（五）就華東、山東戰場言，應以青島港爲中心，形成堅強據點。當膠濟路及津浦路被切斷，濟南已孤立時，濟南守軍應東撤青島或南撤徐州，不應在濟南固守被殲。

（六）就華東徐州部分，應以連雲港爲中心，構成堅強據點。黃百韜兵團應由新安轉進連雲港，則碾莊悲劇不致發生。

（七）放棄徐州至淮南，黃維兵團由船運蚌埠，則不致有雙堆集悲劇。

七、東北、華北、山東，有牽制共軍力量。徐州主力可安全撤至淮河南岸，嫡系主力尚在，桂系不敢異圖。

八、保存戰力，再從美俄外交著手，和談有可能。縱蔣公下野，美援或可支持，保有江南半壁江山。

一九四八當年時勢

【一月冬寒】敗戰連連東北危

軍事：公主屯、新立屯失陷，將領被俘、自戕、陣亡。
陳誠胃病回京，衛立煌接任東北剿共總司令。

外交：俞大維赴美被拒。

社會：物價上張，米一石一百六十萬元。
上海同濟大學學生圍打市長，舞女搗毀社會局。

・解讀《蔣公日記》一九四八年一月七日

情勢已證明，去年一年的進剿攻勢是完全失敗的。既受重大損失而未能殲滅共軍主力，故其控制面積自然擴張，正毛澤東所謂「有人即有地」也。

・解讀《蔣公日記》一九四八年一月八日

日記中提到有兩師在公主屯附近被共軍殲滅，是我親自參加的一次戰役。

我當時任重砲兵第十二團第二營的中校營長，砲十二團是抗戰末期在中華民國駐印軍所成立，裝備美式一五五公分的野戰榴彈砲，也是國軍威力最大的汽車化野戰砲，是國軍僅有的一個美式野戰重砲團。一九四六年冬，全團駐防在鄭州，歸陸軍總司令顧祝同指揮。在駐鄭期間，並未參加豫北和魯西的作戰。

一九四七年夏初，砲十二團團長杜顯信，率團部及第一、第三兩營調赴東北，第一營則參加了四平街解圍戰役，發揮了威力。

我任砲兵十二團第二營長，同時還兼任顧祝同上將的參謀。顧總司令由鄭州調赴徐州，指揮原徐州綏靖公署的作戰指揮任務。我和全營也從鄭州，由隴海鐵路運至徐州近郊駐防，但一直未參與作戰。

一九四七年秋初，我營奉國防部令調東北，關內僅有的一個一五五重砲營也調赴東北，顧總司令並未堅持要留一個營在關內。此際，參謀總長陳誠正兼任東北行轅主任，坐鎮瀋陽，指揮東北戰場的作戰。

我於八月末，率全營由徐州經南京，鐵運至上海，由美國二萬噸級自由輪，海運至東北葫蘆島港登陸。當時，葫港的領港還是僱用原來的日本人當領港。

由葫蘆島鐵運到錦州，但錦瀋的鐵路已被共軍破壞，日間修好，夜間又被破壞，因此在錦州停留約十日，終於修通，鐵運到瀋陽，駐入鐵西區原重工業的廠房。此際，鐵西的重工業機器都被蘇軍拆走，煙囪不冒煙了，廠房用作駐軍的營房。

當時的瀋陽火車站，已建立了蘇軍的勝利紀念碑，滿街仍是待遣日本人擺的地攤。

我於一九四八年元旦，奉命配屬第九兵團廖耀湘，又轉配所屬新三軍龍天武，在零下十五度風雪交加中，由瀋陽出發，至新城子，向龍軍長報到。

汽車部隊在寒帶作戰，是我經歷的第一次，官兵亦大多是南方人。為準備隨時出發，所有的車輛每半小時要發動一次，每次約五分鐘，否則，水箱會結冰，汽車引擎上還需蓋上被子以保溫。

瀋陽的冬天，室內必須有暖氣，民間則有火炕。由於瀋陽當時已缺煤，故營房內並無暖氣，早晨起床，四壁結成一寸厚的霜。

元旦帶隊出發，由瀋陽向北往新城子前進。由於風雪交加，在公路上分不清道路與橋梁。我坐指揮車在前，由於看不清，橋梁都為積雪所覆，橋比路窄，因此翻了一個四輪朝天。所幸從雪堆中爬出，竟無人受傷。如果是砲車翻下去，就拖不上來了。

到了新城子，借住民家。我住這一家，與屋主閒談：「我是軍校十二期砲科畢業。」他問：「十二期砲科有個趙洒魯，認不認識？」我說：「他是我的同班同學。」引見了趙媽媽，亦如見到我自己的母親，只是趙學長一直在西北工作。

重砲營是軍師長最歡迎的，俗稱「大傢伙」。龍軍長，黃埔五期，湖南人，溫和親切，對我很好。

一月四日進入陣地。我隨龍軍長在軍指揮所同住一室，龍軍長電話放在床頭，攻擊開始了，便無分晝夜。

我的主火力是支援主攻的第十四師，另五十四師在左。初期攻擊有進展，但到七日抵盤古台，被阻了。我與十四師師長許穎少將（黃埔七期）同在觀測所，迄八日攻下盤古台，但聽說新五軍軍長陳林達及所屬兩個師，已在公主屯被圍殲了。

我進入盤古台村子，老百姓在驚恐中甚為友善，談到共軍已將遺體澆了水結硬，用大車拖走了。我仍見壕溝內少數遺屍，都是面色紅潤的小伙子，內心極為沉痛。這是蔣公日記所載，我親身參與的一次，也是在東北戰場共軍阻援打點最成功的一次。回到瀋陽，新三軍曾舉行一次作戰檢討會，認為解圍未成，由於新五軍（陳林達）潰敗太快。但就新三軍而言，已使當面敵人萬餘傷亡，我當時對這個數字存疑。

我不知道在去年一年進剿戰役中，第一線有關共軍的傷亡報告，是否影響蔣公整個戰果得失判斷。

・解讀《蔣公日記》一九四八年一月十一日　由瀋陽回南京

蔣公此次赴瀋陽，主要似為胃病所困的陳誠回京，將東北行轅改組為東北剿共總司令部，並決定衛立煌為總司令。

此際，全國各戰區均感兵力不足，蔣公寄望傅作義抽調三個師增援東北，傅當然不願意。以客觀情勢論，此際東北戰局的根本問題，並非從關內調兵增援，而是東北戰場縮短戰線、集中兵力的問題。尤其是孤懸長春的鄭洞國，所屬二個軍六個師，應放棄長春南撤，保存戰力，遠比由華北戰區抽調三個師為重要。惜蔣公始終未重視白崇禧去年所提，主動放棄吉林及長春的建議。

新五軍在公主屯被殲的檢討會中，蔣公未採納追究廖耀湘赴援不力的檢討，實乃蔣公對廖有偏愛，因廖在駐印軍新二十二師師長任內，反攻緬甸有功。

公主屯失敗後，廖耀湘的作戰參謀石聲璧，是我陸大二十期同班，和我談及，今後東北的仗很難打了。衛立煌就職後，在瀋陽召集中校以上軍官參加開會，我亦在場，是第一次見到衛立煌。其後，廖耀湘也講話，他說對東北戰局很樂觀。我當時心中想：不知他樂觀的理由何在？

・解讀《蔣公日記》一九四八年一月十四日

新生力軍十二個師，一九六師爲其中之一，師長是一九四四年守衛衡陽四十七天的預十師師長葛先才將軍。其弟葛先樸爲我軍校同隊至友，邀我擔任新成立之一九六師參謀長，駐地在湖南衡陽，我乃於一九四八年夏初，離開東北戰場。

・解讀《蔣公日記》一九四八年一月十五日

一九四八年一月，北平、保定間平漢鐵路北段西側戰役，三十五軍新三十二師師長陣亡，魯英麐自戕。三十五軍是傅作義的基本部隊，魯軍長自戕，對傅作義心理影響甚大。

・解讀《蔣公日記》一九四八年一月・上星期反省錄（一月十五日之後）

此際，中原進剿無功，而東北與華北軍事又遭重挫，應爲檢討軍事戰略的關鍵時刻，但日記中未顯示。

行憲國大即將召開，際此剿共挫敗，危機重重，蔣公有退出競選總統之意。而日記中所謂推舉「無黨派名流」參選總統，實係指胡適。

・解讀《蔣公日記》一九四八年一月十八日

張世稀爲鄭州指揮所參謀長，黃埔一期，南京人，顧祝同接鄭州綏署，改爲陸軍總司令鄭州指揮所時，派任爲中將參謀長；其時，我亦在鄭州。

・解讀《蔣公日記》一九四八年一月二十一日

蔣公此際仍信心滿滿，而提示皆為戰術問題，但今日關鍵問題在戰略。用兵不外全軍與破敵，今破敵不可能，而應求全軍。而全軍之道，在縮短戰線，節約兵力，並以集中兵力、保存戰力為主旨，是軍事戰略問題。

・解讀《蔣公日記》一九四八年一月三十一日

劉為章時任作戰參謀次長。劉為章是白崇禧所推荐之桂系將領，當時對經國先生說「主席無師傅、無朋友、亦無部下」，應係有道德勇氣。我想基於戰略考慮，他是認同白崇禧在去年秋，縮短戰線，在東北主動放棄吉林與長春，在華北主動放棄石家莊的建議，但蔣公未同意。

所謂蔣公只有學生，其意當在諷刺蔣公對黃埔一期的偏愛。因為自從全面剿共以來，負責第一線戰區，乃至兵團，軍以上第一線大軍指揮者，都以黃埔一期為主，而這些將領所指揮的大軍，幾乎都是失敗的。

而無師傅、無朋友，則指蔣公聽不進逆耳之言。

・解讀《蔣公日記》一九四八年一月反省錄

此際，國共軍事實力已立於平衡，國軍已失去優勢，而精神士氣對比，國軍顯居劣勢，殲滅共軍已不可能。

一九四八年開年，實為蔣公個人及國運最不利之開始。軍事危機與經濟、政治、外交危機相互激盪，實已至存亡關頭，但蔣公仍堅持一貫之思維。

東北戰局，陳誠既無法穩定，衛立煌無論就人緣、地緣，皆無能轉危爲安。此際整個軍事情勢，尤其是東北情勢，是徹底檢討戰略，放棄進剿思維，務求保存實力、縮短戰線，避免再被各個殲滅。從軍事實力的保存，亦即破敵已不可能，而求其次，在全軍，徐圖與中共共存之道。

【二月度歲】殘年急景人心亂

軍事：遼陽、營口、開原相繼失陷，瀋陽外圍各據點考慮撤守。

外交：美國議會提案，援華美金五億七千萬元。

內政：綏靖區肅清潛共，並築村寨。

社會：美金一元三十萬，米一石三百萬。

青年軍劉樹勳挾款潛逃。

．解讀《蔣公日記》一九四八年二月二日

蔣公本意，並不希望李宗仁競選副總統。

．解讀《蔣公日記》一九四八年二月四日

此際無論關內關外，蔣公仍未放棄攻勢的思維。

·解讀《蔣公日記》一九四八年二月七日

時機是戰略的重要因素，此際亡羊補牢唯一之策，即放棄攻勢，縮短戰線，集中兵力，確保長江以南，及西南大半壁江山，猶未晚也。惜蔣公此際尚未警覺，為亡羊補牢之最後時機。

·解讀《蔣公日記》一九四八年上星期反省錄（二月七日以後）

中共東北冬季攻勢，在公主屯得逞後，我營於新三軍檢討會後，仍配屬該軍，回鐵西營區待命。正準備過舊曆新年，忽在除夕日二月九日，奉命至瀋南進入陣地，十四師亦連夜由瀋北調瀋南。我以砲火支援十四師，反擊向瀋南進犯的共軍。四十九軍七十九師負責守瀋南，被共襲擊，潰退至瀋陽，震動衛立煌，以該師長文禮作戰不力，而予以處決。一九四八年的舊曆新年，我在瀋陽，非在爆竹聲中，而是在砲火聲中度過。向瀋陽進犯之共軍終被擊退，我營又回鐵西營區，此為我在東北參加的第二次戰役。

·解讀《蔣公日記》一九四八年二月十二日

此際，蔣公戰略思維既要守勢，又準備攻勢，是矛盾的。綜合一九四七年一年的攻勢，由於主攻戰場太多，從西北延安、中原劉伯承、山東陳毅，以及東北，故兵力分散各戰場，不能互相策應。軍級單位全軍覆沒者八個軍以上，而共軍未有一個團長以上被俘，故國軍已無力發動攻勢。此際應思考者，為如何保存戰力，避免決戰。

・解讀《蔣公日記》一九四八年二月十五日

一九三五年，毛澤東由瑞金突圍，經湘黔川甘陝到延安，即由於其時軍閥以「有共有我，無共無我」之思維，讓共軍順利通過，並阻撓中央軍追剿，進入其割據區。

・解讀《蔣公日記》一九四八年二月十六日

共黨以黨政掩護、支援軍隊，故軍隊可機動；國軍以將領指揮黨政，實際乃黨政靠軍隊保護才能生存。國軍因保護地方黨政，亦失去機動力，而備多力分，致被各個擊破。

胡素等視察組長，乃蔣公鑑於剿共將領作戰不力，故派督戰組至師級單位，其實是對第一線指揮官信心的懷疑，對實際作戰並無助益。

・解讀《蔣公日記》一九四八年二月十九日　牯嶺

過去一年，關內以進剿陳毅為主戰場，雖攻取沂蒙山區，而未能決戰，殲滅其主力，國軍反受重大損失，故陳毅部主力一直保持行動自由。

舊曆除夕，共軍攻抵瀋陽，我營連夜進入陣地支援新三軍十四師，擊退共軍後，回瀋陽駐地。但共軍轉攻鞍山（瀋陽南約一百五十公里），遼南為五十二軍軍長劉玉章防區。二十五師屬五十二軍，其師長為胡晉生。

五十二軍以第二師、二十五師及五十八師編成，為國軍嫡系戰力堅強的部隊。北伐時，顧祝同任第二師師長。其後，民國二十二年長城各口（古北口、喜峰口）戰役與抗日戰爭，第二師師長黃杰、第二十五師師長關麟徵，均參加作戰。塘沽協定後，中央嫡系部隊第二師及二十五師南調。

・解讀《蔣公日記》一九四八年本星期工作預定（二月二十一日之後）

此爲日記中第一次提及總體戰與面的戰術，惜爲時已晚，應立即縮短戰線，放棄若干都市與區域，確保長江以南，從事總體戰的準備與戰爭面的經營。

所謂總體戰，乃以黨政爲前鋒，經濟爲核心，社會文化爲基礎，而軍事僅爲機動打擊的拳頭。

過去二年，中共控制了戰爭面，故國軍無法迫其決戰，而備多力分，反被各個擊破，而形成總兵力相等，今則共軍採取機動攻勢。

・解讀《蔣公日記》一九四八年二月二十四日

此際，鄭洞國率新七軍、六十軍，共六個師，約七萬人，孤懸長春，依理應在撤退之內。

・解讀《蔣公日記》一九四八年二月二十五日

東北與華北唇齒相持，保有東北兵力在錦州，即保障華北。李宗仁與傅作義理應配合，以求東北縮短戰線、保存實力之戰略完成。此一戰略行動成敗，關係國家存亡。

・解讀《蔣公日記》一九四八年二月二十七日

收編僞軍在受降初期，阻止共軍接收日僞武器，有極大幫助，但其後隨剿共軍事失利，僞軍顯現其爲見風轉舵的投機軍閥。

營口爲遼南重要補給線的港口，派投機僞軍守重要補給基地，兵力部署即爲失策。營口應爲保有東北基地之重要港口，應再攻克收回，以利縮短戰線，確保補給基地。

敵軍的戰略思想，是首要的戰略情報。毛澤東於一九三六年十二月，發表《中國革命戰爭的戰略問題》，有系統地檢討在江西及五次圍剿的成敗得失，而訂定了武裝鬥爭的戰略思想。國軍應早已蒐集到是項文件，爲何遲至一九四八年初，蔣公始看到此文件，則不解，豈情報單位只當作一本書而歸檔了？

綜觀抗戰勝利後，毛澤東的作戰指導，完全根據其發表的戰略思想，貫徹執行，而國軍著著失敗。

綜合毛澤東的戰略思想，在以劣勢兵力如何逐次殲滅優勢敵人，不外：

一、不打無把握的仗：即在不利態勢下避免決戰，保存實力。

二、傷十指不如斷一指：即徹底集中優勢兵力，逐次殲滅敵人。

三、人在地失，有人有地；地在人失，人地皆失：即專以有生力量爲殲滅目標，不以城市得失爲目標。

· 解讀《蔣公日記》一九四八年二月二十八日

白崇禧去年秋即建議放棄永吉、長春與石家莊。蔣公未接受，白既失望，故不再直言矣。

· 解讀《蔣公日記》一九四八年二月二十九日

蔣公在廬山考慮東北收縮戰線，何以僅提瀋陽？其實首先應撤出長春、四平街，再放棄瀋陽。

瀋陽、錦州補給線備受威脅，大兵團由瀋陽西進，至爲危險。就軍事戰略而言，瀋陽兵團應俟長春、四平街兵團安全撤退，集中向遼南轉進，以營口爲後方補給基地。在保存戰力、避免決戰原則，東北應守錦州和遼南兩個據點，以阻止、牽制林彪入關，威脅華北。

【三月擾攘】國大代表亂殿堂

軍事：彭德懷圍困陝東宜川，整二十九軍全軍覆沒。
洛陽失而復得，二〇六師被共完全殲滅。

財政：將國有重要產業歸中央銀行抵借，
作為發行新幣基金。

內政：青、民兩黨要求國大名額，國民黨代表被迫退讓。
黨員代表不甘退讓，國大會堂絕食、陳棺抗議。

・解讀《蔣公日記》一九四八年三月一日

蔣公既定戰略暫取守勢，而又欲保有現有據點，是相互矛盾的想法。蓋欲保現有據點，必仍兵力分散，予共軍各個擊破之機會；況中共已在東北、華北、西北，全面採取攻勢。欲行集中主力整補訓練，必須放棄若干據點，先求軍事穩定，再依美援穩定經濟，方爲妥策。

此際從東北、華中、華北、西北各戰場，共軍全面居於戰略主動地位，並發動攻勢，企圖速決；而蔣公判斷共軍仍居消極拖延政策，與實際情勢並不符合。

·解讀《蔣公日記》一九四八年三月六日

蔣公此際仍關注西北，其實整個成敗存亡之關鍵，仍在東北及中原國軍戰力之保存之道。

·解讀《蔣公日記》一九四八年三月八日

攻占原中共區後，如何掌控社會？即所謂清剿非用武力可濟，乃是黨政的問題。而蔣公遷怒於將領，實猶對總體戰戰爭面的掌握，非軍事問題，乃黨政問題，並非將領責任也。

·解讀《蔣公日記》一九四八年三月九日　到徐州

此際，我在東北瀋陽任砲十二團第二營中校營長，參加了公主屯解圍之戰，及瀋南擊退共軍圍城之戰。但迄六月離開瀋陽，未分配到《新剿共手本》。

·解讀《蔣公日記》一九四八年三月十三日

此時我在瀋陽，未知四平失陷、永吉撤退。而蔣公指示衛總司令，瀋陽主力提早西進錦州，當時並未採取行動，仍在做固守瀋陽的準備中。

·解讀《蔣公日記》一九四八年三月二十六日

此際，政治、經濟完全不能支持軍事。此時共軍戰略主動全面攻勢，國軍應以避免決戰為上策。

固守據點並不能避免決戰，仍易被各個擊滅。唯一之道，須放棄固守據點思想，而進剿已不可能。

·解讀《蔣公日記》一九四八年三月二十八日

行憲國大開會，故國民參政會結束。

國大開始後，鬧劇不一而足，退讓代表進佔會堂為其一，故「國大代」稱為大陸失敗三大亂源之一（餘為「青年從」、「軍官總」）。

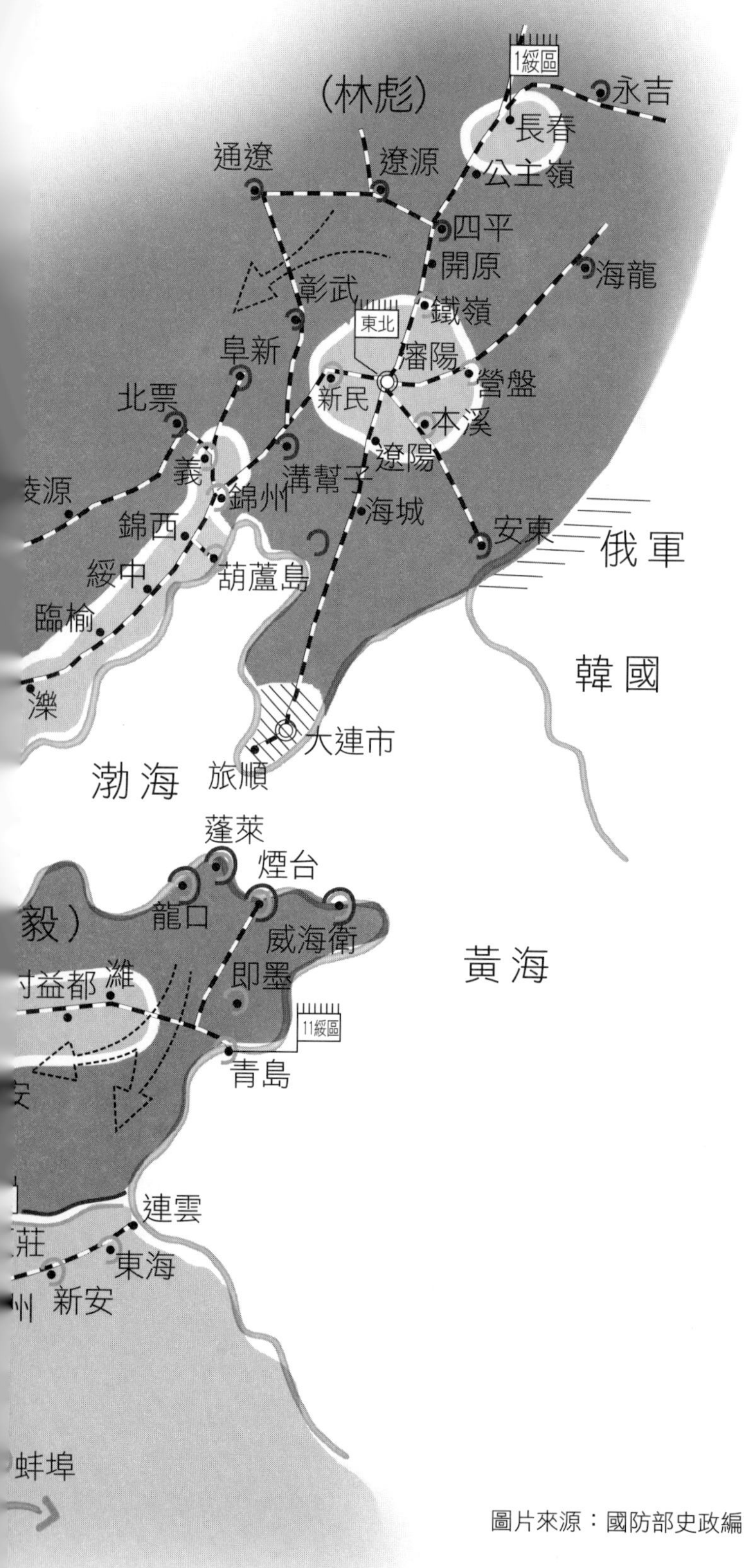

圖片來源：國防部史政編譯局（郝柏村提供）

國共態勢圖（民國1948年3月上旬）

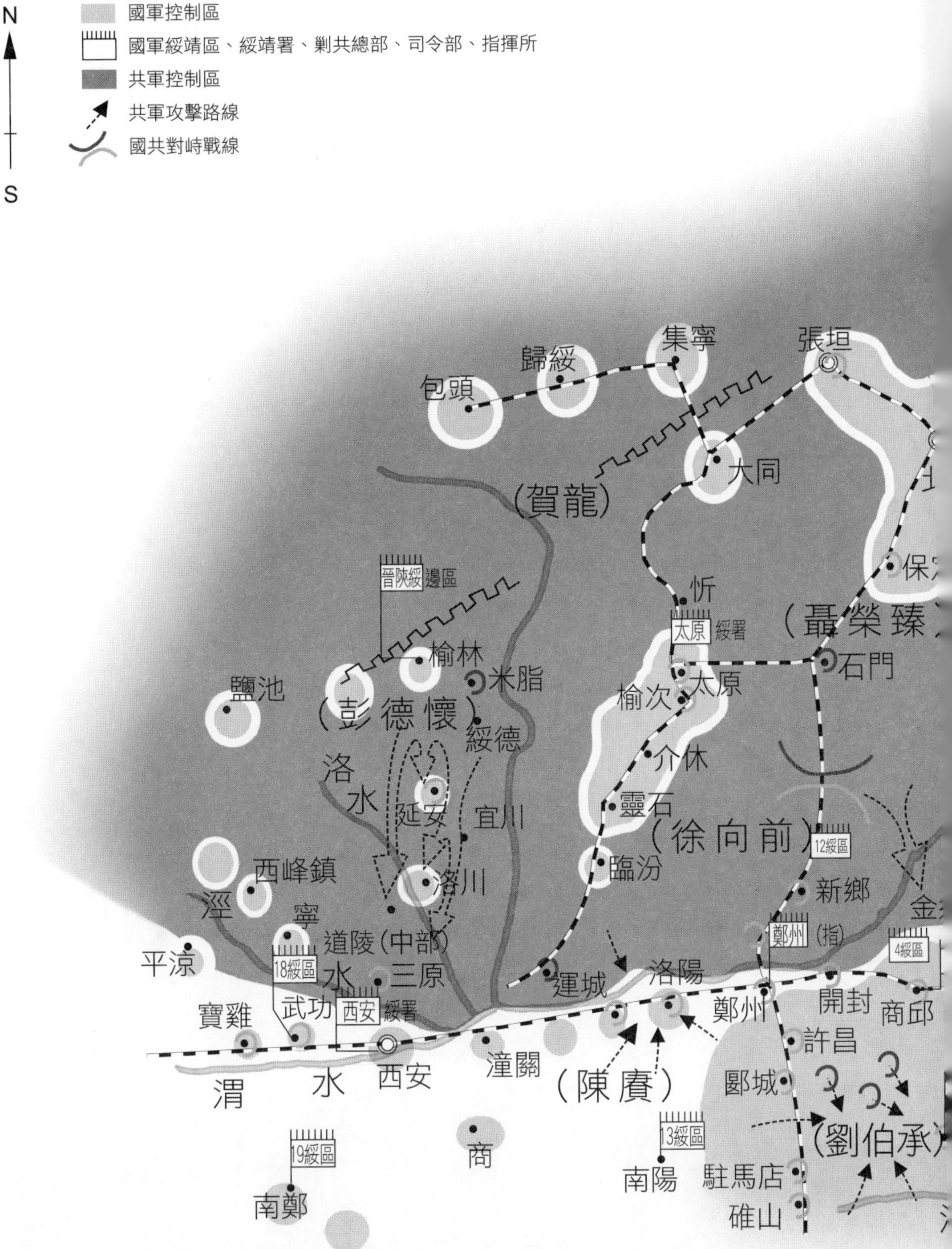

【四月選戰】總統大選意外多

內政：蔣公欲推胡適競選總統，

國民黨中常會仍提名蔣公。

勸退不成，李宗仁、孫科、于右任、程潛執意參選副總統，桂系李宗仁勝選。

蔣公當選為中華民國第一任總統。

・解讀《蔣公日記》一九四八年四月五日

此際，剿共軍事情勢，全面處於被動挨打狀態，軍事戰略所急迫者，亦如二年前共軍處境，即急須停戰，喘息整備，但談判之門已閉。

蔣馬關係互不相容，美援停滯，如藉國大召開，選舉代表自由民主、深受美國教育的胡適之爲總統，蔣公可退居第二線，並曾言專任胡適的參謀總長工作，故蔣公主張胡適爲總統，並已獲胡同意，實爲政治、外交、軍事的明智考慮，其可能結果：

一、中共當然不會承認，且繼續其軍事攻勢。

二、美國對華政策必會立即改變，積極支援民主形象的胡適政府。
三、胡適可要求美國、甚至與俄國共同出面調解，可能達成停戰，國民黨至少可保有大半壁江山，從事經濟建設。
四、如中共拒不停戰，全視美俄之關係，如美俄妥協，史大林必令毛澤東接受停戰。
五、如俄仍支援毛續取攻勢，美必積極軍事援華，甚至軍事介入。以胡適的形象，美絕不致讓中國大陸全部淪入共黨之手。
是否選胡出任總統，確為歷史的關鍵大事。

・解讀《蔣公日記》一九四八年四月二十三日

是日，我在瀋陽營區，亦在收音機旁聽唱票，如：「李宗仁一票」、「孫科一票」、「于右任一票」、「程潛一票」等反覆唱出。當然我對哪位勝出，並無心神急迫之感，只覺得此次國大選總統不熱鬧，選副總統則很熱鬧而已。

此際，東北戰況平靜，雙方均在整休中。

・解讀《蔣公日記》一九四八年上星期反省錄（四月二十三日之後）

蔣公對副總統選舉的失策，在未照民主國家慣例，應總統候選人直接指定副總統候選人，同列一組選舉。

・解讀《蔣公日記》一九四八年四月二十九日

國民大會開會期間，陝北共軍彭德懷，率其一、二、三、四、六等五個縱隊，南下向渭水進犯。胡宗南於四月十六日主動放棄延安，共軍一度攻占寶雞。迄五月八日，國軍殲滅共軍主力於渭水河谷。馬繼援為馬步芳之子，駐邠州（陝西鳳翔東北，長武、淳化間）。

賀衷寒，黃埔一期，湖南人，支持程潛。國大期間，蔣公全力支持孫科競選副總統，決選時，蔣公力責黃埔一期賀衷寒不得支持程潛，應將程票轉移支持孫科，但賀不聽話。

就歷史發展看，行憲第一屆國大在戰局危殆中召開，就得失而言，由於副總統競選形成桂系奪權，可能與徐埠會戰失敗有關；如徐埠會戰失敗，則不可能召開國大，故三月二十九日召開國大，實為國民黨政權在大陸召開國大之最後機會。此次國大雖在紛亂中召開，但開啓了中華民國憲法在大陸開始實施，奠定了中華民國政府遷台後的正當性和合法性。

【五月內鬥】內閣改組糾紛起

內政：立法與行政二院及黨務問題，內部糾紛，意旨不一。
青年黨領袖曾琦要求立法院由國民黨退讓足額。
國防部長職權被奪，白崇禧拒任華中剿總。

軍事：彭德懷寶雞攻勢受挫。

·解讀《蔣公日記》一九四八年五月五日

我此時在瀋陽，日記所記之固守三據點，應係指長春、瀋陽與錦州。

·解讀《蔣公日記》一九四八年五月十日

此際在軍事危機嚴峻情勢下召開國大，但國大之一切怪象，及黨內爭權奪利，毫無明恥警惕之內鬥惡風，故蔣公心神至爲沮喪，而數日失眠。

・解讀《蔣公日記》一九四八年五月十一日

蔣公日記所載，痛下決心作最後之準備，與陳誠意見「極惡劣情況來臨作準備」，似為以台灣作基地。

彭德懷於宜川殲滅整二十九軍後，於國大開會期，以四個縱隊向渭水河谷取攻勢。胡宗南主動放棄延安，共軍一度攻占寶雞，但終為西安綏署聚殲共軍主力於涇川地區，彭德懷攻勢失敗。

・解讀《蔣公日記》一九四八年五月十二日

陳誠辭參謀總長，決定由顧祝同接任，而陸軍總司令則由余漢謀繼任，國防部長則由何應欽出任。

因顧調升參謀總長，我於六月間由關外調關內，任新成立一九六師參謀長，在衡陽成軍後，移駐廣州。

蔣公對桂系甚不滿，不讓桂系參與中央軍權，故拒絕白崇禧再任國防部長。

・解讀《蔣公日記》一九四八年五月二十二日

張群為政學系首腦，亦為蔣公至友，深獲倚重，但不為CC派所容。而CC派已操控立法院，日記明言，張為陳立夫之政敵。

以支持何應欽為反張群之工具，CC並非眞正支持何將軍任行政院長。

．解讀《蔣公日記》一九四八年五月二十六日

何應欽在軍中爲僅次於蔣公的資望，蔣公不願桂系的白崇禧再任國防部長，故何應欽雖未能組閣，但仍令他任國防部長，益以顧祝同任參謀總長。何、顧一向水乳交融，蔣公對軍權，絕不讓桂系再深入。

．解讀《蔣公日記》一九四八年五月二十八日

此際最大危機仍在軍事，凡進入共區的攻勢都失敗，共軍在其控制區內可自由行動，因抓不住敵人主力，形成打圈。

彭德懷由陝北向關中平原取攻勢，雖一度占領寶雞，但最後主力被殲敗退。故以靜制動，必須首先放棄原中共區的據點，縮短戰線。

．解讀《蔣公日記》一九四八年五月三十日

頌雲爲程潛，曾參加副總統競選失敗，時任武漢綏署主任。

爲白成立華中剿總，乃因人設事。白崇禧與程潛同駐漢口，似有一山二虎之勢。

．解讀《蔣公日記》一九四八年五月三十一日

日誌中第一次提到總體戰，乃鑑於兩年剿共教訓，中共以總體戰（自稱人民戰爭）取勝。但總體戰的戰場經營，乃以黨政掩護軍事。國民黨在共區，甚至在政府統治區內，黨的基層組織落空，不能深入社會基層，包括農村、工廠、學校及民間社團，故國民黨的性格，就是沒有總體戰的能力。

【六月失算】豫東會戰風雨來

軍事：開封淪陷。

魯西第五軍西援開封，陳毅乘隙發動總攻。

區壽年兵團在龍王店一帶被共軍包圍。

社會：六月十日至二十六日，半月之間，

米價由每石七百萬翻漲至二千三百萬元；

美金每元由一百五十萬漲至四百三十萬元。

·解讀《蔣公日記》一九四八年六月十一日

黨務改造，非短期內所能完成，而目前情勢最急者為軍事，蔣公似未有此警覺。軍事全敗，其他都無從談起。

剿滅共軍已不可能，後者已立軍事戰略主動地位，故國軍應以如何立於不敗之地，為優先考慮。精銳國軍主力從長春到錦州，長蛇形部署，最為不利。而春末至初秋，為縮短陣線、集中兵力，甚至放棄東北，安全撤至關內之最佳時機，亦爲最後之時機。

・解讀《蔣公日記》一九四八年六月十三日

面對剿共不利情勢，思考以東南沿海諸省爲基地，是正確的戰略考慮。

・解讀《蔣公日記》一九四八年六月十七日

此際，蔣公面臨四方面的壓力：

一、自然是中共的軍事主動。
二、美國馬歇爾抵制援華。
三、桂系企圖取蔣而代之。
四、除桂系外，國民黨內部紛擾。

・解讀《蔣公日記》一九四八年六月十八日

自春融冰，我在瀋陽，看不出東北軍事有任何作爲，似在拖日子而已。我此時已離開瀋陽抵北平，見二十年未見面的四舅，時任中法大學教授。

・解讀《蔣公日記》一九四八年上星期反省錄（六月十九日之後）

華東陳毅主力六個縱隊，於五月下旬回竄魯西威脅，但國軍重兵局限於荷澤、鉅野間，徐州司令部集中整五軍（邱清泉）區壽年兵團，及第四綏區劉汝明，轉守爲攻，期壓迫渡過黃河之陳部主力而殲滅之。

正當發起攻勢之時，陳毅竟轉用南陽地區之三、四兩縱隊，及土共九萬餘人，對開封取攻勢。

開封守軍以六十六師李仲莘及其他部隊，共不及萬人守城。徐州總部爲救開封，停止原攻勢，計畫抽調第五軍增援開封。

蔣公日記所載，令七十五師由定陶移城武，靠近第五軍，使陳毅主力竄隙轉而攻擊開封，國軍原來之主動攻勢，又爲援開封而轉爲被動。蔣公自責干涉太過，其實自進剿以來，蔣公以最高統帥，常直接干涉第一線行動，並不符大軍統帥原則。

・解讀《蔣公日記》一九四八年本星期預定工作（六月二十日之後）

蔣公此際仍圖消滅中共野戰軍，實乃戰略判斷錯誤。

現在的軍事戰略，已不是如何消滅共軍，而是國軍如何不被共軍所消滅。國軍求立於不滅之唯一思維，是放棄分散兵力的戰略，集中兵力，圖保江南大半壁江山。主動放棄若干孤懸大城市，諸如長春、瀋陽，已至最後時機，稍縱即逝。

・解讀《蔣公日記》一九四八年六月二十二日　在西安

現在仍是全盤戰略未加省思，主戰場與支戰場構想不明。諸如膠東的第八軍增調熱河，而長春兩個軍（新七軍與六十軍）仍在孤懸，隴海路洛陽已陷，切斷西安與鄭州，今開封陷落，又切斷鄭州與徐州，無疑，隴海線仍是主戰場。當兵力不足時，應及早放棄支戰場，保存實力。

・解讀《蔣公日記》一九四八年六月二十四日　在西安

經濟問題之本質，在生產力與市場消費的平衡與成長。幣制問題在收支平衡，則物價平穩；唯有收支平衡，才能抑制通貨膨脹。今日的問題，在政府收支逆差過大，軍需浩繁，而以印鈔票支應，乃成不可收拾之局，非改革幣制可救。而蔣公智囊，迄無真知灼見、勇敢坦陳的經濟專家。

・解讀《蔣公日記》一九四八年上星期反省錄（六月二十六日之後）

經濟情勢危殆，蔣公早有察覺，但迄無有效辦法，亦無經濟智囊。兩年以來，蔣公寄望以軍事勝利，解決經濟政治危機，而經濟危機不利軍事行動，軍事挫敗對經濟危機，更呈幾何級數的正比例發展。

救經濟唯靠美援，而軍事挫敗，益增馬歇爾倒蔣意念，以扼殺美援手段，益顯經濟陷於絕境矣。而所謂動員戡亂，除軍事外，一切都動不起來。

反觀中共能徹底動員人力物力，故國軍之勢日趨衰弱。

・解讀《蔣公日記》一九四八年六月二十七日　在西安

日記所云四億阿斗，因內戰與抗戰不同，不能再以民族大義號召人民也。

一九四七年秋，白崇禧主張主動放棄吉林、長春及石家莊，有關軍事戰略的建議，未爲蔣公所接受，十個月以來的軍事局勢，證明白崇禧的建議是正確的。

今日張治中的聯俄建議，乃是政治戰略的大建議，蔣公以不切實際視之。張治中的建言自有其隱諱處：

一、首就聯俄言，時機雖稍晚，蓋自國軍一九四七年三月攻取延安，國內因素絕無和談餘地，而唯有蘇俄可限制中共，或有恢復和談可能。國軍目前所急求，亦如三年前的中共，即「停戰」。

二、張所言政治新行動，即指蔣公下野。唯蔣公下野，美援才有希望。馬歇爾以美俄妥協限制中共，使美俄勢力在中國大陸平分秋色。

三、蔣公此時當然不能考慮下野。

【七月馳援】共軍機動難捉摸

軍事：龍王店被陷，區兵團整七十五師及新二十一旅被殲。

第七兵團黃百韜西進受迫，退至帝邱店。

第二兵團邱清泉由開封東進，期與黃百韜會師。

社會：米價自一石二千五百萬漲至四千三百萬元。

美金漲至六百五十萬元。

李宗仁久駐北平不回，北平、上海對共和談傳言大盛。

・解讀《蔣公日記》一九四八年七月七日

自六月十六日至七月七日，共二十天，此為豫東黃氾區會戰，實際戰略主動仍在共軍，其以三個縱隊以上圍攻開封。第五軍由魯西西向援救開封，但開封於六月二十二日陷落（整六十六師師長李仲莘陣亡，守軍萬人覆沒）後，共軍圍攻部隊脫離。第五軍又奉命東進杞縣，援救區壽年兵團。區兵團主力兩個師覆沒，區壽年被俘。此際，黃百韜兵團由商邱西進，期與邱清泉兵團會合，但共軍於七月六日夜脫離戰場。

以上說明共軍大兵團之戰略機動，及完成其以大吃小的戰略任務，脫離戰場，使國軍（尤其王牌部隊第五軍邱清泉）疲於奔命，且為蔣公責難，其不能完成援救任務。

・解讀《蔣公日記》一九四八年七月十四日

閻錫山派楊愛源赴京求援，我想此際陸軍已無兵力可派，只有慰勉楊愛源，山西應自求多福矣。

・解讀《蔣公日記》一九四八年七月十六日

由於二戰後，東歐諸國皆由聯合政府轉為共產政權，故蔣公自拒與中共組聯合政府。

・解讀《蔣公日記》一九四八年上星期反省錄（七月十七日之後）

獨立作戰乃戰場指揮判斷，面對優勢之敵，有機動避戰之自由，如係獨立固守，則未有不敗者。

面對共軍機動殲滅、以大吃小的戰略，如仍斤斤計較於重要城市之固守，大軍絕不能置之死地而後生，因大軍的補給線被切斷，其生存持續便指日可數，會不戰而敗。太原能不能守，在其補給線是否能暢通。

東北情勢，長春孤懸，已至縮短戰線之最後機會矣。

·解讀《蔣公日記》一九四八年七月二十六日　由南京至莫干山

日記未說白崇禧的剿共意見爲何。我猜想必爲放棄若干據點，縮短戰線，集中兵力，免再被共軍各個殲滅。

【八月改革】米珠薪桂物價高

內政：國防部長何應欽提議，軍事指揮與人事職權移轉於國防部長執掌。

改革幣制，發行新金圓券，民衆兌換踴躍。

勸募富戶捐，蔣公自捐三百億圓。

整頓教育，收編各地大學之中共分子。

社會：米一石五千萬元。

・解讀《蔣公日記》一九四八年八月十六日

蔣公對《剿共手冊》及《剿共問答》一向重視，甚至到台灣，八十歲後，仍親筆審閱。所涉及戰略思想及戰術戰鬥，針對中共特點，蔣公本人用心甚苦，在歷次軍事會議中苦口訓示，但將領未必專心，更未貫徹至基層。我在此期間，任中、上校級軍官，當然無資格參加軍事會議，親聆蔣公訓話。但在大陸期間，從未讀過《剿共手本》與《剿共問答》。

而毛澤東則以其戰略思想簡明扼要，幾句話而能貫徹其全軍。

·解讀《蔣公日記》一九四八年八月十七日

就軍事戰略，此際長春孤懸，仍圖固守，乃係錯誤。蔣公手擬各師長覆電，測係鼓勵戰志，固守到底。

·解讀《蔣公日記》一九四八年八月二十日

此際，蔣公以處理金融危機為重點，然金融危機乃由於政府收支入不敷出，形成惡性通貨膨脹，非用政治手段所可解決。

·解讀《蔣公日記》一九四八年八月二十三日

蔣公此際已體認消滅中共不可能，而以自力更生為求生存之道的根本思維。但軍事局勢如何穩定，仍是優先而最急的。生存之道在守勢戰略下縮短戰線、集中兵力，以期既不能破敵，應求全軍之道。保持現有據點，必致據點孤立，兵力分散，實與全軍（即保存戰力，不被敵人殲滅）之戰略守勢相違。

【九月打虎】上海經管揭黑幕

經濟：蔣經國上海打老虎，將最大紗商榮鴻元與杜月笙之子拿辦交法庭。

國家各銀行外匯皆集存於中央銀行，總數共約一億餘美金。

軍事：王耀武腐敗誇妄，濟南失陷，中共成立華北人民政府。

馮玉祥在俄國敖得塞港船上焚斃，舊部吳化文投共。

·解讀《蔣公日記》一九四八年九月二日

何應欽於完成受降後，任聯合國中國軍事參謀團團長，未介入國內剿共事務。行憲後，重回任國防部長，但軍事轉敗已定，應係與蔣公意見不一致。

·解讀《蔣公日記》一九四八年九月三日

此際穩定軍事最急，應從東北做起，則應放棄長春，乃至瀋陽，縮短戰線，期僅在東北占一橋頭堡，阻絕林彪入關。冬天快到，實已至最後時機矣。

・解讀《蔣公日記》一九四八年九月十日

蔣公約劉爲章談剿共策略。劉爲章爲作戰參謀次長，即劉斐。一八九八年生，湖南醴陵人，西江講武堂及日本陸軍大學第六期，係桂系將領。據共黨資料，任廣州大本營中校副官時，祕密加入共產黨。論者常以大陸剿共失敗，由作戰次長劉斐乃潛伏共諜，一切軍事行動先期通知中共。我初不信，而今日日記所載，劉竟判斷中共不會攻擊長春、太原，以迎合蔣公不放棄大都市之思維。其實具有戰略訓練者應知，此際是撤守長春的最後時機，何況一年前，白崇禧即主張放棄長春。今日日記所載，我可確認劉爲共諜。蔣公用人素重忠誠，何以在參謀本部最核心之作戰次長，竟未用黃埔出身、曾受陸軍大學教育者？而陳誠總長十八軍系統，亦有陸大畢業如方天，何以竟用桂系將領主管作戰？深爲不解。

劉斐是白崇禧建議任參謀次長，故來台後，爲此記白崇禧一大過。但白早於一九四七年秋，即向蔣公建議放棄長春，亦可見白並不知劉爲共黨潛伏分子。

・解讀《蔣公日記》一九四八年上星期反省錄（九月十日之後）

此際爲縮短戰線、保存軍力之最後時機，但蔣公專注於經濟統管，及發行金圓券。軍事不能穩定，其他一切皆空，而八、九月戰事近乎沉寂，必爲共軍攻勢準備所形成，更應警覺。

·解讀《蔣公日記》一九四八年九月十五日

此際，蔣公仍無整個戰略守勢，如何集中兵力？放棄哪些據點而加強濟南防務？其實此際應考慮者，是濟南應不應守的問題。增兵能否固守？固守是否變成死守？死守是否成爲守死？

·解讀《蔣公日記》一九四八年上星期反省錄（九月二十五日之後）

華東戰場迄九月一日，膠濟路及津浦路，濟南與青島及徐州間均被切斷，故濟南已陷於無補給線的孤立狀態，除非打通膠濟路或津浦路，濟南是無法固守的，故此際的戰略思維：

一、以濟南爲核心固守，求決戰，則必須有能力，打通津浦路或膠濟路。

二、僅增強濟南一個整編師，且依空運到濟南，王耀武仍不能對抗共軍八個縱隊的圍攻，最後失陷，徒增一個整編師的損失。

三、國軍徐州及青島任何一方，均無能力打通到濟南的陸上補給線，只有主動放棄濟南。

四、蔣公決定固守濟南，政略目的固有必要，但軍事戰略已無把握。蔣公勉王耀武死守，不可突圍，期其成仁，亦如對康澤。

五、大軍指揮，不能置之死地而後生。

六、蔣公既準備在濟南決戰，則首應考慮徐州或青島兵團，能否打通補給線。如有此能力，應接應濟南守軍與主力會合，不惜放棄濟南，才是戰略的主動。

七、何況濟南的九十六軍，是投機軍頭吳化文，其臨危叛降爲其生存法門，更不可恃。

八、馮玉祥舊部在反共戰爭中，其心態不能以抗日戰爭視之。

・解讀《蔣公日記》一九四八年九月二十六日

衛立煌任東北剿總，自己並無一套戰略思想與主張，唯命是從。現情勢危急，欲請辭。如果他於春間，即提出放棄長春，而蔣公不同意，則毅然辭職，乃爲有主張、有格調之將領。

由於東北戰場迄無完整的戰略計畫，今春，衛立煌初接剿總，開軍事幹部檢討會，我以中校營長資格參加，廖耀湘還表示戰局樂觀。此際，關內戰場從西北整二十九軍被殲；豫西，洛陽、開封失守；中原黃氾區區壽年兵團被殲；及至濟南失守；華北戰場魯英麐三十五軍被殲，主戰場全在關內。而國軍精兵主力在東北，九個月以來，東北戰場幾呈休止狀態，東北剿總及國防部，對東北戰場仍以固守據點爲指導，孤懸的長春亦不及時撤守。

現在，關內共軍幾已全面優勢，乃於攻占濟南後，立即在東北發起攻勢，主攻指向錦州、瀋陽，原準備固守，現蔣公指示衛放棄長春，時機已晚矣！而由瀋陽全力出擊，亦係戰略上的被動。

春夏間，東北共軍以整補爲主的休戰狀態，長春守軍可乘機安全撤退；現在共軍已對錦州發動攻勢，瀋陽出擊，則長春守軍無人接應，如何能撤出？蔣公對顧、衛對東北戰局的指示，實係陷於戰略被動，且已失去戰略有利時機。

・解讀《蔣公日記》一九四八年九月二十七日

蔣公檢討濟南失陷，最大原因在王耀武失職。王耀武，黃埔三期，抗戰期間任七十三軍軍長，防守湘西。我聽說他常收容各單位所獲日本俘虜，由他解重慶，使委員長信其戰績最佳，故在何應欽任中國陸軍總司令，準備反攻時，其第三方面軍司令即爲王耀武。其餘第一方面軍司令盧漢，第二方面軍張發奎，第四方面軍湯恩伯，均較黃埔一期為資深。王耀武以黃埔三期，甚受倚重，與黃埔一期的胡宗南相若。

司徒大使憂心濟南陷落，建議蔣公改革參謀部，但實際上，參謀總長是蔣公自己當的，無論陳誠與顧祝同，只是執行他的指示。

蔣公日記中怪自己用人不察導致濟南失守，但也有令他欣賞的人，如關麟徵。關麟徵，黃埔一期。一九三三年長城戰役，任二十五師師長，曾受傷。抗戰期間，在雲南任五十二軍軍長，與司令長官陳誠不睦，故陳誠任參謀總長後，未受重用，故未參與剿共作戰。大陸失敗後，亦因陳誠主持台灣省政，故寧流亡香港，拒絕來台。

【十月苦戰】瀋錦會戰失先機

軍事：蔣公赴北平、瀋陽，坐艦至葫蘆島，策定瀋錦會戰。

錦州失陷，長春各部叛降。

瀋陽出擊之主力全軍覆沒，被消滅者計三十二個師之衆。

內政：中共於雙十節組織聯合政府，推孫宋慶齡為主席。

・解讀《蔣公日記》一九四八年十月二日　在瀋陽

蔣公此際仍一意決戰。大軍指揮，被動決戰是冒險行爲。大軍作戰，採取與補給線受威脅的側敵行動，是戰略不利。

・解讀《蔣公日記》一九四八年十月八日　在北平轉京

一、錦瀋會戰共軍指揮系統：

東北人民解放軍司令員林彪

第一兵團黃克誠轄一、二、十　三個縱隊　九個師
第二兵團曾克林轄六、七、八　三個縱隊　九個師
第三兵團詹才芳轄三、四、九　三個縱隊　九個師
第五縱隊宋忮涵　三個師
第十一縱隊歐陽嘉強　三個師
第十二縱隊蕭勁光　三個師
遼南第八縱隊　三個師
獨立第一至十六師　十六個師
其他砲兵旅及韓共、日共

二、錦瀋會戰國軍指揮系統：

東北剿共總司令衛立煌

（一）長春守備兵團第一兵團鄭洞國轄騎一、二旅

轄新七軍李鴻　新三十八、暫六十一、暫五十六　三個師

第六十軍曾澤生　一八二、暫二十一、暫五十二　三個師

（二）瀋陽守備兵團　第八兵團司令周福成

轄五十二軍劉玉章　第二師、第二十五師　二個師

五十三軍周福成兼　一一六、暫三十、一三〇　三個師

第二〇七師　戴樸　轄二個旅六個團

守備第一、二總隊

三、新民西進兵團第九兵團　廖耀湘

轄新一軍潘裕昆　五十師、新三十師、暫五十三師　三個師
新三軍龍天武　十四師、五十四師、五十九師　三個師
新六軍李濤　新二十二、第一六九師、暫六十二　三個師
第七十一軍向鳳武　八十七師、九十一師　二個師
第四十九軍鄭庭笈　一〇五師、一九五師、七十九師一個團
二個師
二〇七師　第三旅
其他特種部隊

四、錦州指揮所主任范漢傑

錦州守備兵團　第六兵團司令盧濬泉
轄九十三軍盛家興　暫二十二、暫十八、一八四　三個師
新八軍沈向奎　八十八師、暫五十四師、暫五十五　三個師
第七十九師（欠一團）
砲十二團
錦西東進兵團第十七兵團侯鏡如
轄五十四軍闕漢騫　第八師、一九八師、暫五十七　三個師
暫六十二師　劉梓
第六十二軍　林偉儔　六十七師、一五一師、一五七師　三個師
獨九十五師朱致一
第三十九軍王伯勳　一〇三、一四七　二個師

第二十一師

・解讀《蔣公日記》一九四八年十月十日

國慶日。蔣公得報，錦州被攻，令長春部隊南下突圍。長春突圍，太遲矣！春夏之交，即應主動放棄長春及四平街。

・解讀《蔣公日記》一九四八年十月十一日

盧濬泉為錦州守備第六兵團司令，共約七個師，守錦州。

侯鏡如統十個師，為錦西東進兵團司令。闕漢騫、林偉儔，為東進兵團之軍長。

大軍會戰已開始，又令傅作義派李文赴錦（應指錦西，侯與李均為黃埔一期），並不符大軍指揮原則。

・解讀《蔣公日記》一九四八年十月十九日　在北平

駐長春之六十軍，原為雲南龍雲的基本部隊，龍雲被撤換後，對蔣公懷恨極深。龍固非馬克思主義者，而為投機軍閥。蔣公早疑六十軍忠貞，曾對龍作警告。今東北情勢不變，六十軍應早與林彪有聯絡，此實為其投共之最佳時機。

長春早應放棄。白崇禧一九四七年秋即建議，今夏以前突圍尚有可能（瀋陽可接應），及錦州被圍，長春突圍已不可能。

本月的瀋錦會戰，乃由蔣公親自穿梭於北平、瀋陽、葫蘆島間所決策，並一度到錦西第一線五十四軍軍司令部，但結果完全失敗，亦是三年來進軍東北的悲慘結局，自記「驕矜自大，鑄此大錯」。

就軍事戰略而言，期與林彪在錦州、瀋陽決戰，是蔣公個人的意志和決心，為一重大戰略錯誤。軍、師長曾有不同意見，蔣公未採納。

戰略決戰必須具有兩個基本條件：一是兵力絕對優勢，二為戰略態勢有利。錦州、瀋陽間的決戰，這兩個基本條件都不具備，是冒險的行動。而大軍作戰不能採取冒險行動，如曾國藩所說，先求穩當，次求變化，而毛澤東不打無把握的仗，更是如此。

先就總兵力言，林彪主戰野戰部隊，共約五十五個師；而國軍則亦約為五十五個師，故雙方兵力概等，國軍無絕對優勢。

更重要者為戰略態勢，國軍絕對不利。國軍部署於長春、瀋陽、錦州、錦西一條長蛇形，約六百公里。長春與瀋陽約距三百公里，瀋陽與錦州約距二百公里，錦州與錦西約一百公里；重兵分置於四個據點，成線式分離態勢，不能相互支援，且長春、瀋陽間已被切斷，瀋陽、錦州間亦被切斷。

共軍無任何固守據點的包袱，北滿大城市如哈爾濱、吉林、佳木斯等，均不需野戰軍守備，其主力完全可集中機動使用，對國軍任何一個據點，皆可以絕對優勢兵力包圍攻擊。

大軍作戰，作戰正面與補給線須呈T形。共軍作戰正面與補給線的關係，正是T形；國軍作戰正面與補給線的關係，從錦西、葫蘆島到長春約六百公里，而作戰正面與補給線幾乎平行，以北寧路為主的補給線時被切斷，態勢完全不利。

國軍與共軍有形兵力雖相當，而國軍士氣，自今春新五軍被殲，冬季缺煤，而官兵大多是南方人，高粱米非常吃不慣，更由於關內戰局不利，國大開會政治紛亂，經濟物價上漲，故士氣不高；而共軍則反之，故精神士氣的戰略優勢在共軍。

廖耀湘兵團是國軍的主力與精兵，以十五個師之衆的重裝部隊，由瀋陽出擊西進，其右側背完全暴露在敵人威脅下。大軍行動最忌側敵前進，易受攔腰截擊。

廖兵團的覆沒，即是東北全軍的覆沒，因爲這是國軍最精銳、最忠貞的嫡系中央部隊。東北國軍占國軍軍費五分之二，可見分量之重。東北國軍解體，華北戰局無可挽回。大軍會戰，須事先縝密計畫，主動實施。從主目標的決定、兵力集中、各部任務分配明確，一旦開始實施，狀況絕不如預期發展，此際唯一意照原計畫，堅定一往邁進，以主動成果補償不如預期的局部變化，絕不可因局部不如預期而改變原計畫。廖兵團始而求錦州與東進兵團會師，錦州雖陷，仍應繼續前進，不應徘徊猶豫而又欲回師瀋陽。十五萬以上大軍，不是一個排喊一個向後轉口令，就可以做到的。一旦指揮中樞遭受襲擊，各軍師不知所從所往，旦夕之間全軍自亂而覆沒。

蔣公既已採戰略守勢，當保存國軍戰力，不宜冒險決戰。如當時（亦即春末）即以瀋陽兵力，應接長春兵團突圍，南下會合。如守瀋陽，並應以營口爲補給基地；如放棄瀋陽，則應以營口與葫蘆島，兩港爲補給基地，以三十個師堅守營口與葫蘆港外圍據點，以牽制東北共軍五十師無法入關，可保華北戰局穩定。再以營口與葫蘆島，以海上爲補給線，共軍無海軍，故補給線絕對安全。必要時，利用海上轉移兵力，不受共軍襲擊威脅，實乃至當之考案。

我的好友賈維錄將軍今年已九十歲，他是參加錦瀋會戰廖兵團的副師長，所寫回憶錄，敘述廖兵團失敗的眞實情況，特節錄附在本月之末，以助讀者了解實情。

節錄：我的一生·參加戡亂戰爭　賈維錄撰

一、忠義救國軍改編爲交通警察部隊

抗戰勝利後，游擊部隊不需要了，全國所有屬於軍統局轄下的游擊部隊，奉國防部的命令，改編爲交通警察部隊，中央設交通警察總局，全國編成十八個交通警察總隊，有的在華北，有的在華中。在東南戰區只有忠義救國軍，編成十三、十四兩個總隊。我第六團則編爲第十四總隊第三大隊，任命我爲大隊長，下轄四個中隊，全部於民國三十五年（一九四六年）二月初，編組完成。

這時所有部隊都駐紮在蘇州附近，總部駐在蘇州閶門。二月十日，戴笠先生從南京來蘇州，召集大隊長以上幹部座談訓話，他說：「你們這兩個總隊將調往東北瀋陽，歸杜聿明長官節制指揮，期望能盡早收復東北。就全面形勢來看，東北如不能確保，華北則岌岌可危，如華北不能確保，則整個國家岌岌可危。你們這次去東北責任重大，杜長官所賦予你們的任務，一定要全力以赴。中共正阻擾我接收東北，局勢日緊，你們要知道東北地區民豐物阜，是中國的命脈。我們堅持抗戰八年，就是爲爭取國家領土主權之完整，大家要知道無完整之東北，即無完整之中國。」

戴笠先生回南京後，我們即作全面準備，詎料相別僅一個月，他卻於三月十七日，由北平經青島飛回南京時，竟墜機殉難！一代人傑，壯志未酬，飲恨以歿，國失干城，我失良師。嗟乎！馬鞍山前驚突變，痛令元首失長城，哲人其萎，良將不在，能不悲哉！

戴笠先生具天縱之資，其識見遠大，志慮忠純，料事識機，智勇兼備，既能恢弘器識以容衆，存天下之心，篤實踐履，忍人之所不能忍，爲人之所不敢爲。他曾以十六字箴言訓勉我：「苦幹苦守、任勞任怨、寧靜忍耐、偉大堅強。」更說：「仁者不以盛衰改其行，義者不以生死易其心。」這些年來每一思及，無不潸然淚下。回想起來，我這一生在抗戰期間，戴笠先生最了解我，最看重我；遷台後則是先總統蔣公最了解我，最看重我。

由於戴笠先生殉難，部隊延至五月初，始在上海登輪向東北進發，艫舳千里，浩蕩北上，睹滄海之壯闊，念國事之蜩螗，百感交集，悲不自勝。五月七日在葫蘆島登岸，沿北寧路趨瀋陽，再轉中長路赴長春，然後奉長官部命令，交警第十四總隊擔任長春－開原間之鐵路交通守備，總隊部駐開原，我大隊駐四平，此地久經日寇蹂躪，滿目瘡痍，慘不忍睹。我同胞之苦難，不知何日始登衽席之上。四平爲遼北省政府所在地，省主席劉翰東、祕書長徐鼐，駐軍是七十一軍，軍長陳明仁爲防共軍林彪來犯，時常在一起開會討論防務。我在這裡駐守期間，與共軍時有小接觸，但未發生過大陣仗，直到民國三十六年（一九四七年）六月奉命改編爲止。

二、交警部隊奉命改編後之一六九師，參加四平戰役

民國三十六年（一九四七年）六月，交警第十四總隊奉命改編爲陸軍第一六九師，隸屬新六軍，我被任命爲該師五〇五團上校團長。師長鄭庭笈少將是軍校第五期畢業，帶兵作戰，都很有經驗，應該算是優秀的將領。

改編後僅月餘，共軍林彪部隊大舉圍攻四平，即有名的四平會戰。遼北省政府和七十一軍被圍在四平城中，長官部命令要新六軍去解圍，一六九師攻擊敵之右側背，我團奉命攻擊敵之重要據點八棵樹。八棵樹爲共軍第三縱隊司令部（形同我國軍之軍部）所在地，爲我攻

占，共軍向北撤退。我即率部攻進四平，救出劉翰東、徐鼐以及七十一軍長陳明仁。此時共軍反撲，爲爭奪戰場上最重要的制高點二七一高地，與我發生激烈戰鬥。

這次戰役，共軍集中可用的兵力與火力向我一六九師攻擊，戰鬥非常激烈。我五〇七團在共軍強大壓力下不支後撤，戰場情勢混亂。這時我收到師長鄭庭笈的手令：

二七一高地部隊一律歸賈團長指揮，另行調整部署，堅固戰至一兵一槍應與陣地共存亡，有違命者，准賈團長先殺後報。

師長鄭庭笈即刻

賈團長

姜團長

陳團長

當我收到這個手令的時候，找陳團長，他已經不知去向；找到姜團長，他已疲憊不堪，他說：「你殺了我吧！我已經沒有辦法啦！」最後只有我一個團，獨力奮戰，總算保住了二七一高地，得到最後勝利。

在這次戰役中，我團傷亡慘重。我在二七一高地，被敵軍擊中，子彈從我左肩胛穿過，我從山上滾到山下，所幸未中要害。醫生說再高一點，打到鎖骨，肩膀會打碎；再低一點，會打到肺，那就不堪設想了。但是傷好以後，卻留下兩個後遺症：一是癲癇病不時會發作，經過檢查是腦震盪後遺症；二是記憶力衰退，過去我雖談不上過目不忘，但記性很好，經過的事、讀過的書不大會忘記，癲癇症發作了兩年多，自然痊癒了，記憶的能力始終沒有回復到以前水準。

這次戰役，副團長徐壯傑受輕傷；第一營長鐘棫祥受重傷，差一點生命不保；第二營長郭承緒陣亡；連、排長陣亡五人，受傷者十三人；士兵傷亡兩百餘人。

會戰結束後，號稱四平大捷。我獲授五等雲麾勳章，被送到瀋陽醫學院治療養傷，聽見瀋陽市大街上熱鬧非凡，是爲慶祝四平大捷。省主席劉翰東、七十一軍軍長陳明仁掛紅遊街；而解四平之危，爲救他們而負傷住院的我，卻無人過問，說起來眞是夠諷刺的。

經過這次戰役之後，師長鄭庭笈調升任四十九軍軍長，師長由張羽仙接任，軍部派李潤懷爲副團長，積極整補五〇五團。張師長也帶來一部分人補充到五〇五團。兩個月後我的傷已經痊癒了，想到天津好友王遠宣家住些日子，休息休息，但是那時林彪又蠢蠢欲動，軍團司令廖耀湘、軍長李濤（新六軍，屬於第九兵團）都派人來找，要我趕快回到團部。事實上團裡的官兵都很想念我了，我也很想念他們。

三、解救五十三軍之圍

九月上旬，快過中秋節的時候，共軍圍攻瀋陽以北開原的守軍五十三軍，軍長周福成向長官部告急，長官部要新六軍派軍解圍。那時我團正防守瀋陽以北的鐵嶺至中固之線的戰略要地。開原還在鐵嶺以北，相距數十華里。軍部給我的命令，要我伺機支援，並未作嚴格的要求。我接到命令後，即派便衣到開原附近去偵察敵情，回報說未發現強大的共軍。我即報告軍長李濤，請他報告長官部，轉知五十三軍周福成，約定中秋夜我率部到開原南門處接應，要他率部突圍，向我鐵嶺方向轉進。雖然經過戰鬥，但並不甚激烈，就解了五十三軍之圍。周福成見到我的時候，非常感激。隨後五十三軍向長官部，爲我報請一座陸海空軍甲種一等獎章，是僅次於勳章的獎章。從此以後，長官們都認爲我驍勇善戰，對我另眼相看。事實上並不是我有多能幹，是其他的部隊太差勁了。

四、參加瀋陽保衛戰

民國三十四年（一九四五年）日本投降後，政府接收東北的部署是軍政分離的。政經方面成立了東北行轅，派熊式輝爲行轅主任負責；軍事方面成立東北九省軍事長官部，派杜聿明將軍負責。兩年下來，受蘇俄及中共軍破壞，與其他主客觀因素的影響，無論政治、經濟、軍事方面都表現得不佳，爲國人所不滿。後來政府將熊式輝、杜聿明兩人免職，派陳誠爲東北行轅主任，軍事長官部撤消，由陳誠統一指揮整個東北的軍政。

這時東北的形勢已非常艱困，派陳誠去振衰起敝，也非常不容易。共軍爲了打擊政府與陳誠之威信，於陳誠到職不久，即民國三十七年（一九四八年）一月過舊曆年的時候，發動攻擊瀋陽。他動用了四個縱隊圍攻瀋陽，我新六軍、新三軍、五十二軍、四十九軍、二〇七整編師都參與了這次作戰，即所謂的瀋陽保衛戰。這時東北的形勢，四平已經被共軍占領，長春完全孤立，遼西的錦州也被孤立，國軍只能領有遼南地區。如果這次瀋陽會戰失利的話，整個東北就不保了，所以這次會戰非常重要，絕不能夠讓共軍得逞。

我團奉命強渡遼河，深入三十餘里，迂迴攻擊共軍的側背，無意中打到張家窩棚。這個地方是共軍第四縱隊的司令部，完全出乎共軍意料之外，事實上，我並不知道張家窩棚是共軍的縱隊司令部，我誤打誤撞地把他的司令部衝散了。共軍也不知道我們有多大部隊到他背後，因此打破了整個共軍的攻勢，紛紛向法庫的方向撤退，而解了瀋陽之危。其他友軍方面也給了共軍很大的打擊。戰役結束後，我獲頒甲種干城獎章一座，晉升爲一六九師少將副師長，並蒙陳誠召見嘉勉。

這次戰役之後不久，陳誠胃病大發，不能再任艱巨。東北行轅撤消，改為東北剿共總部，政府派衛立煌為總司令。

五、遼西會戰

東北局勢日趨惡化，共軍林彪部日益猖狂。民國三十七年（一九四八年）九月，他把我駐守長春的國軍，先孤立後勸降，長春、瀋陽以北之長春吉林等廣大地區，皆為共軍占據，因而瀋陽也形同孤立。遼西之錦州雖仍在我軍手中，但對瀋陽之交通已被切斷。在這種情況下，中央政府的決策，是把瀋陽的兵力轉移至遼西地區，以錦州為中心，確保遼西走廊，以掩護華北地區之作戰。這種戰略決策是非常正確的。

九月底，東北剿共總部組成西進兵團，參加的部隊有新一軍軍長潘欲昆、新三軍軍長龍天武、新六軍軍長李濤、四十九軍軍長鄭庭笈，整編二〇七師代師長戴樸，歸第九兵團司令廖耀湘統一指揮，十月一日全面開始行動。我一六九師擔任右翼攻擊，第一攻擊目標彰武，十月三日即把彰武攻下。這時應該迅速前進向第二目標新立屯攻擊，但奉命暫停前進。這時共軍正在圍攻錦州北方一百華里之義縣，一旦義縣失守，將嚴重影響我軍進出遼西。我軍在彰武停留十日不前進，亦未發生任何戰況。十日後再奉命向新立屯攻擊，十七日在新立屯與共軍戰鬥，僅一日，共軍被我擊退，我即占領新立屯。這時應該立即向大凌河前進，越過大凌河，即可與我錦州之守軍取得連繫。但攻占新立屯後，又奉命停止前進，在這裡停留七日。我們在第一線的官兵焦躁萬分，不知道為什麼要停止前進。七日後再奉命向大凌河推進，此時義縣已被共軍攻陷，圍攻義縣的共軍都到了我們陣前！當我軍到達黑山時，遇到共軍強烈的抵抗，戰鬥非常激烈。師長張羽仙到第一線了解情況時受傷，離開了師部。五〇五團團長吳丕業（他接我的團長）向我報告狀況，要求師砲兵支援。十月二十七日，入夜戰鬥更激烈。晚十時左右，我接到軍團司令廖耀湘的電話：「賈副師長嗎？我是司令官，我們要回師確保瀋陽。你現在馬上把炮車、大車破壞（大車是裝輜重彈藥的），輕裝向瀋陽轉進。」我回說：「報告司令官，絕對不行。現在第一線戰鬥激烈，根本撤不下來。而且天這樣黑，部隊不好移動，到瀋陽將近一百華里。」他沒等我說完，便指示我，照命令行動，並掛上電話。當時我覺得很奇怪，他怎麼會下這種命令？絕對是他的湖南邵陽口音沒有錯。我和參謀長商量後，決定這個命令不能執行，等天亮再說。半夜十二點過後，第一線戰鬥停止，一片沉寂。第一線作戰的兩個團長三番兩次向我報告說：「新三軍的部隊經過我們這裡後撤了，新一軍的三十八師經過我們這裡後撤了。」我和參謀長把三位團長及砲兵營長找來，將司令官的電話內容陳述了一遍，把我的顧慮也陳述了一遍，研究該怎麼辦？研究的結果認爲友軍都撤走了，天亮後只有我們在這裡，一定會被共軍吃掉，還是撤退爲好。商定了撤退的路線，以及明晨七時到達的地點，即開始行動。砲兵營長王權欲中校，聽說要破壞砲車，放聲大哭。

這時東北夜間非常黑暗，沒有月亮，可以說是伸手不見五指。這時既無高粱又無大豆，一片廣闊的平原，四處可以通行。我率領師部的官兵以及直屬部隊，向預定的目標前進。在行進的過程中，左邊來了一隊人，從我的隊伍中穿過去，忽又從右邊來了一隊人，從我的隊伍中穿過去。天實在太黑，一般官兵弄不清楚哪個是自己的部隊，最後部隊被衝散了，分別跟著其他的部隊走了。等到天亮的時候一看，跟在我身邊的只有十餘人，其中三人是我認識的人，一個是師部連連長錢自警，另兩個是我的衛士，一個叫曹天福，一個叫傅順清，其他人我都不認識。

當時我對他們說：「我是一六九師副師長，願意跟我走的就跟我走；不願意跟我走的，你們去找自己的部隊吧！」他們都不認識我，當然都走了，只有一位對我說：「報告副師長，我是新一軍三十八師的上尉副官王××（名字忘記），我們的部隊到哪裡去了我也不知道，我願意跟副師長一塊走！」我說：「好，那我們就一同走吧。」這時我對天長嘆一聲：「這眞叫兵敗如山倒啊！」

早晨七時左右，又疲勞又飢餓，走到一個小村莊附近的低窪處休息一下，想叫我的衛士去弄點食物來吃，忽然發現，在我東南方向五、六百公尺的地方，有一個很完整部隊向我這個方向走來。我以爲是共軍來了，我們躲在窪地不敢動，這個隊伍朝我們前進相距兩百公尺左右的時候，隨同我一起走的那個三十八師的王副官，很興奮地對我說：「報告副師長，那不是共軍，那是我們三十八師的部隊。」我說：「你怎麼能確定呢？」他說：「你看這個部隊都頭戴鋼盔，共軍是沒有鋼盔的。這個部隊有兩百多人，前頭有個人騎了一匹馬。」

當我們確定是三十八師的部隊了，我們一陣快跑，跑到那個騎馬的面前。王副官認識那個騎馬的。我對他說：「我是新六軍一六九師副師長，我想跟你們一起行動。」那個騎馬的立即下馬，對我說，他是三十八師一一四團第三營營長陳××，與師部團部失散了，也不知道該怎麼辦，願意聽副師長指揮。我說：「那好，我們一起走吧！」隨後他說馬由我騎，那時我實在太疲累了，已經有點走不動了。我謝謝他，然後騎上了那匹馬。要知那時的軍官皆受過完整的教育，對長官比較尊敬的。而且新一軍和新六軍抗戰期間，在緬甸戰場上併肩作戰很久，那時就有兄弟軍之稱。

當天未發生任何情況，到達半拉門附近宿營，休息一夜。第二天亦未發生任何戰況，下午五時到達巨流河。巨流河地區是西進兵團的留守處所在地，第九兵團部各軍軍隊都設在這裡。我陪同陳營長找到了新一軍的留守處，打探前線的消息。留守人員都說不知道。我對陳營長說：「我要去找新六軍的留守處，你就留在這裡等消息吧。」

等我到新六軍留守處，一問也都不知道前方的情況。我對留守處的人員說：「我急於要回瀋陽，請派一部吉普車給我。」我坐上車，帶著錢自警、曹天福、傅順清，立即趕往瀋陽。一路很順利，未發生任何情況，安全到達瀋陽我的住處，休息一夜。

第二天一早，趕到師部留守處，我想把留守處的人員物資處理一下，迎頭碰到師部糧秣科長曾毅（我的老部下），他很驚異地對我說：「副師長你怎麼還不走啊？很多人都走了！」我問：「怎麼走法呢？」他要我趕快趕到飛機場，並從身上掏出兩條黃金給我，告訴我：「到機場後把黃金送給駕駛員就能上飛機了！很多人都是這樣走的。今天還有飛機，現在就要去！」說完他匆匆地走了。

我把留守處的事情處理好以後，心想不能馬上走，得去和我的女朋友鍾毓芬小姐告辭一下。見到她的時候，當然有些依依不捨。她說：「明天我送你上飛機，你到了北平等我，我想辦法趕去找你，如果你走不了，我陪你到鐵西我的親戚家躲起來。」

六、逃離瀋陽

離開鍾小姐以後，我趕到剿共總部，找兩個熟人探詢一下前方的情況。一個是剿共總部副參謀長姜漢卿，姜是我的好友，他說：「戰局完全失控，你趕快走吧。還好我這裡還有一張傷票，你拿這張傷票，明天早晨七點趕到渾河機場，憑這張傷票他們會讓你上飛機。」我問他：「你怎麼辦呢？」他說現在還不能走，等一等再看看吧。我離開他的辦公室，去找第二處第一科長許競。他是我在湖南受訓時候的同隊同學，一見到我非常驚異，二話不說就是要我趕快離開瀋陽，戰局完全瓦解了。

我垂頭喪氣地離開了剿共總部，再到鍾小姐家，告訴她明天早晨七點以前，要趕到渾河機場搭機。她說要送我去，但第二天清早到了渾河機場時，機場已經關閉了。我向機場的守衛憲兵詢問機場爲何關閉，他說飛機昨晚七時都撤走了，機場也跟著關閉。我這一急非同小可，後悔昨天沒聽曾毅的話。我又立即趕到剿共總部，想問個明白。

一到總部，看到遼寧省主席王鐵漢和瀋陽市長董文琦，身穿大衣，手提皮包，匆匆上車離去。跟著剿共總部參謀長趙家驤，也匆匆下樓上車離去。我正要上樓的時候，又見到總司令衛立煌身穿大衣，手裡拿了個司梯克，身後跟兩個參謀下樓來。我立即向他報告說：「我是一六九師副師長，從前方回來了。總司令有什麼指示？」他說：「你回來很好，趕快去收容部隊，我到四處看看。」隨後沒有再交代什麼就上車走了。我看情況不對，立即上車跟在他後面，他到哪兒我就到哪兒。一直到了東陵機場，這時正有兩架飛機落地，當時機場周邊不遠處已有槍聲，機場情況很混亂，機門一打開，我立即攙同鍾小姐搶上飛機，也沒有人趕我下飛機，就這樣逃離了瀋陽。

這時許競也到了機場，看我上了飛機，他也搶上了飛機。當時鍾小姐就這樣跟我走了，其實她家裡並不知道。當時飛機並未熄火，等到衛立煌等人登機後，匆匆起飛，數小時後抵達葫蘆島降落。衛立煌等人下機後去了錦州城，我和鍾小姐等於坐了專機飛到北平南苑機場。下機後我們兩人百感交集，喜乎？悲乎？不知道是什麼滋味！

到了北平之後，看到新聞報導遼西會戰的情形。第九兵團司令廖耀湘、新六軍軍長李濤、四十九軍軍長鄭庭笈被共軍俘虜，其他軍、師長下落不明，有的也許也被俘了，國軍至此全面潰敗。看了這些新聞，眞是心如刀割，痛心不已。回想二十七日晚上十點，廖司令官要我撤回瀋陽的電話，是他被俘後，受共軍脅迫下打的呢？還是共軍有人模仿他湖南口音打的呢？果眞如此，應該不只我收到這樣的電話，所有在第一線戰鬥中的部隊應該都收到了，所以才導致全面撤退的局面。

這次遼西會戰，中央的戰略指導，是要把瀋陽地區的兵力轉移到遼西，以錦州為中心，確保遼西走廊支應華北戰區的作戰。部隊出動之後應該迅速前進，爲什麼在我攻下彰武後要停留十日？攻下新立屯後又要停留七日？我一直很困惑，不了解怎麼回事。到了台灣才聽說，這樣大的戰役，國防部自然會干預。然而國防部的作戰次長劉斐，早被共產黨收買了；作戰廳長郭汝瑰，則是早年潛伏在國防部的共產黨員；而衛立煌續弦的年輕妻子，又是北平燕京大學畢業的共產黨員。這樣我們自然可以了解了，中央指導作戰是共產黨，前方指揮作戰的是共產黨的同路人，當然會給共軍製造有利的局面，這個仗怎麼能打呢？

不過廖耀湘如果是個有膽有識、有擔當的大軍統帥的話，應該懂得「將在外，君命有所不受」的道理，掌握戰場的眞實情況，向既定的戰略目標前進。可惜他不是，以致造成國軍如此的慘敗。一將無能，遺恨千古，午夜夢迴，浩嘆不已！更令我想到，如果軍統局戴笠先生不死，潛伏在我政府的共產黨員，必不敢如此猖狂，今天的局面也許就不一樣了，這只能說是歸於國運了。

【十一月慘敗】軍事經濟兩潰敗

軍事：碾莊失陷，黃百韜、邱清泉殉職。
外交：美國總統大選，杜威落敗。
經濟：取消限價，經國先生辭去管制督導員，
　　上海物價一日間突漲四、五倍，搶米風潮漸起。
内政：白崇禧煽動武漢民意機關扣留現金，不准中央運滬。
　　政府人員移駐廣州辦公。

·解讀《蔣公日記》一九四八年十一月六日

馬歇爾與蔣公互不相容。其前提則欲援華，必須蔣下野或交出大權，有意如岳軍先生大權主政，美國願援華，但爲岳軍先生拒絕。翁文灝辭行政院長後，且東北全潰，蔣公又擬令岳軍先生任行政院長，則我猜岳軍先生必先訪美，與馬歇爾取得援華承諾，才願任行政院長。

此際只有美國堅持不能放棄中華民國，至少保有半壁江山，與蘇俄在中國平分秋色。如美俄能協議，唯有史大林可命毛澤東聽命，才有和談與分疆而治可能，張群與張治中的意見如此。美大選，杜威已敗，唯有仍從杜魯門、馬歇爾處著手，唯一可能是，張群取代蔣公執政。蔣公如堅不下野或交出大權，則張群赴美將無所獲，和談自不可能也。故蔣公以匪夷所思視之。

·解讀《蔣公日記》一九四八年十一月七日

東北潰滅，林彪大軍必隨即入關，華北不可能固守。而中原戰場國軍主力何去何從？不容猶豫，時間緊迫矣！蔣公未去徐州，似在逸失保存實力的戰鬥時機。

·解讀《蔣公日記》一九四八年十一月八日

以非經濟手段解決經濟問題，必然失敗。經國先生以強制手段管制物價，注定是失敗的，故辭職。

·解讀《蔣公日記》一九四八年十一月九日

徐蚌會戰共軍戰鬥序列：

共軍前委劉伯承、陳毅：

(一) 華東野戰軍　陳毅

(1) 第一兵團　葉飛　轄一、四、六　三個縱隊

(2) 第二兵團　何以祥　轄三、八、十　三個縱隊

(3)第三兵團　韋國清　轄二、七、十二　三個縱隊
(4)第四兵團　許世友　轄九、十三、新八　三個縱隊
(5)第五兵團　粟　裕　轄快速縱隊及兩廣縱隊
(6)直屬渤海縱隊　魯中、魯南縱隊　六個獨旅　吳化文部

㈡中原野戰軍　劉伯承　轄一～十一　共十一個縱隊

國軍徐州剿共總司令　劉峙
(1)第二兵團　邱清泉　轄五、十二、七十、七十四　四個軍　十一個師及騎兵旅
(2)第七兵團　黃百韜　轄二十五、四十四、六十三、六十四、一〇〇　五個軍　十一個師
(3)第十二兵團　黃維　轄十、十四、十八、八十五　四個軍　十一個師
(4)第十三兵團　李彌　轄八、九　兩個軍　七個師
(5)第十六兵團　孫元良　轄四十一、四十七　兩個軍　四個師
(6)第六兵團　李延年　轄三十九、五十四、九十六、九十九　四個軍　九個師
(7)第三綏區　馮治安　轄五十九、七十七　兩個軍　四個師
(8)第八兵團　劉汝明　轄五十五、六十八　兩個軍　六個師
(9)直轄七十二、一〇七兩個軍四個師　另，五十二軍、二九六師，共五個師
交警五個總隊、裝甲兵指揮部、戰車四個營、裝砲一個團、砲兵七個團、工兵七個團等。

其時，第二兵團在徐州西黃口、碭山間，第七兵團在徐州、東海間之新安鎮，第十二

兵團在河南南陽，第十三兵團在曹八集，十六兵團在蒙城，第三綏區在賈汪，第八兵團在蚌埠。

第七兵團黃百韜，原駐新安鎮，移運河西岸。因渡河擁擠，於十一月十日到碾莊附近地，其六十三軍於九日，在窯灣被陳毅二、九、十二等三個縱隊圍攻，奮戰三晝夜，傷亡殆盡。陳章軍長自戕殉職。而碾莊則受共軍八個縱隊圍攻。

·解讀《蔣公日記》一九四八年十一月二十二日

黃百韜兵團原駐新安鎮，轄五個軍（二十五、四十四、六十三、六十四、一〇〇），奉命西進，亦是大軍側敵前進，且只有一條主要道路，且須經過運河、一個橋梁，再加難民擁塞，形成混亂。十一月十日，其主力四個軍（二十五、四十四、六十四、一〇〇）在碾莊，被陳毅八個縱隊所圍，其六十三軍則在窯灣，被陳毅四個縱隊所圍。

國軍以十三兵團李彌轄兩個軍（八、九）在隴海路以北，第二兵團邱清泉轄四個軍（五、十二、七十、七十四）在隴海路以南，兩個兵團併列向碾莊攻擊，以期解第七兵團之圍。

第二兵團面對共軍三個縱隊的縱深陣地抵抗，於十一月十二日發起攻勢，進展遲緩，迄十一月二十三日抵韓莊，距碾莊約十五公里，而碾莊已陷。

·解讀《蔣公日記》一九四八年十一月二十四日

一九六師為新成立之第二線兵團M師之一。師長葛先才，黃埔四期，曾在長沙第三次會戰任團長，衡陽會戰任預十師師長，勇敢善戰，獲頒青天白日勛章。故一九六師中堅幹部多爲其第十軍舊部，作戰經驗豐富。時我任該師參謀長，在衡陽完成接兵萬人及美械裝備。另選單純環境、縮小範圍、重起爐灶，應爲退守台灣的初念。

・解讀《蔣公日記》一九四八年十一月二十七日

黃維兵團轄四個軍（十、十四、十八、八十五），原隸華中剿總。白崇禧同意東調參加徐蚌會戰。十萬大軍從河南南陽出發，距蚌埠約五百公里，中經七條河流，且道路不良，於十一月二十六日，在雙堆集被劉伯承七個縱隊所圍。其時，副司令胡璉未隨軍，被圍後，由飛機送入重圍，與官兵同患難。十八軍聞胡璉到達，士氣大振。

胡璉於十二兵團被圍後，由飛機送入包圍圈中，是臨危受命，最高軍人武德。胡先生曾對我說，他進去兵團，已入共軍口袋，無能爲力。故如胡璉開始由南陽東進即在軍中，情況又不一樣。胡璉在山東南麻，共軍圍攻未得逞，一向所向無敵，故胡在十八軍的聲望遠超過黃維，最後，胡突圍成功，黃則被俘。

俞大維先生常與我談及，徐蚌會戰所犯戰略錯誤：（一）第七、第十三、第二等三個兵團大軍，沿隴海線，從東海到碭山一字形排開，一如東北長春到錦西的長蛇陣。（二）第十二兵團增援蚌埠，應由鐵運至漢口，再船運至浦口，沿津浦北運增援，不應由南陽渡七條淮河支流東進，且左側背暴露在劉伯承威脅之下，大軍側敵前進是非常危險的。

・解讀《蔣公日記》一九四八年十一月二十八日

杜聿明懷疑參謀本部有共諜，故對今後作戰腹案，不敢在參謀部有人在場時陳述，可知當時能參加此項重要作戰研討，除顧總長外，當爲作戰次長劉斐，故杜應早疑劉斐有問題，蔣公似未察。而劉爲白崇禧所推荐，本係桂系將領，當時陳誠爲何不用親信嫡系，主管作戰計畫？則深不解，而爲極大疏失也。

來台後，曾爲此記白崇禧大過一次，已無補於事。

【十二月倒蔣】桂系奪權逼下野

外交：蔣夫人赴美求援，馬歇爾反應冷淡。
軍事：胡璉由空運赴戰場，與官兵共患難。
黃維兵團危急，蔣公考慮使用化學彈，
俞大維極力反對。
內政：黃維被殲於雙堆集，桂系乘機逼蔣公下野。
陸大移台灣，機械化部隊遷台。

·解讀《蔣公日記》一九四八年十二月四日

由粵調台的一五四師為廣東部隊，由湘調粵的一九六師以第十軍幹部新編成，接受美援裝備，在衡陽接兵完成，蔣公改變心意。一九六師調廣東時，宋子文任廣東省主席，我為一九六師參謀長。

・解讀《蔣公日記》一九四八年十二月六日

蔣公指示杜光亭兵團先攻北面之敵，並求決戰，則與原來放棄徐州南下之原意不符。大軍作戰，臨時改變主要方向，並不正確。

・解讀《蔣公日記》一九四八年十二月九日

化學兵原爲注重化學武器的防護，抗戰時期在四川納溪，設有化學兵學校，其幹部多由俞大維先生負責教育養成。來台後的羅張將軍，即爲化學兵出身。俞先生曾與我談起，徐蚌會戰期間，國軍曾考慮使用化學彈，但他反對，故終未使用。這是歷史性的決定，亦是正確的決定。

・解讀《蔣公日記》一九四八年十二月十二日

東北與華北唇齒相依，瀋錦會戰失敗後，林彪必揮軍入關，平津走廊無法固守。華北剿總放棄北平，集中兵力固守津沽，其海上補給線安全，或可固守相當時日；捨不得放棄北平，必敗無疑。

・解讀《蔣公日記》一九四八年十二月十三日

蔣公期以空中轟炸阻止共軍攻勢，共軍白天疏散，避免轟炸，地面部隊不能配合出擊。空中轟炸與掃射，對疏散掩蔽在壕溝內的共部，其傷亡是有限的，空軍可能誇大戰果。

雙堆集之戰概要：

黃維兵團（十二兵團）轄十、十四、十八、八十五等四個軍，自十一月八日，由豫西南陽東進，十萬大軍千里馳援（副司令胡璉因丁憂請假，未隨軍）。十一月十八日先頭抵蒙城（蚌埠西約七十公里），而後續部隊尚在阜陽，縱長達一百公里。迄十一月二十二日，攜行糧秣已盡，就地補給無法實施，於二十六日被圍於雙堆集，補給賴空投。副司令胡璉由空運赴戰場，與官兵共患難，士氣大振。

自十一月三十日，共軍白天動員民力構築困陷工事，入夜後以近迫作業，利用壕溝實施近戰。

十二兵團在雙堆集，被劉伯承七個縱隊所圍，自十一月十九日至十二月十五日共二十七天。十二月十五日分別突圍，十四軍軍長熊綬春成仁，黃維及第十軍長覃道善、十八軍軍長楊伯濤、八十五軍軍長吳紹周被俘；副司令胡璉、師長尹俊、王靖之、張用斌突圍成功，脫險官兵不足萬人。

鄭立軍將軍今年九十歲。我任第九師長時，他是第九師的參謀長。在八二三砲戰中，表現沉穩，與我共過患難。他是十八軍的幹部，在雙堆集的會戰中任營長，全程參與黃維十二兵團的作戰。其所敘徐蚌會戰雙堆集戰鬥，有血有淚，特附在本月之後（見鄭立軍將軍親撰〈徐蚌會戰·雙堆集戰鬥紀實〉），以助讀者更能體會慘烈戰鬥的感受。

戴鍔將軍於徐蚌會戰時，爲十二兵團司令黃維的少尉警衛排長，對十二兵團雙堆集被殲，有全盤了解，特煩其親撰參戰所見。

十二兵團參戰在台將領，鄭立軍與戴鍔兩將軍，親撰參戰經過，亦如耿若天將軍與賈維

錄將軍所撰，彌足珍貴。特附日記摘錄之後，以印證蔣公日記所誌。（見戴鍔將軍親撰〈徐蚌戰役中，有關雙堆集會戰經過之我見〉）

．解讀《蔣公日記》一九四八年十二月十七日

B二十四轟炸機副駕駛三人叛逃，是空軍叛逃的第一次，蔣公至爲寒心，因空軍是蔣公親手建立的，一如黃埔子弟。

．解讀《蔣公日記》一九四八年十二月二十一日

俞大維先生抗戰勝利後，即任交通部長，蔣公之意似仍由其繼任之意。來台後，俞先生曾對我說，抗戰勝利後，如任其爲國防部長，則大陸軍事局勢不會崩潰。我信其言，因俞先生深通戰略且敢言，阻止用化學彈即爲一例。

．解讀《蔣公日記》一九四八年十二月二十二日

徐蚌會戰，第十二兵團黃維已被殲於雙堆集，國軍僅有之主力部隊杜兵團，被圍於永城地區，桂系認爲此乃逼蔣下野之最好時機，因蔣辭總統，則由李宗仁繼任，達成桂系奪權目的。張群與吳忠信乃蔣公情深至友，故白託張、吳對蔣公勸說。

其實今日時局最困難之問題，仍在軍事。如杜兵團主力不能保存，縱蔣公下野，國民黨亦無任何談判的本錢。

·解讀《蔣公日記》一九四八年十二月二十五日

白崇禧公然扣留長江船運，阻止中央嫡系部隊第二軍調南京，其欲倒蔣自是與李宗仁合謀。而自四月間國大開會，李競選副總統後，目睹中央嫡系部隊被殲，而現在白崇禧在華中剿總，所掌握的張淦兵團與夏威兵團、桂系基本部隊，形成在國民政府最具實力的派系，乘危奪權。其背景應是倒蔣後，在美國支持下，主持與共黨和談，期保江南半壁江山。

白崇禧對於進剿軍事戰略，其思想與蔣公相左，而建議又不為蔣公接受，期望續任國防部長為蔣公所拒。從好的方面看，他只有與李倒蔣，才能求得國民黨政權生存的機會。白氏反共的堅定，從其最後未隨李而來台，可以證明。

黃維兵團被殲後，杜兵團是蔣公僅有的嫡系部隊。現在永城被圍困中，解救無門，而南京政客不知大難之將至，仍在權力鬥爭中。從日記中可看出，一週來，蔣公的精神與時間，全在處理立法院院長選舉、行政院改組，及桂系要求他下野的政治內鬥。

·解讀《蔣公日記》一九四八年十二月二十七日

蔣公自知下野不可免，故積極安排最後基地的準備。諸如，擬派經國先生為台灣省黨部主委、台灣省政府改組，同時希望保有川、滇，派何應欽赴重慶，以及準備下野後，以何為陸海空軍總司令以維繫軍心。此際，唯有何可以承蔣公之志，而何在軍中為僅次於蔣公的將領，在黃埔子弟心目中，蔣為嚴父，何則為慈母。

附錄：徐蚌會戰．雙堆集戰鬥紀實　鄭立軍將軍撰

（一九四八年十一月十八日至十二月十五日）

一、作戰地區一般狀況

甲、地形：宿縣、渦陽、蒙城、懷遠地區，因為穎水、西肥水、渦河、北肥水、澮河等五條河流皆自西北流向東南，匯注淮河，河上均無橋梁，且經常氾濫，大軍行動極受限制。新蔡、阜陽至宿縣，僅有一條公路相通，且泥土鬆軟難行。所有村鎮，其房屋多係茅草屋頂、泥壁，難守而易攻。

乙、民風：居民本來純樸，生活艱苦。共黨彭雪楓曾建根據地於此，故鄉民赤化甚深，對國軍多採取不合作態度，以致探訪敵情與找嚮導等，均感困難。

二、作戰之前，敵我活動情形

甲、共軍：

1. 自濟南陷落後，陳毅逐漸南移，集結於兗州及其東南地區整補。將原有各縱隊改編為五個兵團，主力置臨沂地區。其一部自十月中旬經汶上，越徽山湖西竄，形成對徐州夾擊之態勢。其蘇北之第二、第十二兩縱隊，四處竄擾，積極破壞津浦路之交通，逐漸將主力北移。

2. 劉伯承部，自黃氾區會戰後，已告整補完成。主力由開封、許昌附近，逐次向東移動，一部仍留遂平、舞陽地區，牽制我華中剿總所屬之部隊。

3. 陳賡部，於豫北戰役後，即竄淮陽、商水一帶修整，並監視我華中部隊之行動。

乙、國軍：

1. 為集結戰力，縮短正面，加強縱深，乃調整部署，主動放棄荷澤、鄭州、開封、高郵、東海等地。
2. 本軍於黃氾區會戰後，集結於確山、駐馬店間地區，從事修整。恢復軍師原來番號，並加入第十二兵團序列，於一九四八年十一月八日東進，準備參加徐蚌地區之會戰。

三、敵我參戰兵力

甲、共軍：

華中野戰軍：司令員劉伯承、政委鄧小平，指揮八個縱隊。

華東野戰軍：司令員陳毅、政委饒漱石，指揮三個縱隊。

乙、國軍：

第十二兵團：司令官黃維，指揮第十軍、第十四軍、第十八軍、第八十五軍。

第十八軍指揮第十一師、第四十九師、第一一八師。

四、第十二兵團向徐州前進時，共軍之阻撓，我對共軍作戰的經過

㈠強渡渦河：

1. 十二兵團於十一月八日，自確山東進，日夜兼程馳援。前進之道路只有一條，且河川交錯，均需臨時架橋，始得通過。工兵因器材缺乏，只能架設二、三輕便橋，數萬之衆大軍，渡河不易，秩序紊亂，掌握困難。
2. 第十八軍為兵團先頭部隊，十六日晚進至蒙城附近，偵知渦河北岸已為劉伯承第三縱隊所占領，阻止本軍之前進。而當時徐州方面情況緊急，九日，第三綏區之五十九與七十七兩軍叛變；十三日，黃百韜兵團被困於碾莊；十六日，宿縣淪陷。

故本軍任務至緊急，黃維將軍乃決心翌晨強行渡河，擊破當面之敵，繼續向徐州挺進。

3. 軍渡河攻擊部署

第十一師渡河後向陳圍子攻擊前進。

第一一八師渡河後向唐家集攻擊前進。

4. 第十四軍於雙澗鎮，第十軍於小澗鎮，同時強行渡河。

5. 渦河北岸，村落毗鄰，各村間均有共軍據守。我各工兵營於夜間架橋時，屢遭襲擊。

6. 十七日拂曉，以四個團（三十一、三五三、三五四、三三二）同時渡河。渡河後逐村攻擊，進展遲緩，戰鬥竟日。黃昏時，敵始向兩翼撤退。

7. 入夜後，兵團調整部署。軍除兩便衣團（六百餘人）於渦河北岸，占領橋頭堡陣地外，主力撤至南岸待命。

㈡ 雙堆集戰鬥：

1. 二十四日，兵團仍企圖東進，拂曉前以第十軍之五十四團向東攻擊。雖攻下數村，但天明後該團卻被敵包圍，而與主力隔斷。又以另一團去救援，至下午始得突圍而出。

九時許，澮河沿岸之八十五軍陣線被突破，共軍長驅而至楊莊、馬圍子之線。本軍奉命向北掩護該軍，撤至雙堆集西南地區。

2. 兵團被迫，乃以雙堆集為核心，占領周邊各村落，築工固守而待援。

3. 雙堆集附近地區地瘠民貧，各村落盡屬茅屋，樹木稀少。家屋既不能形成據點，木柴也無處尋，構工困難。雖經數晝夜之辛勞，工事能抗七五砲彈者，皆不可能。

4. 兵團所控制之地區，東西約六公里，南北約四公里。本軍為軍團預備隊，於二十四日午後，即占領雙堆集，玉王廟、趙莊、金莊、葛莊、許莊、吳莊間地區。第十一師於雙堆集、玉王廟間，形成核心陣地。第一一八師於趙莊、金莊、葛莊、許莊間，形成兵團之內環陣地。第四十九師被圍於大營集附近，獨立奮戰，至二十八日被擊潰。

5. 自二十四日至二十九日，敵第一、十一、三、四、六、九等六個縱隊，每夜均向我四周，遍行攻擊，終未得逞。晝間因避我空軍攻擊轟炸，很少行動。至三十日以後，共軍改變戰法，每夜最多對兩個點集中兵力、火力，向我猛攻，並進行壕溝之端末作業，縱橫挖壕溝接近我陣地。此種行為，較難阻擾，輕重火器皆無法射中壕內之人，只有派小部隊埋伏、奇襲，但敵兵在壕內有後方之自動武器掩護，常使我之奇襲罔效。

6. 如敵對某點進攻，前數小時，所有大小砲均集中對此點發射，入夜，其步兵立刻由壕中跳出，而行衝鋒。初時我能將壕溝跳出之敵人擊傷擊斃，但敵之人海戰術，前仆後繼，而壕溝內堆滿屍首，在死人身上跑來跑去，真是慘不忍睹！不過，以後逐點失陷，多因房屋起火，工事被毀，傷亡慘重，通信中斷所致。故戰至十二月九日，沈莊、後周莊失陷，到十四日，王莊、馬圍子等相繼失陷。

7. 十一月二十七日，守西南方向之一一〇師師長廖運周叛變投共，周莊、宋莊頓時為敵攻占，核心陣地大受威脅。

8. 作戰至六、七日後，糧彈即感覺到有不足之恐慌，而完全仰賴空軍補給，怎能供應十萬大軍人與槍砲之消耗？到十二月十日以後，因包圍圈逐漸縮小，所投之糧彈，敵我雙方皆各得一半。此時此地最麻煩、最傷心的事，是衆多傷患無法處理，既缺醫藥，連吃飯都成問題。

9. 兵團副司令官胡璉將軍，隨軍由確山出發，行抵蒙城附近，乃奔喪回武漢。被阻於包圍圈外。後至蚌埠，率九十九師及本軍騎兵團，幾次向雙堆集挺進，均爲敵阻回。後至南京，改乘飛機，但在雙堆集附近電呈司令官謂：「三日飛返。」黃司令官即將此電轉知各部隊，轉達至連，各官兵聞訊，似如注射興奮劑然，咸謂：「胡先生回來就有辦法了。」當時以各種方法壓成飛機跑道。三日午，雖於敵砲轟擊中，各軍、師長均集合於著陸場迎候。未久，一小型飛機臨空，從空降落。副司令官下機後，一一握手慰問，旋即巡視各第一線守軍官兵，並聽取其建言，經綜合後向黃司令官提出兩點：

(1)軍團預備隊，每日須以兩個團向敵出擊，一面搶糧，一面擴展地區，以減少敵砲火之損害。

(2)部署應加以調整，戰力另行編組，各軍均須區分爲攻擊部隊與防守部隊，在各該地區內，以高度之攻擊精神與共均周旋，寸土必爭。

兩點意見均被採納，渠再去南京，向領袖面稟雙堆集之危機狀況。領袖聞悉，極爲震驚，除手諭邱清泉、李延年兵團與張淦兵團，即分由徐州、蚌埠、華中兼程馳援外，並頒「總統告十二兵團官兵書」，印刷空投，人各一張，書中詞意懃懇，備受關懷之情，以及曉諭此次會戰關係國家存亡，民族絕續，囑我官兵忍耐一切艱苦，奮鬥到底，以爭取勝利。讀之無不淚下，本軍官兵期不負領袖殷望，均誓死奮鬥到底。故三日以來，連對敵猛攻三次，向外擴展二、三公里，斃敵甚多。

10. 鏖戰至十二月十八日，劉伯承之六個縱隊，已成強弩之末。我軍團極為疲憊，故日夜渴望援軍。豈料援軍毫無蹤影，而陳毅部之三個縱隊、砲百餘門，由徐州漏夜南下，投入戰場，敵焰復熾，包圍圈又形縮小。至十三日，我核心陣地每一據點均落彈數千發，陣地多被摧毀，玉王廟據點為之突破。

11. 十二月十三日，雙堆集核心陣地被敵夜襲，大王莊被敵占據，以致對外失聯。當時守軍為一一八師之三十三團，團長孫竹筠。師部與該團聯絡不到，很著急。第三五二團團長陸秀山，我乃該團營長。我團為預備隊，師長命我率營前往大王莊支援。到達大王莊村邊時，巧遇三十三團之號長，他認識我，乃大聲喊我：「營長你到哪裡去呀？」我說：「到莊子去見你團長。」他說：「快別去了呀！村子裡全被共軍占領了。」乃命部隊在村子外占領陣地，待命攻擊。我在旁邊小山頭找到孫團長，團長、副團長均坐在地上，因精神、心理均受到威嚇，言語不清。其他人說，共軍昨夜偷襲，占領全莊，總機也被占據，所以對外通話也全斷絕了。我將此現況全部報告師長，師長聞此狀況，氣憤莫名，乃命我據實際狀況處理。不久，師長來電話，他說：「我現在再派一個營來歸你指揮。」我乃策畫夜間攻擊村莊，先派一個連到村西邊，切斷共軍之後續部隊，再進入村莊。天黑時，師長又來電話說：「暫停攻擊，再派一個營來歸你指揮，待命攻擊，你有什麼困難沒有？」我說：「通信困難，需要通信部隊支援。」他說：「好，派一通信排來支援。」到了半夜，師長來電話說：「準備明日拂曉攻擊，有一戰車連清晨來歸你指揮，協同作戰，還有空軍幾架飛機來轟炸敵軍。你現在作周詳之準備，使明晨之攻擊順利成功。」我乃集合各營長，研究明拂曉攻擊之兵力部署，與戰車、空軍之聯絡配合等方法。對大王莊採取三面圍攻，戰車在前面開道，三十三團之附近部隊，在大王莊外圍向外攻擊，殲滅敵之潰散部隊。我告訴各級幹部，此次作戰之重要性，有關國家之存亡，我們誓必達成任務，保國救民，以盡我革命軍人愛國報國之天職。

天明時，戰車來報到，乃交代戰車在莊子分兩隊，在攻擊部隊前面開道。斯時兩架飛機也飛臨上空，配合對敵軍進行轟炸。一時天空、地面火光四射，我官兵士氣大振。敵軍遭此強大火力攻擊，傷亡慘重，受到嚴重打擊。但共軍後方仍有集結的部隊，待機向我攻擊。我空軍偵知此情況，反予以猛烈轟擊，敵軍受到強烈打擊。大王莊在我陸空強烈攻擊下，傷亡慘重。村莊各地，尤其壕溝內，均屍橫遍野。雖然戰況如此慘烈，而共軍還有小部隊，利用各種地形，向我方向進入。但在我之全面防攻下，共軍想用人海戰術，奸計也不得逞。到中午時，我軍已將大王莊全部占領，並推進到村外，構成防線。我官兵要加以調整，以待新任務。我在昨夜巡視部隊時，左腿被敵子彈擊中貫穿，幸未傷骨。但我未向上報，裹傷後繼續指揮作戰，完成任務。此時接到師長電話：「你昨夜負傷了，你都沒有告訴我。你辛苦了，也完成艱鉅而重要的任務。我現在派你團長陸秀山來接你的任務，你回後方來休息療傷吧。」於是我把一切狀況詳細報告團長後，回到後方療傷。夜間接到軍團部命令，升我中校。並接到胡副司令官璉的電話：「你這兩天辛苦了，攻復大王莊，穩定了雙堆集。我們保住雙堆集，就是保衛南京；如果雙堆集保不住，南京也難保了，你這兩天盡了保國衛民的天職。」他並派人送給我一個乾菓罐頭。

12.十二月十五日，奉命突圍。兵團決心於十七時開始，分數縱隊向東南及西南方突出。詎料是日共軍攻攻勢尤烈，將我計畫全部打破。本軍突圍歸來，官兵只有一千二百餘員。副司令官胡璉將軍負傷，於十六日脫險抵蚌埠。司令官黃維將軍、軍長楊伯濤、吳紹周、覃道善、師長王元直、尹鍾嶽等，均下落不明！此次作戰之慘敗，其影響及於中國大陸之沉淪。凡本軍官兵，每聞「雙堆集」三字，無不仰天浩嘆，椎心刺骨。

五、徐蚌會戰，雙堆集戰鬥之檢討

甲、我軍東北戰局失利後，華北聶榮臻部共軍，立即以全力圍攻天津，並策動傅作義率部投降，因之華北局勢頓時改觀；益以濟南陷落，使我整個戡亂形勢爲之逆轉。此時陳毅部共軍之精銳，約十五個縱隊，沿津浦線南移，進窺徐州。華中劉伯承部共軍之八個縱隊，與陳賡之五個縱隊，分別東進，直接威脅我首都——南京之安全。我最高當局已悉其奸計，於是主動放棄隴海中段各要點，集中中原之有力兵團，向徐州取軸心運動，期以內線作戰態勢，對占有外線作戰利益之敵，依守勢機動戰略，予以各個擊破。此計畫如能實現，則中原之共軍當可悉數肅清，大陸就不會淪於赤化！此役我軍動員兵力約四十餘萬人，共軍約七十餘萬人。我有兩個軍（五十九與七十七）及一個師（一一〇）叛變，其餘部隊分散，故終於大部覆沒，國本動搖，繼而放棄大陸。

乙、雙堆集作戰，我軍最高指揮官缺乏與共軍作戰經驗，其自信心又很強，且對兵家運兵作戰不可疏忽的交通、地形等毫不在意，以致部隊行軍、戰場兵力部署，常遇到河川阻擋，困難難行，而影響計畫之順利執行，造成一些失敗因素。部隊間之協調不良，以致無法發揮團結互助之統合力量。援軍也被共軍各個擊破，形成孤軍獨戰。雙堆集戰場經數日之戰鬥消耗，以致彈將盡、糧將絕，而作戰又不分日夜，以致兵疲力竭，對士氣不無影響。孤軍奮戰，戰力日漸減弱，而敵軍的兵力、後勤日益增強，且與地方土共、人民結合成一體，供其情蒐、兵員補充、糧食供應等。諸多因素，造成敵日強、我日弱，乃是失敗之主因。

附錄：徐蚌戰役中，有關雙堆集會戰經過之我見　戴鍔將軍撰

一、前言

戡亂戰爭中之徐蚌戰役，發生於一九四八年十月二十一日，至一九四九年一月二十一日結束，歷時三月。徐州棄守，繼之共軍渡長江、陷京畿，河山變色。此一國難，如純以軍事觀點言，徐州之失，關係大矣！

二、徐蚌戰役前國共態勢概述

國軍戡亂，迄一九四八年秋，東北、華北戰區相繼失利，國共戰略態勢互移。至於中原方面，共軍攫取兗、濟，攻陷鄭、汴之後，使劉伯承、陳毅兩個東西分離之集團軍取得聯繫，逐次分向徐州靠攏，隨即對我形成外線作戰之有利態勢。分別位於蘇、魯、皖、豫地區之國軍主力，為鞏固京畿，有被迫決戰之勢。當局遂即成立剿共總部於徐州，藉此戰略要域為核心，集中兵力，以內線作戰之戰略指導，企能各個擊滅劉、陳共軍，拱衛京畿，挽救大局。（徐蚌戰役前國共態勢，如附圖一）

三、雙堆集會戰經過概要

（一）一九四八年八月初，國軍奉命於武漢成立十二兵團，隸屬華中剿共總部。時任

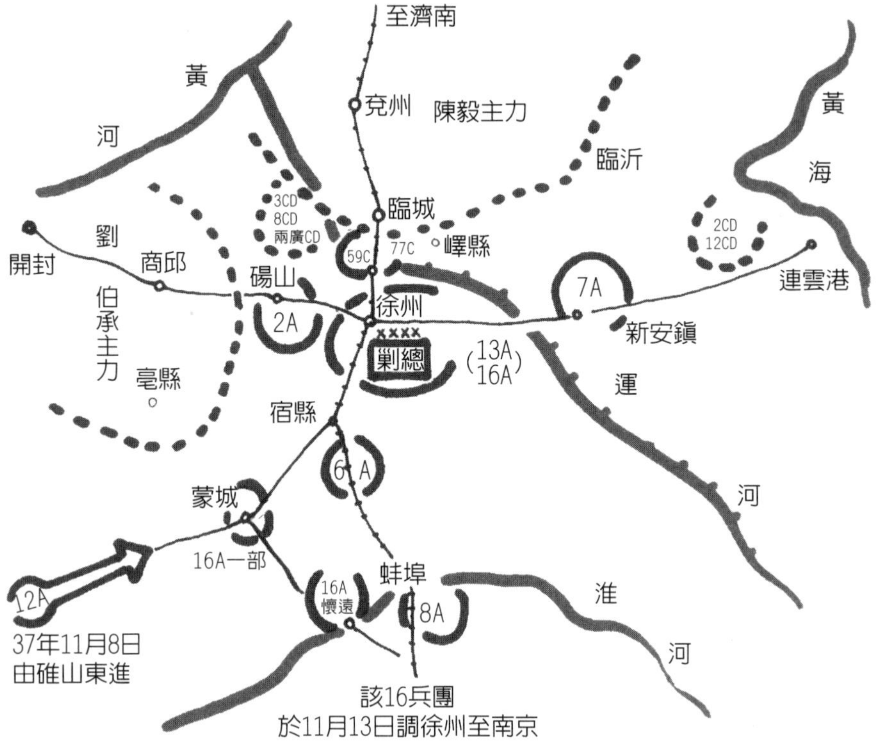

圖一　徐蚌戰役前國共態勢圖（一九四八年十一月六日）

武漢新制軍校校長黃維中將調任兵團司令，副司令胡璉中將、參謀長蕭銳少將，下轄第十、十四、十八、八十五等四個軍，及一個獨立戰車營，譽爲本戰區之主力兵團。我被任命爲少尉警衛排長，專責司令黃中將侍從之職。

兵團司令部依據野戰所需，在武漢戰備整備月餘後，即於九月下旬，沿平漢鐵路北上河南確山，司令部設於天主教堂。司令即親率臨編指揮組人員，至豫西塘河區域，指揮清剿共軍劉伯承部之作戰。劉共以游擊戰之伎倆，四處流竄，我無法捕捉主力，勞師月餘，未竟全功。

（二）十一月三日，兵團突奉國防部電令：「盡速東進徐州，增援該戰區之作戰」。司令黃中將隨即召開作戰會議，研討東進徐州之行動方案，除明令戰鬥序列外，並特別指示應即向國防部提出建議：「於懷遠地區盡速建立後勤補給站，以利兵團抵達蒙城後，能適時獲致充實之後勤支援」。

（三）十一月五日，司令於確山召集團級以上將校訓話，詳述當前剿共戰爭之形勢，並即宣示兵團東進旨在：「增援徐州，拱衛京畿」。曉諭：「剿共戰爭之成敗在此一戰，我等身爲革命軍人，應以誓死達成任務爲依歸，報效黨國，此其時矣。」言簡意賅，慷慨激昂。

司令留德經年，氣宇軒昂，復有儒將之風，剛柔兼具。對三軍信心之建立，與兵團誓師東進士氣之激勵，至深且巨。今夕追憶過往，長官音容宛在，國共分歧如昔，豈止悲慟而已！

（四）十一月八日，兵團司令部自確山東進，一路民情不順，採購無門，路障層層，機動困難。救兵如救火，日行數十里，司令不時輕騎了解實況，焦急萬分。（確山至徐州地理形勢，如附圖二）

圖二　碓山至徐州地理形勢圖

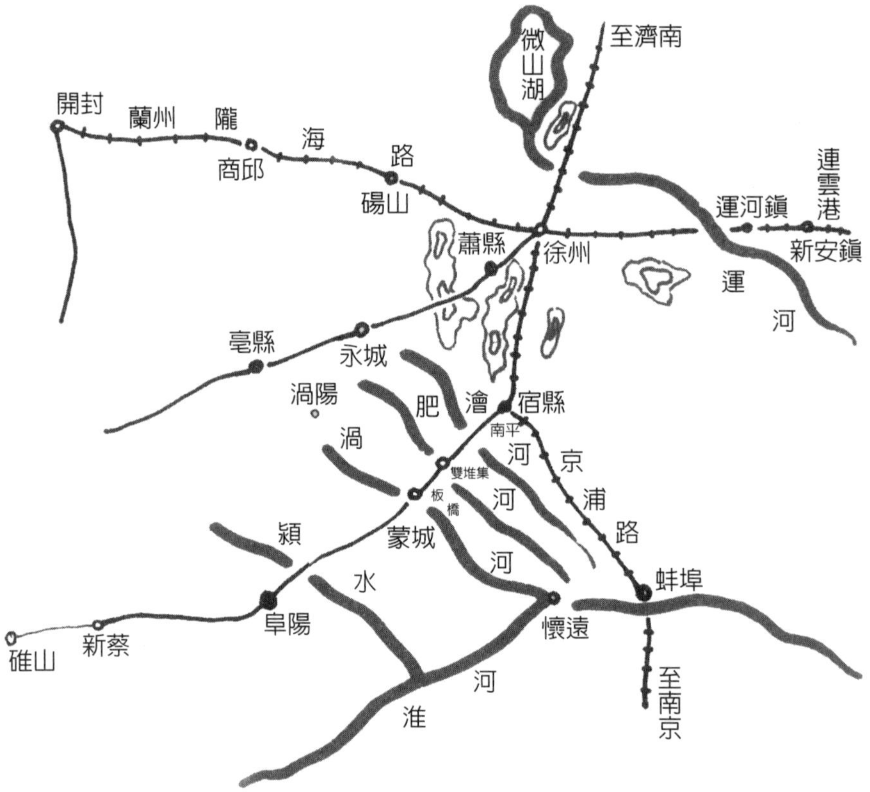

（五）十一月十六日晨，我先頭部隊在安徽阜陽縣城，與共軍接觸，十八日傍晚於蒙城展開激戰，迄十九日晨，我軍步兵團強渡渦河成功，共軍則轉進至板橋肥河東西之線，以遲滯作戰牽制我軍東進，企圖極明。連日來戰區敵我雙方形勢變化極大。徐州東翼我第七兵團被圍，津浦路被截斷，本軍團北翼劉共伯承已向我南進。（戰區敵我態勢，如附圖三，敵我戰鬥序列及兵力概況如附件一、二、三、四。）

（六）十一月十九日午後，兵團司令部抵蒙城，獲知國防部未能適時建立懷遠補給站，我軍糧油已極感匱乏。十六時，司令即於指揮所（天主教堂）召開作戰會議，各軍長均奉召參加，針對當前形勢，研討我軍即應採取之行動方案。會中參謀長蕭少將建議：「我軍攻勢行動暫緩，先利用渦河地障，掩護兵團整補，並盡速向懷遠蚌埠方面建立補給線，俟劉伯承主力企圖判明後，再興攻勢，與之決戰。」副參謀長聞少將建議：「我軍應乘強渡渦河勝利之勢，續行攻勢，俾我兵團能盡早達成增援徐州，拱衛京畿之使命。」司令黃中將當即採納參謀長之建議，並飭令各軍設法就地徵收七日份糧秣，兵團後勤單位急向懷遠方向徵收油料，以應急需。

（七）十一月二十日清晨七時，司令又於指揮所召開緊急會議，並先令工兵營長於當日十二時前，完成渦河重橋梁之建設，以利大軍渡河。復令各軍長於十二時前，完成東進攻勢準備。有關東進行動，提出兩個方案，當場予以討論：

1. 兵團以三路縱隊東進，分向徐州地區採取攻勢行動：

(1) 中央主力縱隊兩個軍由蒙城—板橋—南平—宿縣。

(2) 左翼軍由蒙城—渦陽—永城—蕭縣—徐州。

(3) 右翼均由蒙城—懷遠—固鎮。

圖三　國共雙方態勢圖

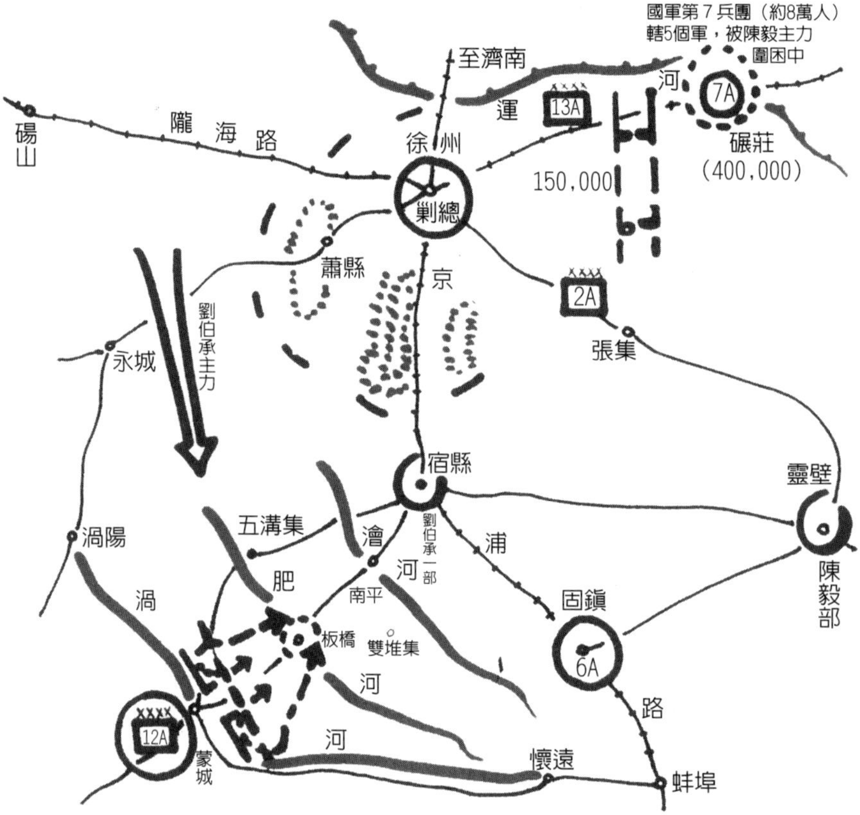
國軍第7兵團（約8萬人）
轄5個軍，被陳毅主力
圍困中
7A
碾莊
(400,000)
至濟南
運
河
13A
150,000
碭山
隴
海
路
徐州
剿總
蕭縣
京
2A
張集
劉伯承主力
永城
宿縣
靈壁
陳毅部
五溝集
澮
河
劉伯承一部
浦
渦陽
渦
肥
南平
固鎮
板橋
雙堆集
6A
河
路
12A
蒙城
河
懷遠
蚌埠

附件一　一九四八年十一月十九日，國軍第十二兵團戰鬥序列及兵力概況表

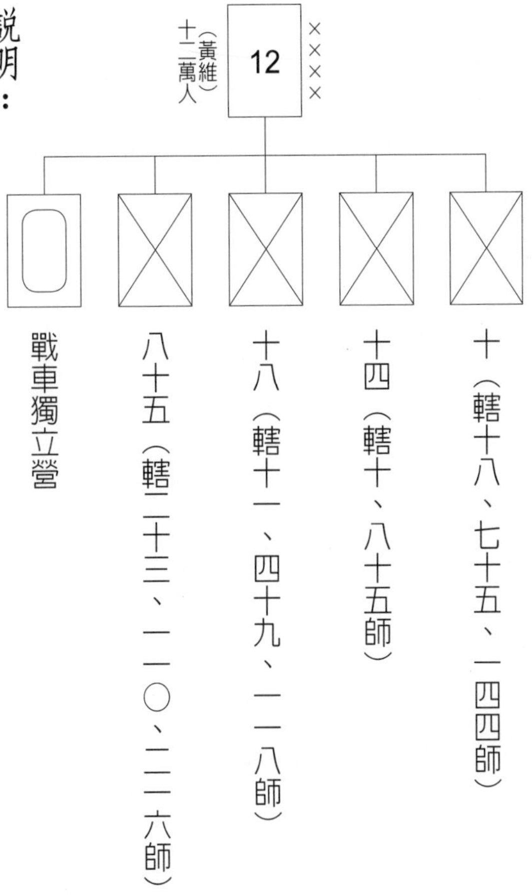

說明：

一、各軍裝備以國械為主，部分美械充實情形：十八軍百分之百，餘為百分之九十。

二、每師山（野）砲四門，三師之軍為二十四門。

三、戰車營使用M5 A1戰車，全營戰車十二輛。

四、國軍擁有空中絕對優勢，可獲徐州空軍基地支援。

附件二一　一九四八年十一月十九日，共軍劉伯承戰鬥序列及兵力概況表

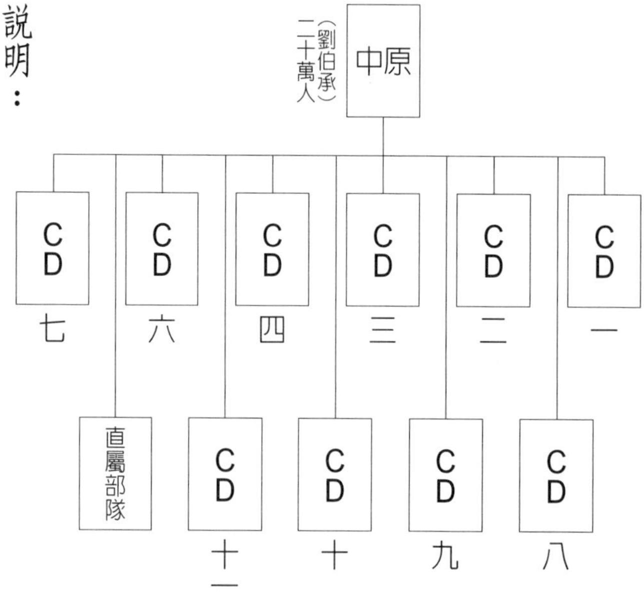

說明：

一、共軍級部隊稱縱隊，每縱隊轄三個師，師轄三個團（三三制編組）。

二、共軍部隊除營級有迫擊砲排，師級掠獲有國軍少數山砲裝備外，無重武器。

三、共無空軍。

附件三　一九四八年十一月十九日，共軍陳毅部戰鬥序列及兵力概況表

華東 ×××××（陳毅）四十萬人

- 1（轄一、四十六縱隊）
- 2（轄三、八、十、十一縱隊）
- 3（轄二、七、十二縱隊）
- 4（轄九、十三縱隊）
- 5（轄快速兩廣縱隊）
- ☒ 渤海縱隊
- ☒ 魯中縱隊
- ☒ 魯南縱隊
- ☒ 淮南獨立旅
- ☒ 淮北獨立旅
- ☒ 金紹山旅
- ☒ 魏鳳樓旅
- ☒ 王其海派
- ☒ 吳化文叛部

說明：

陳毅所屬五個兵團指揮官

第一兵團　葉　飛

第二兵團　何以祥

第三兵團　韋國清

第四兵團　許世友

第五兵團　粟　裕

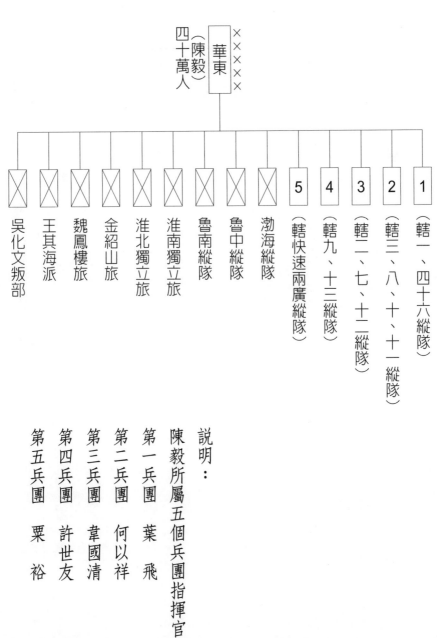

附件四　徐州戰區國共兵力比較表

共軍總兵力七十餘萬人	國軍總兵力四十餘萬人	國共軍力比例
二十七個縱隊 五個獨立旅 土共民兵	三十三個軍 四個獨立師 五個交警總隊	人數比例 一・八：一 （共軍優勢）
火砲三百四十門 戰車四十二輛	火砲六百五十門 戰車七十輛 飛機一大隊 步兵武器略優	火力比例 一：一・八 （國軍優勢）

上述行動方案之最大優點，有利兵團爭取時間，實施戰略機動。唯兵力分散，指揮不易，有被各個擊破之虞。

2. 兵團仍沿現路線，沿蒙城—板橋—南平—宿縣再北上徐州。本案優點為集中兵力，指揮靈活，能即時發揮統合戰力。唯有三條河流橫梗在前，機動空間有限，有被包圍於不利地區之虞。

司令黃中將當即裁決採用第二行動方案，集中兵力，由蒙城直趨宿縣。並即令先頭部隊於當日十二時前向板橋進發。作戰會議結束之後，參謀長蕭少將對司令改變決心深為不滿，面報司令，以自己身體不適為由，請求准予赴京就醫。此一突發事件，司令頓時面有慍色，未置可否。稍後即令我轉報參謀長：「准帶侍從兵一員，即日赴京就醫。」

（八）十一月二十一日，板橋地區激戰終日，我軍雖獲轟炸機、戰鬥機之綿密支援，唯地面戰鬥進展有限，兵團司令部在前進板橋途中，被迫折返蒙城。

（九）十一月二十二日上午，我軍攻克板橋，強渡肥河，續向南平攻擊前進。兵團司令部進駐板橋，司令未經休息，即至板橋四周巡視。部隊經過連續四天激戰，敵我雙方，傷亡極大。遺屍遍野，斷垣殘壁，滿目瘡痍。共軍陣地，遍布於山麓、田野、村落、巷道之間，工事位置，因地制宜，眞假互用，極盡僞裝之能事。足證共軍各級戰場經營有素，基層部隊土工作業認眞徹底，對戰力之增強，自有助益。在巡視途中，司令問了我幾句話：「你讀過《古文觀止》中那篇〈弔古戰場文〉了沒有？」我答：「小學的時候背過了，不過領悟不深。」司令又對我說：「戰場形跡，古今皆然。所以軍人要有定力與定見。更要有『從容乎疆場之上，沉潛於仁義之中』的修持。」我答道：「記住了。」這段對話，是司令黃中將在戰場巡視中的感觸，也是對我臨機的訓示。走筆至此，我就彷彿肅立在將軍的面前一樣。仰望藍天，思緒萬端，不知今夕是何年？

（十）二十三日上午，司令部向南平前進途中，我轟炸機在東北方向，丟了幾顆炸彈，震撼力極強，不知是摧毀敵軍陣地，抑是對劉共軍南下的阻絕作戰。同時輕型機一架臨空，經以布板指示，在我行進縱隊的一側，投下了紅色通訊袋乙只，送呈司令檢視後，得悉：「位於徐州東翼碾莊之第七兵團已於昨（二十二）日被殲……；司令黃百韜中將自殺殉國。第二、十三兩兵團正與共軍陳毅部激戰中，無法回師徐州。」此訊息僅知曉有關戰情人員，未露聲色，急向南平。

（十一）十一月二十四日，我軍攻克南平，強渡澮河。二十五日與共軍激戰於澮河、宿縣之間；我第一線部隊距宿縣津浦路線僅二十餘里。迄當日下午十七時左右，戰況急趨惡化，前方傷患車運南平，不絕於途。兵團通信傳達軍官，送給後衛四十五師的命令中途被截，並獲悉四十五師有變節降共之圖，同時劉伯承主力已對我兵團形成包圍之勢。司令黃中將即乘夜於南平指揮所召集各軍長及相關人員，研討應變措施。（敵我雙方態勢如附圖四）

（十二）二十五日下午十九時，司令黃中將在作戰會議中，聽取相關報告後，基於敵我態勢與兵團在現地域之處境，即下達決心：「兵團即轉進至雙堆集區域，以雙堆集東、西兩高地為核心，於周邊地區固守各個村莊要點，於有利時機與敵決戰」之戰略指導。

二十五日夜，各部隊分別遵照部屬向雙堆集周邊地區集結，各自編組陣地困守激戰，現就兵團在被包圍作戰過程中之大要列述如下：

1. 兵團司令部位於雙堆集東西兩高地之中央，壕深障重，指揮無礙。被包圍初期，各級司令部，均遭受共軍砲兵集中火力之攻擊，以致我人員與通信設施均有損傷，我砲兵分散，難有統一反擊之效。
2. 兵團司令部自十一月二十七日起，主食將絕，開始以馬肉充飢。我頃與「馬革裹屍」誓不還之念，「壯志未酬又何怨」！
3. 我十一月二十九日晨，被彈片貫穿左上臂，血流過多，幾經休克；躺了三天，體力逐漸恢復，左臂用三角巾吊在頸項上，可以勉強執行工作。未傷及肩骨，實可稱為幸事。
4. 十二月二日晨，十四軍司令部失守，熊軍長以身殉國。十時許，副司令胡璉中將，乘小型飛機降落在司令部前的麥田中，就職於戰局危亡之際，應算是赴湯蹈火，在所不

圖四　國共雙方態勢圖

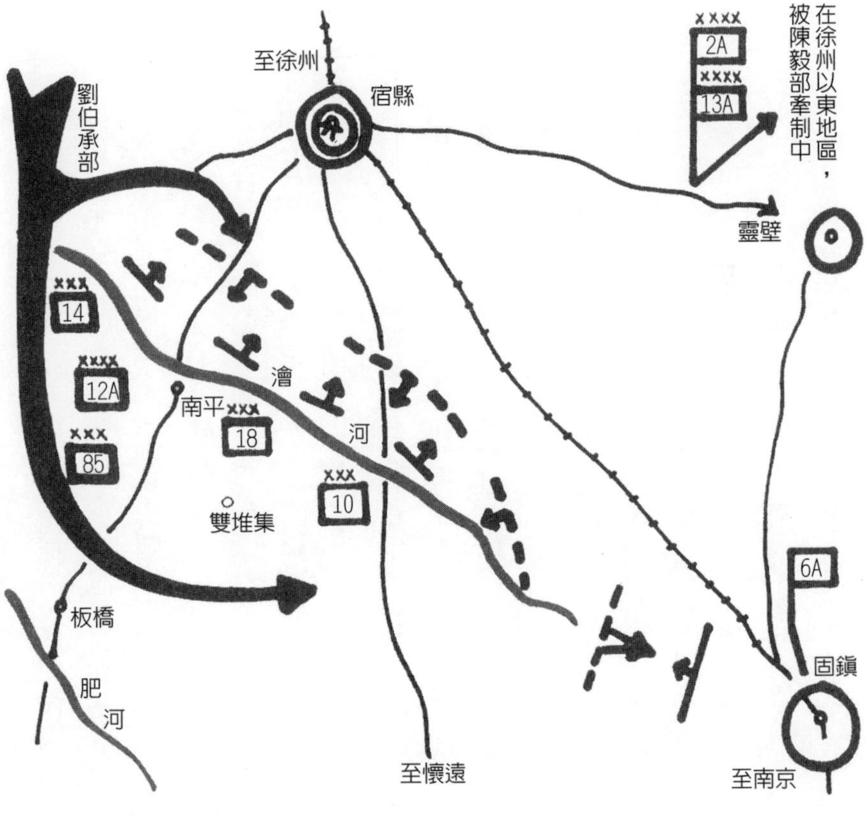
在徐州以東地區，
被陳毅部牽制中
2A
13A
至徐州
宿縣
劉伯承部
靈壁
14
12A
85
南平
18
澮
河
10
雙堆集
板橋
肥
河
6A
固鎮
至懷遠
至南京

辭了。胡中將久歷戰場，戰績彪炳，功在黨國，又是十八軍前任軍長，與軍團下屬好幾個師淵源甚深。副司令甫進指揮所，風塵僕僕，就在作戰中心聽取當前形勢的有關簡報。未經質詢，站起來極其嚴肅說了幾句話：「時不我予，爲時晚矣！現在只有困守待援，別無他圖了。」因爲我華中夏威兵團前來赴援的消息，已經傳了好幾天了，只是望穿秋水，不見伊團蹤跡。

5. 國防部每天對兵團實施一架次的空投補給，物品種類不一，分量有限，空投場沒有管制，任由散兵搶拾，對戰場兵心士氣的影響極大。當時情況理當以食物爲優先，爲何不實施大量空投救援？如今想來仍是令人哀嘆不已！

6. 幾日來，白天戰場除偶有砲兵集中火力攻擊外，幾乎沉寂無聲。共軍採取晝伏夜近之戰術，利用夜暗，在我村莊據點的外圍，以多條縱隊，挖掘散兵坑道，逐次向我接近，俟到達我據點最近距離後，即於拂曉時分，從據點四周同時發動攻擊，多以手榴彈、白刃戰，攻占據點。

7. 十二月五日上午，司令命我隨同代理參謀長聞少將，視察戰地傷患收容站的實際狀況。該收容站除了全是或坐、或臥的傷患，密集在廣大的場地之外，既乏醫療，亦無守護，日夜暴露在寒冷的麥田裡，與死神掙扎，眞是不忍卒睹。回報司令，不禁潸然淚下。孰以致之？非無人道，非不爲也，是不可及也！

8. 十二月七日上、下午，各有一架戰鬥機低空掠過，不分敵我，掃射而去，算是對我軍又作了一次支援作戰的任務。我在掩蔽部外，目睹此情此景，心酸不已！含著悽楚的苦笑，回到掩蔽部中。

9. 接連幾日，除了雙堆積集東西兩高地，已於昨（十）日晨棄守外，戰場極爲平靜；

但司令部以完全暴露在共軍的監視，與近距離的武器威脅之下，官兵時有傷亡。研判共軍主力似已轉移他向，對我兵團以有限兵力，予以圍困待降的伎倆，靜觀其變。司令黃中將於本（十一）日下午十五時，即將本兵團的狀況，據實向國防部呈報外，別無建議與請求。

10. 十二月十五日十三時左右，一架輕型飛機，盤旋在我司令部的上空，投下了國防部對兵團官兵的宣慰傳單，大意是：「鼓勵官兵應發揮各自爲戰的精神，脫離戰場，分別達到懷遠、蚌埠兩地歸隊。」未幾四周槍聲大作，我各級部隊官兵開始突圍了。

11. 司令黃中將接奉國防部宣示後，幾經思慮，於十四時即在指揮所召集司令部所屬人員，叮囑有關作戰文件一律銷毀。並在當時對大家說了幾句感性的話：「離別雖是人生常情，但我們此次在砲火中，在雙堆集的離別，雖是命令行事，卻是軍人之恥。剿共未成，我們任重道遠，我們要風雨同舟，我們要奮起再戰。此行我如不死，將先至南京向校長負荊請罪。祝大家一路平安，脫險歸去。」會後，司令也隨即對我作了指示：「你不能與我隨行，戰車有問題，不一定能脫險。」登上了戰車，我向他行了個舉手的最敬禮，看著戰車南向揚塵而去。生離有勝死別哀，頃刻間各自紛飛，是生離？抑或死別？刺骨寒心，豈止哀傷而已！

12. 司令離開指揮所以後，十二兵團即已解散，我望著生死與共的警衛排弟兄，依依不捨地相繼離開之後，腦海一片空白，獨自在指揮所裡沉澱了許久。當月白星稀，寒風刺骨，四周槍聲沉寂之後，我才從麥田走上通向蒙城的道路。一路三三兩兩，絡繹不絕，沒有指揮者的聲音，但聞痛苦者的啜泣。天將破曉，我走進了一個村莊，徵得一位村民同意，在他家裡歇息了下來，一住就是三天，足不出戶。憐憫之心，人皆有之；我漸次地向屋主搏取感情，以物易物，勉強度日。在一個白雪紛飛的寒夜裡，我道別了相聚三天的主人，過渦河、經蒙城；以日歇夜奔，三天四夜的歷程，渡過淮河，脫離險境。人生常遭遇無常，不如意者十之八九，要有克服逆境的毅力，才有走向成功之路的希望。

13. 十一月二十二日早，至懷遠兵團部留守處收容站，領取了四個月的薪金，正當自嘆有所慰藉的時候，同時獲悉司令黃中將被俘的信息，頓時驚惶失措。國失良將，國人同悲！我帶著悽楚惶惑的心情，趕赴浦口國防部宣慰處，該處對脫險歸來官兵的撫慰工作，適時、適切，井然有序。我被指定到國軍第十二後方醫院就醫。過長江，乘京漢鐵路的火車，到達馬鞍山十二醫院，已是十二月二十三日的清晨了。如從十一月八日離開河南確山之日算起，迄至今天剛好已是一個半月的時間了。我在醫院養傷的日子裡，每天不只是有槍林彈雨、生離死別、飢寒交迫的殘酷場面，與悽楚生活的回憶，我更深深地覺得，有一股無形的堅實力量，豐富了我整個的人生。在醫院過了三個星期的傷患生活，傷口尚未痊癒，十二兵團已在江浙重整再起。我在長官的示意及醫師的認可之下，又充滿信心地踏上了人生的征程。

四、檢討

（一）國共雙方兵力與戰力之比較

1. 我十二兵團，轄四個軍（十一個師），及一個獨立戰車營，共計十二萬餘人，人員裝備充實。尤以第十八軍，爲國軍中之勁旅，北伐、抗戰、剿共戰功彪炳、所向無敵。

2. 共軍劉伯承部，轄十個縱隊（三十個師），共二十餘萬人，在華中地區流竄甚久，長於伏擊、奔竄等之游擊作戰，裝備不足，但兵、糧可隨耗隨補。就兵力言，共軍居優，唯以全盤裝備與能獲得之空中優勢言，則我軍機動力與打擊力較強。如純就敵我兩軍對峙交戰而言，我軍實大有致勝之機。

（二）孫子云：「兵者，國之大事也，死生之地，存亡之道，不可不察也。」兵團司令黃中將，肩負「增援徐州戰區作戰之使命」，是「使命」不可違也，非「不察」也，是「身不由己」也！有關對本會戰之檢討，最値爭議者：即是「兵團司令黃中將，變更十一月十九日下午蒙城作戰會議之決心。」如能堅持原議，暫緩攻勢，即在蒙城地區作七日戰力之整補，以觀其變，軍團固可免卻雙堆集被圍一時之失，唯自當擔負「自我保存戰力，不顧大局、遲滯不前、貽誤戰機、不遵使命」之罪，實非革命軍人應有之德行。再如此以「將在外，君命有所不受」一詞據以辯述，則謬矣。

（三）就全盤作戰過程言：兵團在戰區民情不順，補給間斷、地形不利之狀況下，連續強渡三條河流，激戰多日，以致戰力日減，加之徐州整個戰區態勢不利，兵團前進乏力，後退被圍，唯我兵團官兵始終以前仆後繼，視死如歸之精神，寸土必爭，固守陣地，迄至奉命突圍，多數官兵各自爲戰歸來，重建兵團戰力，實非不戰之罪，應無愧於國人也。

五、結語

國共戰爭中的徐蚌戰役雙堆集會戰，結束迄今已是六十二個年頭了。時序無蹤，年歲日增，記憶不再。今天以當年少尉侍從之「陣中日記」，與有限之閱歷，檢討全程會戰中之經過，思維邏輯實難周延。另因我未在基層，有關部隊就某一要點之攻防戰鬥得失，與官兵之英烈壯舉，均付諸闕如，殊感遺憾。如僅就戰史觀之，「求眞、求實」，似可足矣。

第五部

大陸的全面赤化：一九四九年

一九四八年軍事、經濟、政治全面失敗中，蔣公所受痛苦煎熬，真是無與倫比，但意志與信心並未絲毫動搖，而益堅其奮鬥意志。雖即將下野，絕不放棄革命的使命與責任，故於年初檢討四年來的失敗教訓，策定一九四九年的工作思維與方略。不放棄絕望中的奮鬥，是蔣公一生領導國家的獨特風格。

一切思考，以建立台灣為反共革命的基地為核心，而從制度化做起，以黨的改造、軍隊重建、幹部培養、民生政策為重心。

【一月下野】內外交逼決離職
【二月求和】桂系赴平求和談
【三月改組】立院倒閣孫科辭
【四月離析】和談不成李赴桂
【五月來台】蔣公渡海圖復興
【六月奠基】全力穩定根據地
【七月邦援】中菲聯盟發聲明
【八月圖存】共軍南下如破竹
【九月邊危】西北西南皆危殆
【十月赤化】中共建政東南陷
【十一月殘局】李宗仁棄職逃亡
【十二月遷台】政府移台別神州

解讀一九四九

一、一九四九年是大陸全面崩潰，淪入共黨之一年。

二、一九四八年五月二十日，蔣公依中華民國憲法，就第一任總統，八個月後，因剿共軍事失敗而下野，但非辭職，而由副總統李宗仁代行總統職權。

三、能戰才能和，徐埠會戰失敗後，中央嫡系部隊，除西北之胡宗南部外，全部覆沒。李宗仁主政求和，中共實際提出投降的條件。期望保有江南半壁的江山，自不可能。

四、和談破裂，繼續與中共作戰，爲唯一路線。但蔣、李互鬥爲主，全無一致的奮鬥共識，與完整的全盤戰略，致各行其是。

蔣公以總裁身分奔波於滬、浙、閩、粵、川、滇間；而李宗仁則於廣州失守後，飛港去美，但未辭代總統職權。

五、蔣公早部署以台灣爲最後抗共基地，但仍寄望保有西南與西北，致胡宗南三十二個師完整戰力，猶豫於陝南，實爲戰略最大錯誤。

六、就西南而言，作爲反共基地，雲南比四川更重要。因如保有雲南，可保有通國際支援的路線。既早知盧漢不穩，如胡宗南部於和談破裂，即移集於雲南，撤除盧漢，方爲上策。

七、廣東將領不能整建兵力，確保海南。如胡部早調海南，則至少可保有台灣、海南兩個大島，作爲反共基地。

一九四九當年時勢

【一月下野】內外交逼決離職

內政：蔣公二十一日下野，北平傅作義翌日發表降共條件。白崇禧強迫追回運粵之白銀。

軍事：杜聿明部大半被共軍消滅，李彌陳官莊突圍。黃河以南地區主力被殲，兵力更形懸殊。

外交：馬歇爾辭國務卿，左傾親俄分子艾其遜繼任。美國援助軍械三艦，已全到台灣。

·解讀《蔣公日記》一九四九年一月十一日

杜聿明部自十二月七日在陳官莊被圍，已一個月。我曾參觀中共淮海戰役紀念館，曾動員五百萬民工挖深壕以困，杜軍全賴空中補給。

十六兵團孫元良，轄四十一、四十七兩個軍，負責西北陣地。十三兵團李彌，轄八、九兩軍，負責東北陣地。第二兵團邱清泉，轄五、十二、七十、七十四等四個軍，負責南陣地。西北陣地先被擊潰，故孫元良來台後未被起用。李、孫突圍出險，邱清泉自戕，杜聿明被俘。

·解讀《蔣公日記》一九四九年一月十七日

日記載俞鴻鈞負責外匯、黃金、白銀運台。朱紹良調閩主席。蔣公已完成部署，決心下野。

·解讀《蔣公日記》一九四九年一月二十一日

蔣公就任行憲第一任中華民國總統，僅八個月，因剿共軍事失敗而引退。

·解讀《蔣公日記》一九四九年一月二十三日

北平無法固守，傅作義只有投降一途，不足為怪。黃埔一期鄭洞國，尚在長春投降也。

·解讀《蔣公日記》一九四九年一月二十四日

蔣公此際認為，時局如此，皆為馬歇爾賣友所致，可見對馬痛恨之深。

·解讀《蔣公日記》一九四九年一月二十五日

瀋錦會戰失敗後，中央嫡系部隊應撤至塘沽，而企圖仍守平津，乃戰略錯誤。

蔣公於下野前，頻頻召傅作義，面授機宜。其實此際大環境不可能守北平與天津，而傅嫡系三十五軍潰滅後，更無對抗中共勇氣。且傅原非嫡系，自難望其忠貞不二，何況大環境無法打下去。

·解讀《蔣公日記》一九四九年上星期反省錄（一月二十九日之後）

時機是戰略的基本因素之一。東北瀋錦會戰失敗後，平津勢不可保，北平中央軍早應撤至塘沽，以新港爲補給線，原地堅守或南撤均可。海上補給是國軍最安全的補給線，共軍無能力威脅。

·解讀《蔣公日記》一九四九年上月反省錄

馬歇爾曾於一九四八年春，邀蔣夫人訪美，判爲告知蔣總統軍事無法消滅共軍。而當年國共軍力已成平衡，共軍已採攻勢，但國軍以同等軍力，尙可爲和談本錢。如由美或由美俄共同提議調解，一面可能是美俄共同的協議，亦即各在中國維持其影響力；一爲俄可能同意制毛，使國共和談，共存分治。可能蔣公當時所圖與共軍決戰，無意和談。今日觀之，自爲外交失策。蔣公自省，亦明言「等到兵敗乞援，自受冷落」。因此際中共及俄國氣焰高漲，美亦無能爲力。

【二月求和】桂系赴平求和談

軍事：美國不願放棄青島，要求國軍固守不撤。
內政：邵力子任人民代表，赴平向共求和。
浙省府改組，陳儀免職。
全國反對孫科，行政院改組在即。
上海中央銀行存金如期運至廈、台。
社會：戴季陶服安眠藥自殺。

・解讀《蔣公日記》一九四九年二月二日

日記載黃埔一期的宋希濂在恩施與常德駐守，意在鞏固川湘根據地；進行馬尾與廈門的工事，意在鞏固台灣基地。

· 解讀《蔣公日記》一九四九年本星期預定工作（二月二十六日之後）

參謀系統乃第一次世界大戰前，帝制德國參謀總長毛奇，鑑於當時德軍高級將領均由皇親國戚擔任，這些高級將領並無戰略戰術素養。毛奇既不能反對皇室，乃另定參謀系統計畫，亦即舉凡一切軍事命令，必須由參謀長副署才能生效。而參謀系統，均係毛奇培養德國陸軍大學畢業的優秀軍官，故能建立優良的專業傳統，直至現在。

【三月改組】立院倒閣孫科辭

軍事：重慶號投共，懸賞現銀拾萬，炸沉於葫蘆島港。

軍校六期生王宴清，率該師兩團渡江投共。

國際：北大西洋同盟公約公布，東西集團壁壘鮮明。

內政：桂系與西山派結合反動。

吳鐵城託李惟果轉達，勸說蔣公離開中國。

·解讀《蔣公日記》一九四九年三月二日

投共的重慶號爲六千餘噸輕巡洋艦，爲我海軍最大戰艦。剿共以來，陸軍嫡系精銳主力雖被消滅，但海空軍尚完整。海軍由於長期被福建系將領陳紹寬把持，故於抗戰勝利，免其海軍總司令職，而由陳誠兼任，後派陸軍黃埔一期的桂永清任海軍總司令，由於蔣公無可信任之海軍高級將領也。

·解讀《蔣公日記》一九四九年上星期反省錄（三月十九日之後）

重慶艦原爲英國輕巡洋艦M. S. AURORA號，排水量五千三百噸，裝備六英吋主砲（六英吋爲一五公分五，而陽字驅逐艦主砲爲五吋）三座六門、四英吋砲四座八門、四〇公釐高砲四座八門、水雷發射管一座三聯裝，艦尾有深水炸彈。二次大戰期間戰功卓著，曾擊沉德巡洋艦伯力克號，及德、義驅逐艦十艘。於一九四八年五月十九日，在英國樸茨茅斯港移贈中國，改爲重慶號，於同年八月十三日抵上海。十月，蔣公曾以座艦穿梭於葫蘆島及塘沽間，策定瀋錦（遼西）會戰計畫。一九四九年二月二十五日，由吳淞口北駛叛逃，迄三月十九日，空軍以八架B—二十四轟炸該艦，沉於葫蘆島港。

·解讀《蔣公日記》一九四九年上星期反省錄（三月二十六日之後）

蔣公已定台灣爲最後反共基地，如失去制海，則一切落空。而海軍自北洋建軍以來，即由福建將領掌控，故陳紹寬去職後，海軍將領幾無可信賴者接任總司令，不得已由陸軍桂永清接任，期爭取時間，培養下一代忠貞海軍將領，故一九四九年海軍最爲不穩。頭號戰艦叛逃，其艦長鄧兆祥即受陳之影響。故炸沉重慶號，穩定海軍，鞏固海權，亦即鞏固台灣，意義重大。

【四月離析】和談不成李赴桂

內政：桂系與共和談破裂，至杭州要求蔣公復出。

李宗仁二十三日晨由京飛桂，而不往粵。

蔣公乘太康艦抵上海，杜月笙來見。

軍事：共軍相繼在荻港、江陰附近渡江，蘇北失陷。

外交：美國務院公布，答覆參議院五十人援華提案之反對書。

經濟：上海經濟紛亂，銀元價已漲至金圓券二百萬元以上。

．解讀《蔣公日記》一九四九年上星期反省錄（自四月二十三日之後）

中央嫡系部隊雖主力消失，桂系實力亦無法維持殘局，此際內部主導權的爭奪，反重於團結一致、保有大陸最後根據地。

此際黨中央已去廣州，而李赴桂林，蔣公主控黨，而政則無主。蔣公與李合作前提，是以黨領政。

·解讀《蔣公日記》一九四九年四月二十五日

蔣公今日到生母墓前拜別，後乘太康艦到象山港，此後再未回故鄉矣。太康艦長為黎玉璽，鎮江海軍雷電學校畢業，是中央嫡系海軍幹部。如重慶號未叛逃，蔣公必以重慶號為座艦。太字號為二千噸級巡邏艦，僅備有四吋砲。

·解讀《蔣公日記》一九四九年四月二十六日

蔣公今日抵達上海復興島，徐永昌（國防部長）、顧祝同（參謀總長）、湯恩伯（上海防衛總司令）、周至柔（空軍總司令）、桂永清（海軍總司令）、郭懺（聯勤總司令）等將領登艦拜會。

此際李宗仁走桂林，白崇禧在漢口，程潛在湖南，蔣公在上海，軍事上無統一策畫，只得各行其是。蔣公能掌控國防部及各軍種總司令，中央嫡系僅存之胡宗南主力尚在陝西。

·解讀《蔣公日記》一九四九年四月反省錄

四月為國共和談之月。其實共軍於徐蚌會戰後，至少亦需三個月時間作渡江的部署。如其投降條件為李宗仁接受，亦即達成中共和平渡江，接收全國之目的，包括台灣在內。

李的如意算盤，應以共軍不渡江，劃江而治，則將穩得半壁江山的政權。但桂系亦僅白崇禧在武漢，所轄張淦與張軫兩個兵團，不在共軍眼中。其實能戰才能和，不能戰，只有投降一途。

蔣公雖下野，但以總裁身分，一面在廣州中央黨部力倡以黨領政，一面掌控了參謀本部，顧祝同為其忠誠部屬，一面以陳誠接台灣主席，一面將中央銀行金銀及外匯移台灣。在與李鬥爭中，居於優勢地位，非桂系所能撼動。

李既不能投降，又不能聽蔣公旨意，離京後只有回桂林老巢，以觀後勢發展。而白崇禧在漢口，軍力仍算國府最強實力，但既不明白擁蔣，則蔣公自亦不願復職，寧可以總裁身分繼續領導作戰。

實際蔣公自元月二十一日下野，形成中樞無主，內鬥重於反共，是誠最黑暗時期。

・解讀《蔣公日記》一九四九年上星期反省錄（四月三十日之後）

歷史的變化，眞是常在一線間，可以香港問題爲例：

一、如果政府於抗戰勝利後即收回香港，則大陸失敗，香港亦必即入共黨統治，無今日之香港。

二、如中共建政後，英國不予承認，則中共不受南京條約的限制，可立即占領香港，則香港亦於一九四九年歸中共統治。

三、英國承認中共政權，則中共必須遵守南京條約的義務，不能強占香港，使香港成爲大陸反共人士流亡求生的保護區。

四、中共不得不承認香港的特殊地位，共英談判，於一九九七年交還九龍、香港成立特別行政區，所謂一國兩制的形態。

【五月來台】蔣公渡海圖復興

內政：蔣公由上海至澎湖，再到高雄，準備政府遷移。
　　桂李致蔣公談話錄，逼迫出國。
　　何應欽辭行政院長，李提居正繼任，立法院否決。
外交：英國對華政策轉變，香港政府不放行我國過境武器。
軍事：青島撤防。
　　武漢、南昌、西安不戰而退，上海二十五日失陷。

・解讀《蔣公日記》一九四九年五月一日　在上海

此際仍望保有西北與西南作反共基地。而蔣公引退後，即以組織軍校同學會，爲其重點工作之一。

·解讀《蔣公日記》一九四九年五月十七日

蔣公飛福州，擬見朱紹良，是很冒險之舉。如基地電台謊騙降落，則蔣公恐被俘矣。後轉飛澎湖並留宿，此應爲蔣公第一次到澎湖。

·解讀《蔣公日記》一九四九年五月二十九日

周至柔因與陳誠有宿怨，蔣公怕其赴粵被李利用，掌控空軍，而蔣公向依王叔銘掌控空軍，故邀周來台。

日記載吳稚老寫信建議蔣公包容李宗仁。吳稚老常在重要關鍵提供國是意見，蔣至尊重，故原不擬回李信，乃專囑王世杰代擬覆信，以緩和蔣、李關係。

【六月奠基】全力穩定根據地

軍事：上海兵力幾乎全失，湯恩伯謊報全部撤出。
政府宣布封閉共區各港口，對中共經濟制裁。

經濟：撥定台幣改革基金。

外交：英美質疑台灣主權與法律地位，謀交還美國管理。

內政：中共在北平召開新政治協商會議，將改國號與國徽。

・解讀《蔣公日記》一九四九年六月十三日　在高雄

此際顧祝同爲參謀總長，在廣州，一切以蔣公意志是從，故李宗仁亟欲任白爲國防部長，並圖撤換顧。

此際我已調任顧之隨從參謀，在重慶辦公。

・解讀《蔣公日記》一九四九年六月二十八日

湯恩伯剿共以來，未見績效，尤以孟良崮的失敗，即爲其指揮，但蔣公仍予重用，不解。日記中所謂二十個軍，乃僅有番號，而戰力有限。縱守上海，亦屬持久牽制，遲滯共軍兵力南下而已，一切仍應安全保存戰力爲第一考慮。湯未做到，且謊報順利撤退。

・解讀《蔣公日記》一九四九年六月二十九日

成立國民黨總裁辦公室。

・解讀《蔣公日記》一九四九年六月反省錄

北平和談破裂後，蔣、李的矛盾與權力鬥爭激烈，實已將如何制共，置於次要地位。故中共自四月二十一日渡江，勢如破竹，而置軍事主力於東南贛、湘、閩三省，並對桂系續行統戰攻勢。而蔣公仍以總裁身分，在幕後掌控廣州。

一九四九年六月，蔣公到台灣。一面防止桂李奪權，一面作最後鞏固台灣的策畫，故六月份，蔣公全部精神用於穩定最後根據地——台灣。

本月，軍事形勢，已完成青島劉安祺部二個軍，及地方部隊撤退，但戰力亦不完整。至湯恩伯，原掌控東南陸軍主力，但從上海撤守，形同潰散，零星抵台、廈，幾無戰力可言。蔣公對湯恩伯不能保全戰力撤退，至爲痛心。

由蔣、李鬥爭，無論台灣、廣州、重慶，以西北中央剩餘力量，全無統一的戰略。就整個情勢，可以分崩離析喻之。

【七月邦援】中菲聯盟發聲明

外交：英美正式照會，不承認我封閉共區各港口命令。

美國參議院通過北大西洋反共聯盟案。

美國務院發表對華政策白皮書，推卸對華政策失敗責任。

我駐藏專員被西藏政府驅逐，經印回國。

訪問菲律賓，發起「遠東聯盟」，宣布中菲共同聲明。

內政：李宗仁欲提白崇禧任國防部長，蔣公再三拒絕。

・解讀《蔣公日記》一九四九年七月二十七日

整個內戰過程中，完全依毛澤東的《中國革命戰略問題》所示原則發展，惜蔣公獲知太晚。

【八月圖存】共軍南下如破竹

軍事：共軍大舉南下，勢如破竹。

劉安祺部由青島撤出抵海南島，轉赴粵北。

嫡系胡宗南十萬大軍留駐陝南。

內政：總裁辦公室在台北草山成立。

外交：蔣公訪韓，李承晚總統親迎於鎮海。

社會：黃埔一期生李默庵與劉斐等，在香港發表反蔣文字。

・解讀《蔣公日記》一九四九年八月一日

蔣公談西北情勢，指何應欽誤事不淺，不知何所指？或係在軍政部長時，未補充馬家武器乎？那是抗戰期間的事。抗戰末期，陳誠接任軍政部長，何即不管武器分配了。

・解讀《蔣公日記》一九四九年八月十三日

本日所記，顯似陳誠遲疑就任東南官長，乃由於不願蔣公干預其職權，故蔣公令顧祝同轉勸之。

・解讀《蔣公日記》一九四九年八月十六日

此際，胡宗南部為僅有之中央嫡系部隊，且戰力完整，仍留西北，為戰略錯誤。胡部應盡速向川、滇或海南島轉進。

・解讀《蔣公日記》一九四九年八月二十二日

劉安祺部由青島撤出者，已抵海南島，又轉赴粵北。其實其五十與三十二兩個軍，都是新補充部隊，戰力並不強，依當時狀況，必須守粵北，否則廣州亦不能決戰。

顧自以服從蔣為主，但當時在廣州，夾在蔣與桂系中間，其本意劉部調粵北，或亦為李所要求。而蔣則希望親信之劉安祺駐廣州，以免廣州為桂系所控制。

・解讀《蔣公日記》一九四九年八月反省錄

西南本以川、滇為主，而國民黨在八年抗戰期間，並未能在川、滇基層社會扎根。較諸共黨在敵後地區掌控全部農村，不可同日而語。雲南省主席盧漢叛離，態度已明，但蔣公已無能力制服。

此際蔣公與桂系之間，鬥爭無已。政府形式上由李負責，在廣州；而蔣公則已在台灣，為最後基地之部署。蔣、李之間的權力鬥爭，蔣一面以黃金、外匯運台，掌握僅有的財力；

一面成立總裁辦公室，堅持以革命領袖身分，不放棄軍令權。

由於蔣李分裂，顧祝同實際執行蔣公意旨，又必須肆應桂系的壓力，其參謀總長務，一度被李免職，但未獲閻錫山支持（須由行政院長副署，命令始能生效），故顧終未交卸參謀總長職務。

【九月邊危】西北西南皆危殆

內政：盧漢到渝面晤蔣公後，回滇清鄉反共。

綏遠、寧夏、新疆相繼降共，西北整個淪陷。

軍事：長治艦逃逸投共，在南京燕子磯附近予以炸傷。

外交：美英發表聲明，承認台灣為中國領土。

美國兩院通過援助中國區域七千五百萬美元案。

美國兩院決議贊助遠東反共聯盟。

・解讀《蔣公日記》一九四九年九月三日　在重慶

日記載四川成都陝西街一帶發生火災。此次火災，我在重慶，實爲潛共縱火，救火之水管被暗中砍斷，故火勢延燒不熄，是我親見的事，此時不知蔣公已在重慶也。

此際四川將領都反對省主席王陵基，而王對西南軍政長官張群亦不服從。黃少谷此際似爲總裁辦公室主任。

·解讀《蔣公日記》一九四九年上星期反省錄（九月三日之後）

西北西南地區將領動向：

一、關麟徵，陝西人，黃埔一期。民國二十二年，在長城抗日戰爭曾負傷。我年輕時，視他為民族英雄。抗戰期間，任集團軍總司令，與遠征軍司令長官不睦，積怨甚深。現為軍校校長，其背離，蔣公至為痛心。

二、桂系白崇禧早欲取得參謀總長職務，故示高信攻訐顧祝同，以顧為蔣公忠誠不二將領，堅守參謀總長職務，在桂、粵兩派將領夾攻中，執行蔣公旨意。

三、廣東將領余漢謀、薛岳乃至張發奎、陳濟棠，都無法動員廣東潛力，保衛廣東，而圖蔣公已移台灣之財力與軍力。

四、蔣公派劉安祺兩個軍守廣州，意在控制廣州。而顧受粵、桂將領壓力，將劉軍調粵北，為蔣公所不滿，但蔣公一仍信賴顧。

·解讀《蔣公日記》一九四九年九月十七日

此時我已與郭寄嶠將軍姪女莞華結婚，妻之祖母梁太夫人住重慶春森路，即郭將軍寓所。

·解讀《蔣公日記》一九四九年九月十九日　在重慶

郭寄嶠被迫辭去甘肅省主席，由馬鴻逵繼任，即離開蘭州，回重慶。西北完全交與馬家負責。郭於抗戰勝利後，在新疆平亂有功，又熟悉西北情勢，但被李宗仁調離蘭州，故蔣公嘆息。

・解讀《蔣公日記》一九四九年九月反省錄

本月，蔣公分在重慶與廣州，但由於仍與桂系鬥爭，致無統一的全盤戰略。蔣公在廣州時，藉非常委員會以制李、白，僅以劉安祺兩個軍期控制廣州，堅阻白崇禧任國防部長。顧祝同表面辭職，實未離職，居於蔣、李之間，執行蔣公意志。蔣公允白崇禧在湘南與共軍決戰後，再任國防部長，實亦預知湘南決戰不樂觀也。

繼八月湘省程潛投共，湘北全陷，而傅作義赴綏遠，致其舊部綏遠省主席董其武投共，從而寧夏馬鴻賓投共，青海馬步芳（西北軍政長官）棄職來渝，馬鴻逵亦離甘肅，新疆陶峙岳降共，西北四省全陷。

【十月赤化】中共建政東南陷

內政：中共十月一日在北平建政。

孫立人受共讒間，蔣夫人在美亦聞。

顧祝同飛重慶，國防部完全遷渝。

軍事：廣州、衡陽、韶關、廈門相繼失陷。

十八軍最後殲滅登陸金門之共軍，奠定台灣安全基礎。

外交：俄國承認中共政府，與我中央政府絕交。

・解讀《蔣公日記》一九四九年十月一日

此時，我已任顧總長的隨從參謀，先在重慶辦公。

・解讀《蔣公日記》一九四九年十月五日

蔣公此際，一切以鞏固台灣為首要，外則不將胡璉十二兵團調廣州，內則防範孫立人矣。

·解讀《蔣公日記》一九四九年十月十七日

所有非嫡系部隊，都無剿共戰鬥意志，自一九三五年追剿時即如此。中共政權建立後，寄望劉汝明與曹福林（均北方人）爲守廈門而戰，本來不應作此想。

·解讀《蔣公日記》一九四九年十月三十日

企圖固守定海，應非戰略至當。此際，海南島之重要性，遠勝過定海，而粵將領既無能守海南，若此時放棄定海，移師海南島，鑑於金門勝利之啓示，海南島應可堅守也。

【十一月殘局】李宗仁棄職逃亡

軍事：共軍登陸登步島，為我肅清。

外交：美國駐台總領事提出國務卿備忘錄。

內政：李宗仁由滇回桂林，再飛逃香港。

蔣公十四日由台北飛重慶主持殘局。

政府機關無法撤退來台灣者，紛作資遣。

二十九日夜，總裁辦公室撤離重慶山洞林園。

・解讀《蔣公日記》一九四九年十一月四日

胡宗南部不及早入西南，全爲政治考慮。但留在陝南，乃絕境也。

・解讀《蔣公日記》一九四九年十一月六日

國軍在金門與登步擊退共軍之勝利，爲穩定台海之基礎。

·解讀《蔣公日記》一九四九年十一月十七日　在重慶

國防部由南京遷廣州，再由廣州遷重慶。此際共軍已逼近重慶，而大部分國防部人員無法運台，只有就地遣散。我時任顧祝同的隨從，草擬了命令，原稿複印，作為見證。令文如下：

渝祕字第三一一號　民國三十八年十一月十八日

本部各廳、局、署、處長，並轉全體官兵均鑒：

共匪禍國，興兵叛亂，匪蹤所至，姦淫虜殺，充軍獻糧，無所不用其極。人民如水益深，如火益熱。近更組織偽府，公然投俄，其出賣祖國，絕滅人倫，實人神共憤。政府為護國救民，自和談決裂，迭申剿匪決心，乃粵穗戰後，遷渝辦公，時僅逾月，而共匪又發動瘋狂攻勢，向我西南基地進逼，軍民無不義憤填膺，同仇敵愾，誓與共匪周旋到底。本部官兵，歷經抗戰剿匪，著有輝煌功蹟。際茲戡亂已步入嚴重階段，淬礪忠黨愛國之精神，發揚愈挫愈奮之志氣，因應目前需要，對本身工作作重新之考慮，或則運籌中樞，或則決勝千里，或則轉入地下，務求表裡一致，上下一體，以戰鬥姿態，決行新任務，為反共救國盡其責任。有鑑於此，特訂定本部軍官佐屬區分及派遣辦法。此項措施，絕非消極疏散，而為積極擴展，使我中樞神經，貫徹至地方每一階層，而後感應靈敏，行動圓活，應隨時可以打擊敵人，反守為攻，轉敗為勝。茲隨電頒發該辦法一份，務望我各級官兵，本反共救國之初衷，作自我努力之表現。權衡所長，對本身應負任務，作積極之考慮與選擇，以便統籌分派，迅赴事機為要。閻○○顧○○戊巧祕印

最速件

代電

收文

收文 字第 號 附件

民國 年 月 日收到

民國卅八年十一月十八日發出

發文 字第311號

本部各廳局署處長并轉軍部全體官兵均鑒

共匪禍國興兵叛亂匪蹤所至姦淫虜殺

[illegible]所不用其極人民如水益深如

[illegible]組織偽府公然投俄其出

[illegible]滅人倫真人神共憤該府為

[illegible]自和談決裂迭申剿匪決

第 頁 3116

俞秘

郝柏村

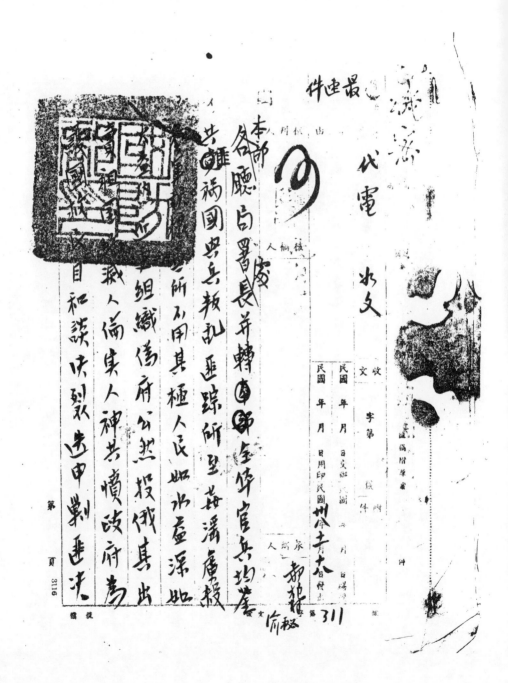

……流竄……時僅逾月而共
……攻勢向我西南基地進
逼……民無不義憤填膺同仇
敵愾……共匪頑抗到底，本部官
兵歷經抗戰剿匪……
亂已步入嚴重階段……
砥礪忠貞愛國之精神發揚……
[illegible]
因應目前需要……重新……
戒……遵奉中樞戰則決勝千里……求
表裡一致上下一體以戰鬥姿態決行

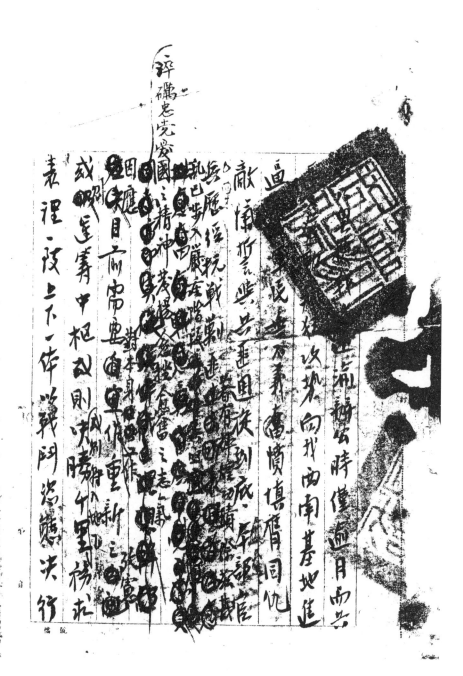

新任務為反共救國[illegible]區分
有鑑於此特[illegible]本部[illegible]官[illegible]
及派遣辦法[illegible]
此項措施絕非消極疏散而[illegible]
積極擴展使我[illegible]
無[illegible]皆[illegible]
應隨時[illegible]打敗
為勝此節隨電頒發詳細辦法一份務望[illegible]
各級官兵本反共救國之初衷作自我
努力之表現確衛[illegible]應負

信號

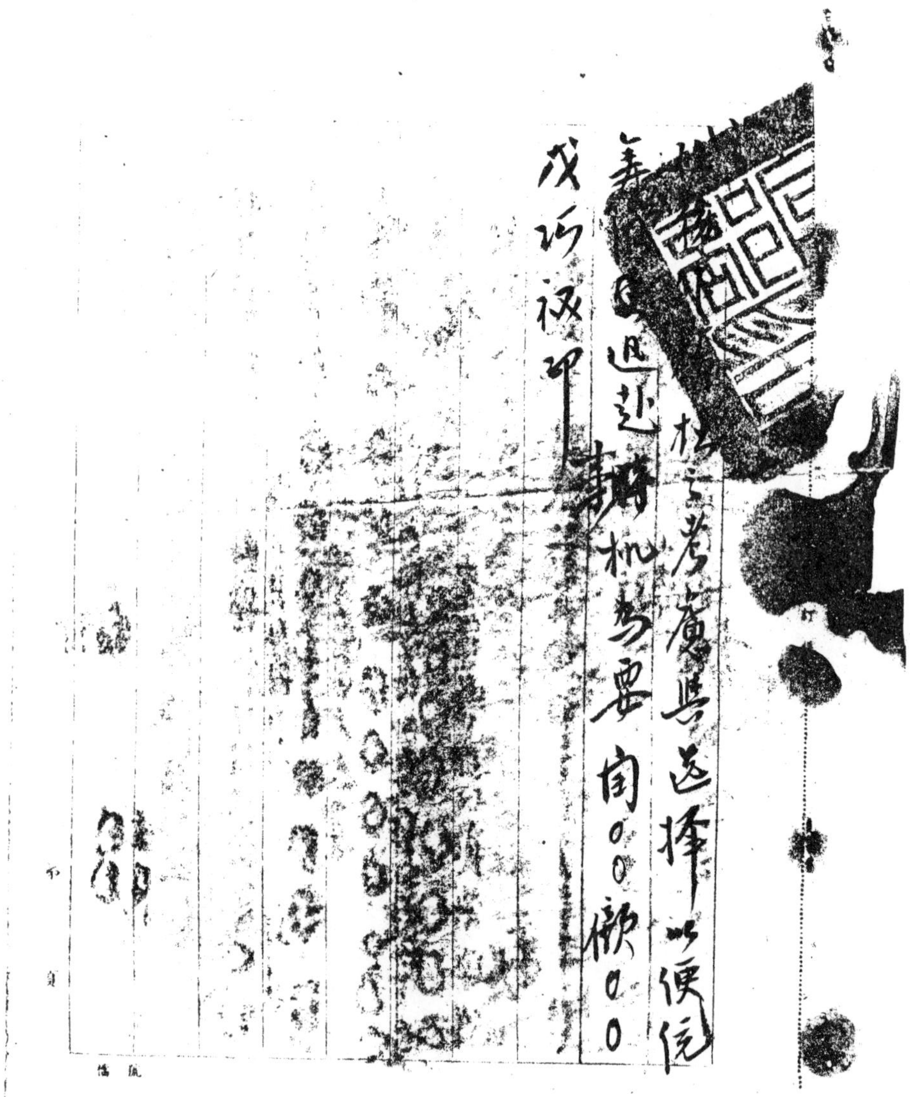
於考慮與選擇以便從
善因迅速轉機為要　宙○○微○○
戊巧祕印

・解讀《蔣公日記》一九四九年十一月二十二日

此際我隨顧祝同在重慶，而內子郭菀華已隻身先來台北，寄居其四叔郭寄嶠家。

・解讀《蔣公日記》一九四九年十一月二十三日

一、共軍攻川戰鬥序列：

總司令朱德

第二野戰軍劉伯承

第三兵團韋傑，轄十、十一、十二等三個軍九個師。

第五兵團楊勇，轄十六、十七、十八等三個軍九個師。

第四野戰軍林彪

第十三兵團李天佑，轄四十二軍共三個師

第十五兵團鄧華，轄四十七、五十（原六十軍叛）共二個軍六個師。

第五野戰軍聶榮臻

第十八兵團徐向前，轄六十、六十一、六十二等三個軍九個師。

宜昌軍分區，三個師。

二、國軍四川作戰戰鬥序列：

西南軍政長官張群／參謀長蕭毅肅

川湘鄂邊區主任宋希濂，轄十四鍾彬、二十陳克非兩兵團，共七十九、一二三、一二四、二、十五、一一八等六個軍十五個師。

川鄂邊區主任孫震，轄五個軍十三個師。

第十五兵團羅廣文，轄一〇八、一一〇等兩個軍共七個師。

第二十一兵團郭汝瑰，轄四十四、七十二等兩個軍五個師。

川陜甘邊區主任胡宗南

第五兵團李文、第七兵團裴昌會

第十八兵團李振，三個兵團共一、三、十二、二十七、三十、三十六、三十八、五十七、六十五、六十九、七十六、九十、九十八等十三個軍三十四個師。

但除胡宗南基本部隊十三個軍三十四個師外，其他皆係徐蚌會戰後編成，武器、人員均不足，故番號雖多，但戰力薄弱，不能與共軍相比擬，胡部是僅存的有力部隊。

三、共軍攻川的部署大要：

（一）川北由十八兵團徐向前，向成都取攻勢。

（二）四野之十五兵團，由湘西向川東取攻勢。

（三）野之第三兵團，由川南向重慶取攻勢。

（四）二野之第五兵團，由貴陽、遵義向川西取攻勢。

四、國軍守川的部署大要：

（一）宋希濂負責川東

（二）羅廣文負責川南

（三）胡宗南負責川北

・解讀《蔣公日記》一九四九年十一月二十四日

整個政府陷入資遣狀態，顧總長僅留隨身的指揮小組，包括參謀次長蕭毅肅、後勤次長陳良、第三廳副廳長許朗軒、第四廳副廳長宋達，以及總長室祕書程大千、參謀郝柏村及譯電人員而已。

・解讀《蔣公日記》一九四九年十一月二十五日

此時我在國防部指揮小組。國防部官員除早已來台者，餘均資遣，但市區因不明戰況，尚安定如恆。

・解讀《蔣公日記》一九四九年十一月二十六日

胡宗南部第一軍之一個團運抵重慶，而戰事已逼近城郊。

・解讀《蔣公日記》一九四九年十一月二十九日

總裁辦公室即在重慶山洞林園，抗戰時期蔣公之官邸。

此際，國防部顧總長之指揮小組亦在山洞，於二十九日夜，與總裁辦公室同時撤離，往白市驛機場過夜，我亦在其中，爲親歷這場悲傷情景者。

【十二月遷台】政府移台別神州

內政：八日發表政府遷台北，十日蔣公離開大陸。

李宗仁由香港飛美。

交通部長端木傑、經濟部長劉航深滯港不回。

盧漢叛變，張群等在昆明被扣。

外交：美國政府承認台灣，轉為援助蔣公。

軍事：胡宗南飛瓊，再從命獨飛西昌鎮守。

·解讀《蔣公日記》一九四九年十二月四日

共軍二野第五兵團楊勇三個軍九個師，由貴州對川西南取攻勢，陷瀘州。

·解讀《蔣公日記》一九四九年十二月十日　由成都回台北

一九四九年十二月十日，爲蔣公在大陸之最後一日。我亦隨顧總長於同日離蓉，而降落海南島海口。以顧總長仍負大陸軍務，並未隨蔣公同回台北。

·解讀《蔣公日記》一九四九年上星期反省錄（十二月十日之後）

蔣公自十一月十四日，第二度來四川，至十二月十日，離開成都，原期在西南保有大陸反共基地，完全失敗。國民黨在抗戰八年期間，對川、滇、黔基層社會，未如中共在蘇、魯、冀敵後基層社會的扎根，甚至高層政治層面亦未純化。

國軍此際，除胡宗南部三十二個師戰力完整，其他均臨時補充，徒有番號，實不堪一擊。面對共軍，十八兵團徐向前由川北，十五兵團、第三兵團由川東，第五兵團兵團由川南，三路進攻，使蔣公在重慶與成都，毫無喘息的餘地。

胡宗南部由陝南入川太晚，整個胡部的運用，因捨不得盡早盡速放棄西北，而陷於嚴重戰略錯誤。此錯誤之形成，乃由蔣、李鬥爭，根本無統一的戰略思維。

·解讀《蔣公日記》一九四九年十二月十一日

馬歇爾離華後之對華政策，即為倒蔣援華，亦為李宗仁公然反蔣之國際因素。今李已失敗，美發覺援華只有援蔣是唯一途徑，而大陸既完全失陷，美國之政策乃不容台灣落入共手，故提出白吉爾備忘錄。

·解讀《蔣公日記》一九四九年十二月十三日

台灣省主席原為陳誠，但陳現已任東南軍政長官，乃派吳國楨代理省主席。吳曾留美，美國視為開明民主型的政治人物，有助於開展美與國民政府之新關係。

・解讀《蔣公日記》一九四九年十二月十四日

第八軍軍長李彌，第二十六軍軍長余程萬，爲中央嫡系部隊尚留雲南者，既未能先整肅盧漢，現在四川已失，勢亦孤危。

・解讀《蔣公日記》一九四九年十二月十八日

戰略上，如早準備在西南保有基地，則雲南比四川重要，因其邊界與外國相鄰也。如於今夏即放棄西北，胡宗南進入雲南，配合以第八軍及二十六軍，中央嫡系完全控制，並撤除盧漢，本有可爲。而今胡部陷川康絕境，雲南已不可能確保矣。

・解讀《蔣公日記》一九四九年十二月二十一日

一九四三年，開羅會議時，日軍圍攻常德，余程萬時爲守軍五十七師師長，私逃。第十軍赴常德解圍，預十師師長孫明謹陣亡，副師長葛先才受重傷，但未追究余程萬責任，余係黃埔一期。

・解讀《蔣公日記》一九四九年十二月二十五日　在日月潭

蔣公對胡宗南未見報告離開西昌，甚不諒解。

・解讀《蔣公日記》一九四九年十二月二十九日　在日月潭

顧總長飛蒙自，僅帶譯電人員，我未隨行。蔣公離成都後，原期望胡宗南率所部，在西昌建立反共基地。其實，西昌不可能有所作爲，顧祝同以胡宗南在大陸犧牲，於心不忍，乃令其先到海南，未事先向蔣公報告，胡宗南並非擅離部隊。其後，蔣公令其仍回西昌。顧總長於二十九日飛蒙自後，送胡回西昌。但最後，蔣公亦不忍胡在西昌犧牲，而令其來台。

・解讀《蔣公日記》一九四九年十二月反省錄

自徐蚌會戰失敗，蔣公準備引退期間，已將黃金運台，早已決定以台灣爲最後根據地。但在蔣、李內鬥期間，對兩廣、對西北、對西南，根本無統一的戰略。一面內部權力鬥爭，一面則走一步算一步，實爲大陸完全喪失之主因。其實況爲：

一、兩廣將領自私奪權，不能掌握廣東與人力，及有利地理條件，保有廣東大部，尤其是海南島的守備。

二、西北馬家軍雖反共，但基本上是投機軍閥，見風轉舵，根本無能力抵抗共軍。故西北早應放棄，在新疆之中央軍，尤其在陝西，胡宗南主力早應調往川、滇。

三、川、滇政治局勢不穩，無論劉文輝、鄧錫侯，尤其盧漢等見風轉舵軍閥，早即予以整肅，使胡宗南部在滇第八軍與二十六軍，以鞏固掌握雲南基地。因雲南不僅有險可守，且與廣西均有國境線，可開闢國際反共的支援補給線。

四、四川雖富，乃內陸；成都平原，不可能固守；而西康地瘠民貧，資源有限，外援無路，戰略上不可能作爲大陸反共基地。

顧祝同離成都後，在海口處理西南殘局，並曾一度親飛西昌，但已無能爲力。而在海口期間，力圖增強海南島防衛能力。此際海南防衛總司令爲薛岳，但廣東戰力不強，劉安祺部之三十二軍，亦內部複雜。在戰略上，應將舟山國軍移海南島，因海南島的易守性，及政治與軍事戰略價值，遠勝於舟山群島。

一九四五年至一九四九年總結

我讀完蔣公一九四五年到一九四九年的日記，這是他從巔峰到谷底的五年，現就大陸變色的原因，和蔣公的歷史地位作一總結。

大陸變色的原因

先就失敗的原因作一分析：

一、國共兩黨的體質與戰鬥力問題

國共鬥爭，從一九二七到一九四九的二十二年間，兩黨的體質有根本的差異。共產黨以馬克思主義的思想，從工農群衆中起家，而毛澤東的領導風格，徹底鬥倒內敵而不留殘渣，並以其內部檢討、坦白乃至批判的方式，形成了黨的精純，領袖的權威，基層（尤其是農村）的扎根，形成其黨的堅強戰鬥力。故共產黨在毛澤東領導下，是一個思想堅定、組織嚴密、紀律嚴明、基層落實的戰鬥體。

國民黨自創黨以來，是以讀書志士起家。國父創建三民主義，思想、理論雖均優於馬克思主義，但自北伐以後，蔣公以軍事權力經十四年，才取得正式黨權，故黨權乃依於軍權。蔣公在內部權力鬥爭中，因受儒家思想恕道的影響，故對其政敵都是適可而止，而形成共存的妥協，故在黨內，形式是集權一身，而實際是組織鬆散、紀律不嚴；更由於黨的組織發展，以知識分子爲主，形成士大夫習氣與官僚作風，而不能深入社會基層，尤其不能植根於農村社會，與共黨比較，其戰鬥力是脆弱的。

因之，毛澤東的三寶：黨的建設、武裝鬥爭及統一戰線，其體質是以黨來掩護軍，黨的發展與深入社會農村基層，在軍之前。

國民黨正相反。蔣公既以軍權爲取得黨權的基礎，因此黨的發展，依賴軍事保護。黨不但不是軍的前衛和後支，黨的存在依軍隊保護，軍隊到哪裡，黨才到哪裡，黨反而拖住軍隊，軍隊完全失去機動力。

因此在共黨控制區裡，國民黨很難生存發展；而國民黨控制區裡，潛伏的共黨幾乎無所不在。

抗戰期間，敵後地區如江蘇、山東、河北三省，國民黨有省主席韓德勤、沈鴻烈、鹿鍾麟，且每省有正規國軍一個軍的兵力下，均被共黨以摩擦爲名而趕出，即顯示兩黨戰力的消長。

但蔣公對於抗戰期間敵後地區的兩黨鬥爭，國民黨完全失敗的原因，未認眞檢討反省，以致抗戰勝利後，對中共的實力判斷錯誤。

二、國際強權政治與馬歇爾調停

國共鬥爭是國際因素與國內因素同在的鬥爭，甚至國際因素是成敗的關鍵。

國際政治自有史以來，就是強權政治，中國春秋戰國時代即如此。十五世紀後殖民主義盛行，始而英國與西班牙爭霸，一五八八年，英國殲滅西班牙無敵艦隊，而稱霸海上；美國一七七六年的獨立戰爭，是英法爭霸的結果；一八一五年，英國威靈頓擊敗拿破崙後，形成十九世紀的海陸霸主。

蘇聯史大林在二次大戰前後，是運用國際強權政治最成功的，其要訣是使兩個敵人先互殺：

（一）一九三七年中國展開抗日戰爭，唯一軍援武器，並派軍事顧問來華助戰的是蘇聯。

（二）一九三九年德國發動二次世界大戰前，德國外長里賓特魯普與蘇俄外長莫洛托夫，簽訂德蘇互不侵犯條約，讓希特勒無後顧之憂，橫掃西歐。

（三）在太平洋戰爭爆發前，蘇外長莫洛托夫與日外相松岡洋右，簽訂日蘇中立條約，使日本無後顧之憂，偷襲珍珠港。

（四）詭異的是，德國於平定西歐後，即毀棄德蘇互不侵犯條約，而東向進攻蘇聯。

（五）蘇聯亦於日本受原子彈攻擊後，毀棄日蘇中立條約，而對日宣戰。

（六）以上可證明：國際強權政治完全沒有道義可言。

中華民國是積弱的國家。蔣公北伐成功後，力圖復興中華，但內憂外患迄無寧日，而蔣公以弱國領袖，在國際強權政治的肆應中，是失敗的：

（一）一九三一年日本發動九一八事變，侵占東北後，寄望當時在日內瓦的國際聯盟主持正義，完全落空。

（二）一九四五年英美蘇三國的雅爾達密約，羅斯福出賣盟友中華民國，是二十世紀最可恥的國際強權政治作爲。蔣公接受了，是他一生在國際強權政治的肆應中，最攸關存亡的失敗。歷史已證明，接受雅爾達密約是戰略錯誤，如今反思，如果當年堅不接受，不承認蘇俄進軍東北的權利和合法性，其結果不外：

1. 蘇聯強占東北，則其本質與日本侵略無異。

2. 蘇聯將東北交與毛澤東，成立共產政權，則毛澤東亦如溥儀。

3. 美蘇在中國形成直接衝突。

中共一直是共產國際在中國的支部，毛澤東於一九三五年由江西突圍時，其戰略路線，就是向蘇聯靠近而立足延安。

一九三六年西安事變時，史大林指示毛澤東，不可傷害蔣委員長，以免中國陷於更嚴重的內戰，使日本軍閥獲利。甚至一九四五年毛澤東到重慶，係史大林指示，在美國安全保證下來渝，凡此皆可證明，中共發展與壯大的國際強權因素。

至於國民黨方面的國際因素，則是以馬歇爾的調停達到極巔。

馬歇爾是二次大戰期間，軍事戰略決策頭號人物，其重要性遠非麥克阿瑟或艾森豪可比。美國總統名義上是三軍統帥，而實際決策都是馬歇爾的建議，其主要建議，無一不與中國息息相關。

1. 先歐後亞的決策，使中國在一九四一年以後，仍獨力苦撐中國戰場，迄一九四五年初，打通史迪威公路前，僅有中華民國駐印軍，完全接受美援裝備者，計兩個步兵師、二個砲兵團、一個工兵團、一個通信兵團、三個至六個戰車營而已，其火砲尙不若抗戰初期蘇聯的援助多。

2. 雅爾達密約的決策，當然是馬歇爾對日軍戰力的判斷。鑑於美軍在太平洋逐島攻勢中，日軍抗抵之頑強，與美軍傷亡之慘重，益以神風特攻隊，及「一億玉碎」的恫嚇，而急於要求蘇聯參戰，而以中華民國的權益爲代價，出賣盟友。

3. 對日使用原子彈的決策：

這是一個世紀性的歷史決定，德國投降後三個月，日本接著投降，二次世界大戰結束。對中華民國而言，勝利來得太快，美國承諾的武器援助尚未運到，國軍主力尚偏處西南，而蘇聯毫無損失，輕易占領東北，將繳獲的關東軍武器裝備交付中共，並違約刁難，阻撓國軍接收東北。美國以中國權益換取蘇聯參戰的構想，完全沒有必要。而中國八年抗戰的結果，是爲了收復東北，甚至接受雅爾達密約，放棄外蒙，仍然是爲了收回東北。現在外蒙已放棄，收回東北卻落空，對蔣公的志業眞是情何以堪！馬歇爾的錯誤，正是國際強權政治的故技，蔣公終於承認，外交沒有道義可言，悔之晚矣！

4. 來華調處國共衝突的決策：

(1) 一九四五年雙十會談，毛澤東回延安後，國共即展開奪取淪陷區的軍事衝突。一九四五年十二月二十日，馬歇爾來到重慶，迅即達成一九四六年一月十三日的國共停戰，並召開各黨派的政治協商會議，達成制憲原則、共軍改編比例及駐地畫分，展現了馬歇爾的調處能力。

(2) 國民黨六屆三中全會反悔政協協議，歷史證明是蔣公的政治戰略錯誤。共黨乃藉以不遵停戰協定，重啓軍事衝突。

(3) 馬歇爾所領導的軍事調處執行部，事實上無能力監督停戰協定的執行。因從東北到西北數千公里，犬牙交錯的戰線衝突不斷，馬歇爾乃不斷向蔣公施壓，要求停戰。

(4)政府分別於一九四六年六月及十一月，應馬要求，片面頒發了停戰令，反予共軍喘息機會。而在日記中，看不到蔣公向馬的援助要求，及馬具體答應的美援。

(5)蔣公以二次大戰中國戰區統帥之尊，對馬歇爾的分量似未警覺，而試圖說服馬歇爾援助剿共。

(6)馬歇爾以其軍事專業，判斷不可能以速戰速決，消滅中共武力，而戰爭持續，政府必敗，故力勸蔣公與中共和平共存之道。但其言談氣勢展現了壓力與警告，自尊心極強的蔣公，不能接受與忍受，因此調人變成仇人。

(7)制憲國民大會在共黨抵制下召開，仍然照政協的制憲原則，制定了中華民國的民主憲法。當初三中全會的反悔，實在是不值得。

(8)蔣馬一年期間會談五十五次，而成水火。馬歇爾的思維，從先停戰再援華，轉變為先倒蔣再援華，終至馬歇爾離華，立即接任美國務卿，對中國內戰採袖手政策，而史大林暗中對毛的援助更為積極。

(9)在國際強權政治對中國內戰的關係中，史大林與毛澤東水乳交融，全力支援，杜魯門與蔣公則完全對立。蔣公在國際強權政治的肆應中，完全孤立，強弱立見。

(10)馬歇爾來華調停的本質，是國際強權政治的策畫與執行人。

三、抗戰與剿共本質的差異

（一）抗戰是基於民族大義，所發揮的團結力量與犧牲精神，故在八年抗戰期間，除中央嫡系部隊外，所有割據地方的軍閥部隊一旦參與作戰，除韓復不戰而退，依軍法處決外，其他少有將領投降或陣前叛亂。而犧牲成仁將領，最高階級者為西北軍的張自忠、川軍的李家鈺，當時都列為非中央嫡系的將領。

（二）剿共內戰則情況完全不同，尤其國共兩黨在基層社會，共黨反居號召優勢。故始而雜牌部隊，如新八軍軍長高樹勛、三十八軍孔從周全軍投共，繼而黃埔嫡系，如李默庵、陳明仁、鄭洞國或降或叛。

（三）在日記中似可測知，蔣公視剿共為抗戰的延長。

四、政治戰略的得失

（一）政治戰略上，在此五年中，國民黨亦失多於得。

（二）抗戰勝利，即召毛澤東來渝，顯然為失策。蓋蔣、毛既舉行高峰會，必須有充分準備及預備磋商，獲得共同結論，而後才可舉行。因高峰會如失敗，則後果嚴重，寧可不舉行也。國民黨對於毛澤東來渝，可謂毫無準備，完全照毛的提案商討，先天已立於被動地位。毛雖到重慶，而以周恩來居於談判第一線，其間雖與蔣公會面十一次，最長時間談話僅一小時，其餘大多為半小時的應酬晤談。《雙十會會談紀要》根本未解決最重要的議題，而毛居渝四十三天期間，可說看透了國民黨及政府的弱點，益堅其不妥協的姿態，故回延安後，立即展開爭奪淪陷區的衝突。毛澤東的重慶之行，可說是滿載而歸。

（三）馬歇爾抵華，迅即達成停戰及召開政治協商會議。歷史證明，政協決議對國民黨推動和平建國是有利的。可惜國民黨於抗戰勝利，氣燄高漲，低估共黨戰力，反悔政協決議。共黨藉以重啓戰端，達成其以和逼戰的政治戰略。

（四）一九四六年，在共黨抵制下召開制憲國大，通過依政協協議的中華民國憲法，雖在大陸施行未及一年，但迄今仍是中華民國政府在台灣，合法地位的基礎，從而在日記中，蔣公甚悔未在抗戰期間完成制憲，亦可見時機在戰略上的重要。

蔣公如在抗戰期間，特別是開羅會議以後，即召開國大制憲，共黨絕不敢抵制，或許戰後的政治協商，不涉及制憲，政府實立於有利地位。但完成制憲，仍為蔣公的政治一得。

（五）一九四八年，行憲第一屆國大副總統選舉問題，實為蔣公政治戰略的又一失敗。一般總統制國家常規，副總統候選人由總統候選人指定。但蔣公為展示其民主風度，容許黨內自由競選，造成桂系奪權的惡果。如依當時政治資歷，蔣公可指定其忠誠親信，如何應欽或張群任何一人，擔任副總統，不會有蔣、李的內鬥。

五、經濟

我非經濟專家，無法註釋抗戰勝利後的經濟政策，但從日記可推知：

（一）蔣公無經濟智囊與經濟建設計畫。從日記中可看出，經常被垂詢者多為財務金融人士，很少提及經濟建設問題。我在抗戰期間，深知馬寅初是經濟學家，但因批評孔祥熙，而不為蔣公所容。

（二）全面剿共，美援無望，最嚴重為通貨膨脹。

（三）政治手段不能解決經濟問題，上海打老虎即為一例。

（四）不能靠軍事勝利，來挽救經濟；而經濟失敗，軍事必定失敗。

六、軍事

（一）就戰爭本質言：

1. 抗戰與內戰不同，抗戰可依民族大義號召動員。

2. 內戰不是抗戰的延長，尤其面臨中共對廣大農村，佃農分田翻身的宣傳，反共內戰的正當性，難獲全民理解。

（二）就戰爭型態言：

1. 中共在其控制區內，完全掌握了戰爭面，不容有任何國民黨分子潛伏生存，而進行以黨爲核心的人民戰爭。野戰軍在黨政掩護下，機動集中運用，且就地補給。

2. 國軍以軍事爲重心的傳統戰爭，黨政只能隨軍前進，且必須在軍隊保護下生存，故占領城鎮據點越多，國軍駐守的包袱越多，形成兵力分散，補給線綿長，不能機動集中。

3. 抗戰期間，國軍長期打防禦戰與陣地戰，而成墮性，怯於運動戰與攻擊戰的部隊掌握。

4. 共軍的特點在輕裝夜間奔襲，機動面對孤立固守之國軍據點，極易以三倍以上優勢兵力圍攻，形成徹殲，積小勝爲大勝。

5. 國軍裝備鈍重，機動力不如共軍。縱以優勢兵力，難以捕捉共軍主力決戰。

6. 毛澤東的戰略指導思想，正確貫徹執行：

不打無把握的仗。

傷十指不如斷一指。

人在地失，有人有地；地在人失，人地皆失。

7. 日本投降時，國共的主要軍力與部署：

(1) 國軍兵力與部署，根據《陳誠先生回憶錄》：

第一方面軍	盧漢	雲南	52、60、93	三個軍
第二方面軍	張發奎	廣州	46、64、62	三個軍
第三方面軍	湯恩伯	京滬	20、26、94、13、71	五個軍
第四方面軍	王耀武	湖南	73、74、100	三個軍
第一戰區	胡宗南	洛陽	85、38、27、1、16、90、36、3、17、89	十個軍
第二戰區	閻錫山	山西	19、23、33、34、43、61、83、K1	八個軍
第三戰區	顧祝同	杭州	70、88、98、25、28、21	六個軍
第五戰區	劉峙	鄭州	55、68、45、41、42	五個軍
第六戰區	孫蔚如	武漢	66、92、75、59、77、18、76	七個軍
第七戰區	余漢謀	曲江	63、65	二個軍
第八戰區	朱紹良	蘭州	11、81、91、N2、42、K5、82	七個軍
第九戰區	薛岳	南昌	58、44、72、4、97	五個軍
第十戰區	李品仙	徐州	7、48、84、51、K2、12、T1	七個軍
第十一戰區	孫連仲	平津	N8、30、32、40	四個軍
第十一戰區	副長官李延年	青島	山東挺進軍	一個軍

第十二戰區	傅作義	熱察綏	22、67、35、T3	四個軍
重慶衛戍總司令	王纘緒		14	一個軍
昆明防守司令	杜聿明		5、8	二個軍
直轄部隊			N6、N1、54、2、53	五個軍

總兵力概為八十九個軍、兩個騎兵軍、二百五十三個步兵師，約四百萬人。

(2) 共軍主要兵力及部署：

中共中央軍委主席毛澤東、副主席朱德

參謀長葉劍英　共產國際軍事代表　西洛夫

第十八集團軍　總司令朱德　副總司令彭德懷

留守兵團　蕭勁光　陝北延安

第一一五師　林彪　魯南臨城一帶

第一二〇師　賀龍　主力晉西，一部陝東

第一二九師　劉伯承　豫北林縣

第一〇九師　許光達　綏南

新編第一師　薄一波　晉南

新編第二師　韓鈞　豫北

新編第三師　戎伍勝　晉東南

新編第四師　雷在民　晉西

騎兵師　　　　　曾開誠　陝甘邊區
陝甘寧野戰軍區　王世泰　六個旅
晉綏野戰軍區　　賀龍
晉察冀野戰軍區　聶榮臻
晉冀魯豫軍區　　劉伯承
新編第四軍　軍長陳毅　副軍長張逸雲　參謀長粟裕
華中野戰軍區　張鼎承
山東解放軍　陳毅　第一到第七　七個師
解放第五路軍　張光中　解放第八師　警備八、九兩旅
總兵力一百三十餘萬人（包括民兵）

8. 抗戰勝利時，國共雙方的敵情判斷與戰略：

(1) 就中共而言，八年抗戰期間，在冀、魯、蘇、皖、晉、陝、豫邊區及陝北所建立的武力，尤其建立其地方政權，控制農村社會人口幾達一億，武裝部隊已達一百二十七萬，概爲國軍三分之一。特別是蘇聯進兵東北後，毛澤東在重慶四十三天的觀察，其應得結論不外是：

甲、東北在蘇聯直接支持下，先天已居於優勢地位。

乙、關內各戰場判國軍雖居優勢，但難以速戰速決。故共軍初期戰略，在一面以和談爭取時間，完成關內外的擴軍、建軍；一面採取戰略守勢，避免決戰，但不失時機反噬，以「傷十指不如斷一指」的戰略，積小勝爲大勝。

丙、待建軍整軍完成（從一九四五－一九四七年夏），轉取戰略攻勢。

丁、綜而言之，共軍的軍事戰略是主動的、一貫的。

(2) 就國軍而言，抗戰勝利初期，陸軍概為共軍的三至四倍，而海、空軍，尤其空軍，則居於無敵的優勢，但在戰略犯了以下錯誤：

甲、輕視共軍的戰力及特性。

乙、未能嚴肅檢討，何以在敵後地區的國共鬥爭中，國軍完全失敗。

丙、受國際及政治因素的影響，軍事戰略陷於被動，支離無重點。

丁、希圖速決，攻勢無功，錯誤的戰略一再重犯。

戊、敵我優劣形勢轉換後，未求保存戰力，而不應在兵力劣勢、情勢不利下求決戰。

己、戰略始終居於被動。

9. 國軍在建軍上的基本弱點：

(1) 大陸剿共的成敗，涉及建軍的根本問題。國共雙方軍隊都是在戰亂中發展，共軍從游擊發展壯大，有其一貫的軍事思想與策略，歷史證明是成功的。其過程我並非深有研究，但國軍的軍事思想與過程，大都循傳統戰爭的思維發展。

(2) 傳統的建軍，自以人員與裝備為主。國軍的裝備大都靠外購、外援和部分自力生產，而人員整備必須完全自立，其要點有三：

甲、軍官的教育制度。

乙、兵源的徵集制度。

丙、部隊的訓練制度。

國軍建軍始自一九二四年的黃埔軍校，至一九四九年的二十五年間，未能建立完整的軍官教育體系。而黃埔一期僅受訓六個月，完成一個排長的教育，但北伐成功發展甚快，大部黃埔前期不出十年，從排長升到師長以上，中間未受任何軍事深造教育。一旦握有萬人以上兵權，自認戰場經驗豐富，來得輕易的北伐勝利，反養成驕墮的心理。

將領的本務，是帶兵、練兵、用兵。黃埔一期將領著重帶兵，至於練兵與用兵，各人作風不同，大都委之於幕僚。蔣公深感黃埔先期教育，不夠擔任高級將領，故於抗戰末期，特於陸軍大學，召訓中、少將級軍官，作四個月的教育，但成效不彰。故以黃埔一期爲主的高級將領，對於戰略、戰術素養，尤其大軍指揮能力，普遍不足。綜觀剿共戰爭，負責第一線大軍指揮者，從東北戰場、華東戰場、華中戰場到西北戰場，主要第一線兵團指揮官都是黃埔一期。他們在第一線的指揮都是失敗的，或則被俘，或則投降變節，但劉戡自殺成仁。就傳統戰的建軍而言，國軍當時高級將領戰略、戰術素養不足，爲失敗主因。

就兵源徵集而言，由於戶政不修，國民黨政府在大陸執政二十餘年，連戶口調查都未做好，故戶政無基礎，兵籍無法建立，故徵兵形成攤派，弱勢農民子弟尤爲攤派對象。由於兵役亂象，兵役部長程澤潤被槍斃，其實他是冤枉的。抗戰末期，爲迎接美援新裝備，而發動知識青年從軍，編成九個師青年軍。知識青年爲抗戰而從軍，故剿共戰爭中，青年軍幾完全未發揮戰力。其他部隊於內戰中被殲後，再行整補，兵源徵集較抗戰期間更難，拉伕則到處可見。

至於部隊訓練，因大陸連年征戰，軍事設施除清末建有少數營房外，其餘軍隊一向駐廟宇民宅，更無訓練基地，亦無訓練測驗制度，全憑各部隊長個人重視與否，故國軍訓練素質落差甚大。除駐印軍在印度藍伽，依美軍制度完成堅實訓練外，國內部隊在抗戰期間，就我所知，杜聿明任第五軍長時，他是親自主持部隊訓練的將領。他的部屬：二百師師長戴安瀾、新二十二師師長邱清泉、副師長廖耀湘，都是在杜聿明要求下，重視訓練的將領，所以第五軍一直是蔣公手中的王牌，內戰初期所向無敵，十八軍亦然。但關內戰場，獨木難撐大廈，最後於徐蚌會戰中同遭覆滅，杜聿明被俘，邱清泉則成仁。

10. 國軍在大軍指揮中所犯的戰略錯誤：

(1) 戰力的消長，是戰略的根本問題，包括有形（物質）戰力和無形（精神）戰力的評估與判斷。國軍在整個戰略判斷上，低估了共軍的精神戰力（包括思想、戰鬥意志、訓練與指揮藝術），而高估了自己的有形戰力。

(2) 用兵之道，在全軍破敵。當敵方戰力逆勢時，應採速戰速決，殲滅敵軍；當敵我兵力平衡時，應以主動、機動尋求局部殲滅，轉平衡為優勢；但當兵力劣勢時，應避免決戰，則以全軍為上。

甲、自日本投降，至一九四六年十二月馬歇爾離華，十六個月間，國軍因受和談影響，未能主動尋求決戰（尤其是華東戰場），坐待共軍戰力成長，已失去速戰速決的戰略時機。

乙、共軍利用邊談邊打，十六個月的時間，完成消化俄所收繳日本關東軍及偽滿軍武器裝備，在東北完成五十個師的整建。

關內各戰場接收偽軍裝備，及由蘇聯援助，亦完成野戰軍的整建。故邊談邊打期間，共軍且達成持久與局部殲滅國軍（如整三師、整二十六師、整九十九旅），爭取了戰力平衡，甚至在一九四八年初，共軍在東北已居於優勢。

(3) 一九四六年底，和談調解破裂。而蔣、馬的破裂，其嚴重性更甚於蔣、毛的破裂。故一九四七年春開始全面進剿，大勢上已無速戰速決的可能。而攻取延安，軍事上既未殲滅共軍有生力量，而政治上則斬絕恢復和談之可能，乃形成蔣公以孤軍，對抗史、毛的聯軍，則成敗之勢更明。

(4)國軍自一九四七年春全面進剿，既未捕捉共軍主力決戰，主戰場不明確，空軍未能集中主力，用於決戰，而為各戰場的救火隊。在運動戰中，共軍阻援打點的戰略多獲成功（僅南麻與四平街例外）。至一九四七年終，國軍速決戰略完全失敗，且兵力轉趨逆勢，而無形戰力更不能與共軍比。

(5)惜蔣公此際未作理性思考，白崇禧一九四七年曾向蔣公建議，立即主動放棄吉林、長春及石家莊等重要城鎮據點，縮短戰線，改採戰略守勢，未被蔣公接受，乃戰略錯誤。一九四八年夏末，實為全軍之最後時機（全軍為保存戰力之意）。

(6)蔣公明知自一九四七年冬起，共軍已可全面採取攻勢。蔣公雖以戰略守勢為名，實際仍圖以決戰轉變頹勢。但就戰略而言，在兵力劣勢、態勢不利情況下尋求決戰，實乃敵之希望。

(7)蔣公親自主導東北戰場，遼西瀋錦會戰，致東北精銳主力覆沒，乃一九四八年全面軍事崩潰的開始。

(8)東北既敗，關內仍圖決戰，致遭徐蚌會戰失敗。

(9)一九四九年一月，蔣公下野後，軍事戰略更屬支離破碎，幾乎無戰略指導可言，乃至大陸完全變色。

(10)試以幾個如果：

甲、一九四八年秋，如果東北戰場蔣公採取軍師長的意見，放棄瀋陽，主力向營口撤退，確保以營口與葫蘆島兩港，為補給線的據點，以三十萬大軍分守兩個主要海空據點，足可牽制林彪五十萬大軍入關，可保華北平津走廊。

乙、如果以秦皇島港及大沽港為補給基地，足可保衛平津走廊，則一九四九年十月一日，中共不可能在北平宣稱建政。

丙、如果濟南守軍王耀武主力，於一九四八年初秋即主動放棄濟南，而向青島撤退，與膠東守軍會合，組成以青島港爲補給基地的十萬大軍據點，足可牽制陳毅主力南下，主導徐蚌會戰。

丁、如果黃百韜兵團，由新安鎮向連雲港撤退，構成以連雲港爲補給線的十萬大軍據點，不僅免除在碾莊被殲，且可牽制陳毅主力，無法集中對杜聿明部形成包圍。

戊、如果無碾莊的失敗，杜聿明部主力可順利撤至淮河以南，不致有徐蚌會戰失敗。

己、如果有營口、葫蘆島、秦皇島、大沽港、青島港、連雲港爲主體的據點，足可牽制共軍主力過江。

庚、能戰才能和。以上六個如果的戰略如採用，既能和亦能戰，以待美國政局的演變。

辛、唯有美、蔣合作，才能對抗史、毛的合作。

11.蔣公下野後的軍事戰略錯誤：

(1)一九四九年四月一日，共軍渡江後，仍圖在上海決戰，以保衛上海，完全是主觀算盤，徒耗損僅有戰力。

(2)蔣公下野前，既以保守台灣作爲最後、最壞打算，則一切戰略，以僅餘戰力，應以保衛台灣爲主軸，而力圖在大陸東南保有根據地，以作台灣外圍，亦即堅持戡亂到底，應依託海洋，應不惜及早放棄西北、西南。

(3)僅有最完整、最忠貞的胡宗南部三十個師，應於徐蚌會戰期間，即南調廣東及海南島。

(4)應將廣東交由桂系，青島劉安祺部，放棄青島後，即應巡轉海南島，不必與桂系互爭廣州控制權。

(5)舟山部隊十萬人，應於上海淪陷時，即移調金、廈或海南。

(6)如此部署，至少海南島應可確保。

12.從日記中可看出，整個剿共軍事，是蔣公以最高統帥身分，直接決策與指揮，參謀總長只是奉命執行而已，陳誠與顧祝同均係如此。但大軍由最高統帥直接指揮至第一線軍，並不恰當。

13.為將之道，固存心時時可死，但作戰應步步求生。蔣公在日記常痛責將領無能，固屬將領的戰略、戰術素養不足，戰志不堅，但如固守變成死守，死守成為守死，戰例一再發生，有骨氣的將領自戕負責誠可佩，但被俘變節則士氣必如潰堤，而不可收拾。

14.就政治及軍事戰略而言，在五年日記中，從未思考到，當不能消滅中共軍力時，暫求和緩共存之道，先建設江南，充實國力，確保國際地位，立於不敗之地，以待全球反共形勢之變化，是難以理解之盲點。

15.戰略區分為大戰略（國際外交）、國家戰略（政治戰略、經濟戰略、軍事戰略）及野戰戰略三個層次。但大戰略的錯誤，很難以國家戰略去補救；而國家戰略的錯誤，亦難以野戰戰略去補救。

16.陳誠未收編偽滿軍問題。大陸失敗，一般民意代表或社會評論，咸以日本投降後，陳誠未能積極甚或拒絕收編偽滿軍隊，乃東北軍事失敗的主因，實乃皮相之論。蓋偽滿軍與汪偽軍的受降區分不同，汪偽軍係由中國戰區最高統帥蔣委員長受降，故關內偽軍須接受蔣委員長的命令；但關外偽軍歸史大林受降，蘇軍進入東北後，早已收繳關東軍及偽滿軍武器，並將之移交林彪。蘇聯根本不容許偽滿軍保持原狀，來接受蔣委員長的命令，故指摘實乃不明眞相的誤會；如別有用心，則更無足論矣。

17. 綜言大軍指揮的根本問題：

(1) 大軍通常指陸軍「師」以上的部隊。一個師的攜行糧彈，稱爲生存持續力與戰鬥持續力，最多七天。換言之，一個師如補給線被切斷，最多只能生存七天。因此：

(2) 大軍必須有安全的補給線，不能置之死地而後生。

(3) 殲滅戰的意義：所謂殲滅，在虜獲敵軍的武器裝備及其指揮系統，以及三分之一以上人員的傷亡。一個師被殲滅，重建或重整至少須時半年到一年。

(4) 大軍必須在兵力優勢、態勢有利，才能主動尋求決戰。

(5) 大軍最忌作戰正面與補給線平行，機動時側敵行動（瀋錦會戰失敗主因）。

(6) 大軍會戰計畫既定，不能中途變更，須堅持到底（東北廖兵團既西進，又回師瀋陽，乃失敗主因）。

(7) 大軍會戰，不能越級指揮。

(8) 最高統帥親函第一線軍師長，只可鼓勵士氣，不可指示行動。

(9) 絕對優勢的空軍，應用於主戰場決戰，不可當救火隊使用。

(10) 戰略錯誤不可能以戰術補救，戰術錯誤不可能以戰鬥補救。

蔣公的歷史地位

綜觀這五年日記，蔣公個人的聲望與地位，固從巔峰到谷底，但由於他天生的領袖氣質，與對中華民族復興的歷史使命感與責任感，雖經這五年血淚的煎熬，幾無一日一時不生活在憂患痛苦中。他對實現孫總理的建國信念與信心絕未動搖，憑其堅忍的毅力，不放棄絕望中的奮鬥。衆雖叛而親未離，土雖失而國未亡，重建了實現三民主義的中華民國基地。

一、蔣公的領導特色

領導本質是一種藝術，歷代的國家領導人，均有其獨特的風格與歷史環境的背景。在北伐成功後，是新舊思潮互相激盪的時代，而社會仍是貧、弱、愚，內則割據勢力互爭，外則列強各據勢力範圍。蔣公成功掌控優勢的嫡系部隊，鎮懾住割據勢力；外則以中央政府地位肆應，直到抗戰勝利，幾無日不在戰亂中，故對於建國的基本制度及法制無暇顧及，基本上是領袖，亦即是作之君、作之親、作之師，但其目標在實現國父的建國理想。

（一）蔣公的領導，我概估至少有三分之一的時間與精力，用於幹部的訓練，與各級幹部的互動，上自大老如吳稚暉，下至文武基層幹部。其對幹部的要求，固忠誠與才能並重，但若不能兼得，則以忠誠爲重，而對非嫡系則以感召妥協爲主。甚至一九四九年大勢已去時，仍不放棄對盧漢與傅作義的感召，而最後一個月能在重慶與成都處理殘局，亦全恃嫡系胡宗南部隊的到達。既先派陳誠主台，又以顧祝同在大陸最後階段患難相隨，蔣公終於平安回台，站穩腳跟。雖割據勢力見風轉舵而衆叛，但親信不離不棄也。

（二）蔣公領導，表面威嚴剛直，對幹部的痛責常不假辭色，但每自省過分，常自己記過一次，似無向當事人表示歉意的記載。

（三）蔣公對於文告非常重視，每親自題綱，乃至字斟句酌。但發表以後如何貫徹，不如毛澤東，對共黨領導全面學習制度，以期統一思想（共黨至今仍依此作風，故對外口徑一致）。而蔣公每月所思大事、小事，常以手令交辦，但似大多成爲虛文，亦爲國民黨士大夫風氣、官僚作風使然。凡此都是基本弱點，但蔣公對於領導國家的大方向，是非常明確的。

（四）蔣公在對外鬥爭中，以其過於陽剛，而敗於毛澤東和馬歇爾的陰狠。

（五）蔣公在內部權力鬥爭中，常採適可而止的妥協，與政敵共存，不如毛澤東的徹底，務使政敵無存在餘地。但蔣公在任何情況下，都掌握住基本的忠誠嫡系幹部與實力，面對最後與桂系的鬥爭，乃至來台後對美反蔣的操弄中，均能立於不敗地位，爲中華民國保留了生存與發展的機勢。

二、蔣公不朽的歷史地位

蔣公日記，是近代中國珍貴的史料，有助還原歷史的眞相。失去在大陸建設國家的機會，是蔣公一生的最痛。就戰爭而言，常說「勝則全是、敗則全非」，但就蔣公的大陸失敗而言，勝則未必全是，而敗則未必全非。從歷史長河觀之，蔣公仍在「是」的一面，確定了不朽地位。

（一）蔣公是國父的忠實信徒，與革命事業的繼承者，不論領導風格與是非得失，他的志業就是實行三民主義。國父思想是歷史長河的主流，蔣公是正統中華文化的傳承者。

（二）就民族主義而言，他領導全民對日抗戰八年，廢除了百年來的不平等條約，求得中華民族的獨立自由，中華民國因此成爲聯合國的創始國，與安理會的常任理事國，取得國際地位平等，並且終結十五世紀以來的殖民主義，亞、非殖民地完全獨立建國，達成濟弱扶傾的國際使命。

（三）就民權主義而言，一九四六年在南京制定的中華民國憲法，明定中華民國爲三民主義共和國，且依國父建國大綱的精神，五權分立制衡，爲世界所公認的民主憲法。反對者視為威權獨裁的領導者，卻是中華民族民主政治的奠基者。這部憲法亦為今日在台、澎、金、馬合法行使政權的根本，開啓了在台灣一人一票、祕密投票的地方自治，及中央政府的選舉制度，亦為奠定法治政治，及現階段兩岸和平發展，不可搖撼的基石。

（四）就民生主義而言，在台灣開始依民生主義的精神，實施土地改革，實現耕者有其田，並依市場經濟原則發展經濟，奠定台灣人民均富的基礎。

三、蔣公是中華民族主義者，從無偏安思想，更無苟安意念

（一）九一八事變後，一九三五年，日外相廣田弘毅提出三原則，只要國民政府承認偽滿，則可保有黃河以南疆域，並共同防共，實即共同剿共，蔣公拒絕了。確保中國的領土、主權完整，是他首要考慮，從無偏安思想，反共是次要的。

（二）抗戰勝利，不平等條約取消，確保國家領土完整的使命達成。蔣公非常在意一九三七年中共發表的「共赴國難宣言」，八年抗戰期間，因毛澤東背棄了「共赴國難宣言」，破壞統一，而一意要剿共。這是戰略判斷錯誤，致大陸變色。但在與桂系鬥爭中，李宗仁要求他出國，蔣夫人曾安排他到加拿大去，他都拒絕了，證明他從無苟安思想。

（三）徐蚌會戰失敗後，親近人士怕他尋短。他明告不會自殺，會奮鬥到底。到台灣後即明示幹部：退此一步，即無死所。固守台灣非為偏安，乃再創中華民國的生機。面臨聯合國席位危機，寧退出聯合國，堅持「一個中國」的原則，和中華民國的法統。

解讀後語

好友耿若天將軍、賈維錄將軍、鄭立軍將軍、戴鍔將軍，將他們親身參與的關鍵戰役、作戰經過及感想，寫成專文，附於日記之中，有助讀者體會內戰實情，甚覺可貴。張祖詒先生的大作〈我在長春一百天〉，亦收同效。

解讀期間，周玉山教授對文字的修飾校對，貢獻甚大，並此致謝。

重要人物字號表

序號	字號	姓名	備註
1	一民 逸民	朱紹良	福州綏靖主任、第八戰區司令官。
2	元靖	賀國光	西南長官公署副長官，兼西昌警備總司令。
3	子香	馬步芳	青海主席、西北軍政長官。
4	子惠	楊森	貴州省主席。
5	文白	張治中	國共談判要角，三人軍事小組政府代表。
6	方舟	王陵基	川軍將領，江西省主席、四川省主席，一九四九年被共軍俘獲。
7	天翼	熊式輝	國民黨政學系，東北行營主任。
8	少川	顧維鈞	外交家，聯合國首席大使、駐美大使。

9	少香	馬繼援	馬步芳之子，八十二軍軍長，一九五〇年來台。
10	少雲	馬鴻逵	寧夏省主席，與馬步芳、馬步青並稱為「三馬」。
11	公俠	陳儀	福建省主席、台灣行政公署長官。
12	公權	張嘉璈	經濟學家。
13	永衡	盧漢	雲南省主席，一九四九年投共。
14	可亭	徐柏園	一九四九年任財長，兼中央銀行總裁。
15	申生	貝祖詒	中央銀行總裁。
16	次宸	徐永昌	山西將領，軍令部長、陸大代校長。
17	光亭	杜聿明	黃埔一期，昆明防守司令、東北保安司令長官。
18	向華	張發奎	海南特區行政長官。
19	仿魯	孫連仲	西北軍馮玉祥系統，一九四九年來台任戰略顧問。
20	任潮	李濟深	國民黨反蔣派。
21	企止	袁守謙	黃埔一期，國防部副部長，一九四九年來台。
22	自乾	劉文輝	西康省主席。

23	志舟	龍雲	雲南省主席、農林部長，一九四九年投共。
24	伯川	閻錫山	山西將領，一九四九年以行政院長身分來台。
25	伯玉	胡璉	十八軍軍長、金門防衛司令。
26	伯南	陳濟棠	廣州將領，綏靖公署主任，一九五〇年來台。
27	伯陵	薛岳	徐州綏靖主任、廣東省政府主席、海南特別行政區長官。
28	伯聰	魏道明	駐美大使。
29	佐才	王耀武	黃埔三期，山東省主席，一九四八年濟南戰役被共軍俘虜。
30	治易	王纘緒	川軍將領，重慶綏靖公署副主任、重慶警備司令，一九四九年投共後逃亡。
31	武鳴	陳繼承	北平警備總司令。
32	宜生	傅作義	閻錫山晉軍舊屬，十二戰區司令官，一九四九年投共。
33	雨東	關麟徵	黃埔一期，陸軍總司令、陸軍軍官學校校長，一九四九年留居香港。

34	雨農	戴笠	黃埔六期，軍統局局長。
35	奉璋	周嵒	第六綏靖區司令、浙江省主席。
36	叔銘	王叔	黃埔一期，空軍一級上將。
37	岳軍	張群	四川省主席，行憲前最後一任行政院長。
38	孟真	傅斯年	來台後任台大校長。
39	亮疇	王寵惠	法學專家，司法院副院長、院長。
40	為章	劉斐	桂系將領，作戰參謀次長，乃潛伏共諜。
41	俊如	衛立煌	陸軍總部副司令。
42	悔吾	郭懺	聯勤總司令。
43	哲生	孫科	國父之子，立法院長、行政院長，來台後任考試院長。
44	晉康	鄧錫侯	四川將領，川康綏靖主任。一九四九年投共。
45	耿光	楊杰	陸軍大學教育長。
46	庸之	孔祥熙	行政院副院長。
47	雪艇	王世杰	法學家，行政院長。

48	健生	白崇禧	桂系將領，抗戰勝利後第一任國防部長。一九四九年來台。
49	詠霓	翁文灝	地質學家，後任行政院長。
50	幄奇	余漢謀	廣州綏靖主任。
51	達銓	吳鼎昌	國民黨政學系，負責財經。
52	敬之	何應欽	抗戰勝利南京受降代表，國防部長，陸軍總司令。
53	頌雲	程潛	武漢綏署主任，曾參加副總統競選失敗。
54	鈺如	賈景德	行政院祕書長。
55	經扶	劉峙	徐州剿共總司令。
56	稚暉	吳敬恆	國民大會制憲代表主席，來台後任中研院院士。
57	蔚文	林蔚	參謀次長。來台後任東南長官公署副長官。
58	銘三	蔣鼎文	第一屆國大代表，一九四九年來台。
59	劍靈	黃鎮球	曾任防空學校教育長，來台後升一級上將，曾任總統府參軍長。

60	德鄰	李宗仁	與白崇禧、黃旭初並稱為「桂系三巨頭」。抗戰期間任第五戰區司令長官，行憲後當選為副總統。
61	德操	孫震	鄭州指揮所主任、川鄂邊區主任。
62	墨三	顧祝同	上將，曾任陸軍總司令、參謀總長。
63	樵峰	俞飛鵬	交通部長。
64	辭修	陳誠	第一任參謀總長，來台後任台灣省主席、行政院長。
65	膺白	黃郛	蔣公至友。
66	禮卿	吳忠信	新疆主席、政治會議祕書長。
67	騮先	朱家驊	教育部長。
68	覺生	居正	中國國民黨元老，西山會議派。

國家圖書館出版品預行編目資料

郝柏村解讀蔣公日記一九四五～一九四九／郝柏村著.
-- 第一版. -- 台北市：天下遠見, 2011.06
面； 公分. --（社會人文；321）

ISBN 978-986-216-754-0（精裝）

1. 蔣介石 2. 傳記 3. 中華民國史

005.32 100009431

社會人文 321

郝柏村解讀蔣公日記一九四五～一九四九

作　者／郝柏村
總核稿／周玉山
副總監／吳佩穎
副主編・責任編輯／翁淑靜
封面設計・美術設計／葉雯娟（特約）
照片提供／國史館、郝柏村

出版者／天下遠見出版股份有限公司
創辦人／高希均・王力行
遠見・天下文化・事業群　董事長／高希均
事業群發行人／CEO／王力行
出版事業部總編輯／王力行
版權部經理／張紫蘭
法律顧問／理律法律事務所陳長文律師　　著作權顧問／魏啟翔律師
社 址／台北市104松江路93巷1號2樓
讀者服務專線／(02)2662-0012
傳 真／(02)2662-0007；2662-0009
電子信箱／cwpc@cwgv.com.tw
直接郵撥帳號／1326703-6號 天下遠見出版股份有限公司

電腦排版・製版／立全電腦印前排版有限公司
印刷廠／祥峰印刷事業有限公司
裝訂廠／精益裝訂股份有限公司
登記證／局版台業字第2517號
總經銷／大和書報圖書股份有限公司　電話／(02)8990-2588
出版日期／2011年6月16日第一版第1次印行

定價／600元

ISBN：978-986-216-754-0
書號：GB321

BOOK zone 天下文化書坊　http://www.bookzone.com.tw